ÉPREUVES NON CORRIGÉES

PARDONNEZ
NOS OFFENSES

Romain Sardou

Pardonnez
nos offenses

Roman

ISBN : 2-84563-076-X

À ma femme

Prologue

Extraits des interrogatoires consignés aux registres
de la Sainte Inquisition de Foix,
conduits par le père évêque Bérulle de Noy,
en Sabarthès, Tarles, septembre 1290.

*Nous, Aveyron Quentin et Sidoine Méliesse, vicaire
perpétuel de l'évêque de Noy et rapporteur à la cour synodale de Sabarthès, en cette vigile de la nativité de Marie,
seconde année du règne de Philippe de France, assurons
comme droits et véridiques les comptes rendus sous
serment de Chrétiennotte Paquin, fille de Bréand Paquin,
et de Guillemine Got, filleule du père Anselme, aumônier
de Domines.*

*Cesdits enregistrements, établis sous l'autorité de monsei-
gneur de Noy, attestent les éléments touchant aux assas-
sinats du diocèse de Draguan. Ils ouvrent la grande
procédure de l'assemblée jacobine de Passier. L'ordre
exécutoire a été mandé que tous les témoins relatifs à cette
affaire soient entendus et déposés devant une autorité
ecclésiale. Monseigneur de Noy a été désigné par les
viguiers et les magistrats de la primature comme unique
Magister. C'est en son pouvoir que seront enregistrés aveux
et pénitences.*

Ledit acte est certifié à Tarles, au palais épiscopal, en

présence des deux assesseurs et du père évêque inquisiteur. Il a été établi sur velin par le rapporteur Sidoine Méliesse, en ce jour et l'année que dessus.

... le rapporteur était installé selon l'usage à la gauche de l'évêque, devant un petit écritoire en bois. La séance du 7 septembre 1290 n'avait pas encore débuté. L'inquisiteur prenait place sous sa grande croix verte ; le vicaire Quentin endossait son rabat noir et sa chape de dominicain, debout près d'un portail. Seul le rapporteur Méliesse était prêt, piétinant devant son pupitre depuis le petit matin. Ses feuillets étaient adroitement inclinés, tendus par des billes de plomb ; il avait affilé cinq plumes de barnache, disposé une corne à encre remplie à ras, un grattoir de peau et une bassine d'eau fraîche pour se dégourdir les doigts : le scribe prévoyait une longue journée. Les inquisiteurs de Passier ne le désignaient jamais que pour des audiences délicates ou à caractère clandestin. Méliesse était un rapporteur célèbre : il écrivait au rythme de la dictée et pouvait rédiger sur une simple tablette le résumé de plusieurs jours d'interrogatoires serrés. Il traduisait à l'oreille l'occitan et le provençal des témoins du Sud en un latin exemplaire. Ce modèle d'archives, très prisé des tribunaux d'Église, permettait aux juges du royaume de parfumer de fagot la moindre déposition. La plume de Méliesse, saluée par tous les édiles de son temps, était vive, lisible et sans biffure. L'audition de ce jour, interdite au public et aux bayles de la prévôté, ne pouvait se passer des talents de cet homme rond, bombé sur son plateau, constamment emmailloté dans une bure maculée d'encre.

Le tribunal d'Inquisition était dressé dans un des préaux couverts de l'archevêché de Tarles. C'était une vaste salle fermée par trois grands portails. Elle faisait plus de soixante pieds de large et vingt perches de long. Le plafond se perdait dans des voussures humides, déjà rancies par le temps. Des vitraux bleus aux sels de cobalt filtraient la lumière. Les estrades étaient désertes et laissaient les pas retentir sur le pavement sans stries jusqu'au tréfonds de la pièce.

Le père inquisiteur de Noy, assis sur un faudesteuil flanqué de deux griffons, était tout aussi inquiétant que ces murs charbonnés. L'homme était si sec et sa chaise si étriquée qu'ils semblaient ne plus faire qu'un même corps, hautain, glacial, dressé comme une colonne de marbre. Bérulle de Noy était réputé pour son art d'extraire le vrai des fidèles les plus retors (« faire jaillir les agnelles », disait-on). Il portait la longue tunique grège et lie-de-vin des évêques du Sud.

Le vicaire et le rapporteur attendirent que leur maître ouvrît la séance. On n'entendait guère au loin que le faible écho d'un angélus du matin chanté par les moines de l'abbaye. Ponctuel et respectueux, Noy attendit que le chœur eût terminé son dernier hymne pour démarrer le procès.

Quentin, le vicaire perpétuel, dégagea aussitôt la porte : derrière ses vantaux se tenaient un sous-diacre et deux jeunes filles. Celles-ci étaient collées l'une à l'autre, le regard hagard, les jambes fragiles, les poignets cassés. Elles portaient un bliaud long, effilé, grossièrement rapiécé de pièces et de morceaux. Leurs chausses étaient encore empêtrées de boue. Ces deux paysannes étaient les premiers témoins de l'affaire de Draguan. On les fit entrer. Méliesse se mit d'emblée à transcrire.

L'audience débuta après les chants de laudes dans la salle Saint-Anastase de l'archevêché de Tarles. Les deux jeunes filles Paquin et Got ont été présentées devant monseigneur de Noy par le sous-diacre Amneville. Ce dernier n'a pas assisté à l'interrogatoire. Il les fit asseoir à la face de Son Excellence. Les filles Paquin et Got exécutèrent un signe de croix avant de se déclarer soumises à l'entretien. Monseigneur de Noy leur intima toutefois l'ordre de professer deux Pater en supplément. Les témoins s'y sont pliés de bonne foi...

... ainsi les deux filles se montraient bonnes chrétiennes. L'évêque de Noy connaissait parfaitement les rouages de la justice ecclésiale et savait que de simples ambiguïtés pouvaient lui faire perdre son investiture. Il redoutait qu'on associe son procès à de nouvelles révélations sur les hérésies cathares, domaine qui ne lui appartenait pas. Ces croyances étaient célèbres : l'évêque savait que les hérétiques ne pouvaient en toute conscience réciter un Pater ou un Credo sans encourir les foudres de leur communauté et de leurs anges. Pour le cathare, le corps humain était trop impur pour avoir le mérite d'évoquer verbalement le nom de Dieu ou de le prier dans une invocation sainte. La bouche de l'homme ne pouvait à la fois servir à ingurgiter des nourritures terrestres (qui seraient rejetées plus tard de manière infamante par ce même corps impur) et chanter à voix haute la gloire du Seigneur. Chez le cathare, le nom de Dieu ne résonnait qu'intérieurement. En faisant réciter ces deux Pater à ses premiers témoins, Noy sous-entendait la singularité de son affaire ; elle était sans rapport avec le conflit des albigeois, des vaudois, des patarins, des fraticelles ou des anciens bogomiles de Bulgarie. C'était un cas isolé, donc illustre dans l'histoire.

L'évêque de Noy : « Jeunes filles Paquin et Got, je vous entends aujourd'hui en place et nom de la curie inquisitoriale. Vous serez conduites à répéter devant nous l'enchaînement circonstancié des faits que vous avez observés près du village de Domines, au commencement de l'affaire dite de "Meguiddo". Pour le rapporteur synodal, veuillez établir en premier vos nom, état, âge et sexe, ainsi que ceux qui étaient les vôtres lors des actes à présenter ce jour. »

L'évêque désigna Chrétiennotte Paquin. C'était la plus jeune des deux appelées. Elle avait de grands yeux clairs, des mèches filées d'or et un teint de lait d'enfant. Son visage céleste contrastait brutalement avec ce Tribunal de Foi rempli de ténèbres.

Chrétiennotte Paquin : « Je me nomme Chrétiennotte Paquin. Je suis la cadette du savetier Bréand Paquin, aide-tisseuse au service de Brune Halibert, promise depuis la Toussaint à Gaëtan Gauber, portefaix. J'ai quatorze ans et je suis encore chaste. L'Apparition a eu lieu la dixième année de feu l'ancien roi Philippe. J'avais sept ans. »

Guillemine Got : « Je m'appelle Guillemine Got, fille de Everard Barbet, autrefois de Tarascon, femme du dinandier Siméon Got. J'ai trois enfants et n'ai jamais connu mon âge ; il se dit que j'avais lors vers les dix ou douze ans. »

La dinandière était plus farouche que son amie. Plus endurcie. Les deux filles parlaient pourtant avec beaucoup de défiance. Leurs corps s'engonçaient dans leurs petites chaises rempaillées.

L'évêque de Noy : « Répétez à présent ce qui est depuis sept ans connaissance publique au diocèse de Draguan, et qui doit être aujourd'hui rédigé pour la Cour. Dites ce que vous m'avez toutes deux dévoilé sous le sceau de la confession chrétienne, soit exempt devant Dieu de tout péché et de toute déformation mensongère. »

Bérulle de Noy était un inquisiteur habile. Il ne questionnait jamais ses témoins sous serment. Il leur rappelait seulement un jurement antérieur, même lointain. Cette petite perfidie de métier lui avait permis de proclamer des sentences retentissantes, s'appuyant parfois sur un simple *controuvement* des promesses. Noy était de cette race d'examinateurs qui vous dénichaient un hérétique chez n'importe quel innocent. Il ne recourait jamais au supplice ; sa simple présence suffisait à passer ses accusés au laminoir et à leur faire admettre plus qu'ils ne pouvaient.

Chrétiennotte Paquin : « Notre histoire a commencé peu de temps après les rogations de la Saint-Marc, à la saison où les ormeaux portent leurs feuilles. »

Guillemine Got : « Nous jouions toutes les deux au bord du cours Montayou ; en secret, car nos parents défendaient aux enfants d'approcher cette frayère du village. »

Chrétiennotte Paquin : « L'Apparition a eu lieu exactement devant le petit barrage en bois construit par les aïeux de Simon Clergues. Nous étions en train de lancer des pierres sur les poissons qui venaient pondre… »

Guillemine Got : « … quand la "Chose" s'est montrée, peu après notre arrivée. »

Sidoine Méliesse ne savait rien des premiers événements qui avaient rendu célèbre le diocèse de Draguan. Il connaissait les clameurs de la foule, la fin désastreuse, les rumeurs qui couraient sur les bûchers d'ossements… mais il ignorait que cette histoire avait débuté avec deux simples enfants de paysans qui jouaient près d'un cours d'eau.

Chrétiennotte Paquin : « Cela ressemblait de loin au corps d'un animal mort flottant sur la rivière. Il tournoyait dans les remous, plongeant, réapparaissant, brassé par les courants et le clapot. Nous nous sommes approchées quand il s'est arrêté entre les lattes du barrage de Clergues. »

Guillemine Got : « De près, la Chose n'avait plus rien à voir avec le cadavre d'une belette ou une carcasse de poisson. »

Chrétiennotte Paquin : « C'était long, gris, et noirci fortement à certains points. »

Il y eut un silence. Les souvenirs des deux filles se faisaient soudain plus poignants. L'aînée reprit d'une voix blanche.

Guillemine Got : « C'était un bras d'homme, monseigneur. Un bras d'homme sauvagement arraché. »

Chrétiennotte confirma d'un hochement de tête. Guillemine expliqua le mécanisme de flottage de cette apparition.

Une vessie d'agneau avait été gonflée et attachée par une ficelle à la charogne. Cette petite poche entraînait le fardeau morbide au fil du cours d'eau. Arrivée au niveau du barrage, sa peau était distendue et le ballonnet à moitié vidé. L'objet voyageait assurément depuis plusieurs jours...

L'évêque inquisiteur s'assura de la transcription du rapporteur, puis fit un signe d'intelligence au vicaire Quentin. Ce dernier attendait depuis le début de l'audience adossé à un muret, près d'un large coffre en bois. Il ouvrit sur ordre sa mystérieuse malle et en sortit un sachet de coutil, oblong et ligoté. Il le dénoua devant les filles.

Méliesse lui-même ne put s'empêcher de blêmir. Sans le moindre ménagement, l'évêque faisait présenter à ses témoins le membre humain sus-décrit et conservé depuis par la cour de Passier. Les tissus étaient rabougris, desséchés, grisés. L'ossature complète mesurait à peine trois pouces de long. Le poignet était sectionné à l'articulation, et la partie supérieure proprement cassée au beau milieu de l'os. La rupture était franche, en plein humérus. Il avait fallu une force et une sauvagerie inouïes pour faire éclater un os à cet endroit. Les deux témoins, médusées, confirmèrent l'authenticité de « l'objet ».

Le vicaire remballa sa pièce à conviction, à peine embarrassé de balader ainsi un morceau d'homme. L'évêque reprit son questionnement.

Méliesse le résuma pour les supérieurs de Noy.

Paquin et Got assurèrent n'avoir d'abord rien rapporté à leurs parents. Chacune rentra à l'ostal sans faire montre de la moindre anxiété.

Le lendemain, les deux filles retournèrent au barrage : le bras putréfié était toujours retenu entre les dosserets de bois. Les deux enfants décidèrent de le tirer hors de l'eau... mais une autre silhouette apparut bientôt, descendant la rivière. L'objet vint lui aussi percuter la rampe du barrage.

Les deux jeunes filles s'enfuirent aussitôt : c'était un autre bras d'homme, atrocement mis en charpie et retenu à la surface par des entrailles de bête.

Au village, les enfants restèrent muettes, pétrifiées devant cette nouvelle apparition... Elles étaient persuadées que quelqu'un finirait par découvrir ces bouts de cadavres sans qu'elles aient à se compromettre.

Pas un mot ne transpira, en dépit des angoisses, des cauchemars et même de la fièvre. La petite Paquin tomba gravement malade ; son front se couvrit de taches brunes. Le guérisseur du village lui attribua le « feu de saint Antoine », cette infection soudaine que seul le saint provoquait et guérissait à sa guise depuis le ciel. La petite fille refusa dès lors de prononcer le moindre mot.

Pendant les trois jours qui suivirent, malgré les dangers et les premiers orages d'été, Guillemine Got retourna seule près du Montayou.

Dans l'intervalle, elle dénombra trois autres bras humains de taille plus modeste, ainsi que deux jambes et deux torses, tous humains et tranchés à vif.

Méliesse nota dans le détail les descriptions précises de la petite Got. La jeune femme n'avait rien oublié des teintes, des formes, des commissures pourries, des chairs détrempées...

L'évêque de Noy : « Quelle raison vous a poussée à dévoiler vos découvertes au village ? »

Guillemine Got : « La pluie, monseigneur. Elle faisait gonfler le Montayou. Les bouts de charogne allaient bientôt dépasser le petit barrage et être emportés en contrebas sans que personne ne s'en aperçoive. Nous étions les seules au courant. Il fallait rapporter cette diablerie à mes parents, ou tout se serait perdu... »

Les deux filles racontèrent alors la stupéfaction des villageois de Domines. Le juge Noy écouta attentivement pendant près de deux heures. Paquin et Got retracèrent les journées agitées qui accompagnèrent leurs révélations.

Le sous-diacre Amneville fit ensuite entrer dans le préau les pères Méault et Abel, deux moines officiant au diocèse de Draguan. Ils venaient confirmer les dires des jeunes filles et valider leurs témoignages selon l'appareil inquisitorial qui réclamait toujours deux dépositions concordantes pour enregistrer un acte.

Par souci d'orthodoxie, les religieux durent réciter un Ave Maria complet et souligner leur allégeance à l'Église apostolique et romaine. Ils donnèrent ensuite leur version des faits.

Elle était identique aux confidences des deux filles.

La population de Domines se prit de hantise pour ces membres charriés par le Montayou. Le « rituel » d'apparition continua avec une régularité infernale : on récupéra un autre buste entier, des crânes, des mains jointes en paquets... Chacun était emporté par une poche de brebis, une enveloppe ou des vessies de porc. Tout fut, au fur et à mesure, extirpé de l'eau.

Au quatrième jour suivant l'aveu de Guillemine Got, les envois cessèrent.

Domines faisait partie de la légation de Draguan. Cette paroisse était la plus petite de l'évêché, diocèse misérable qui était depuis trente ans sous l'autorité d'un certain évêque Haquin. Celui-ci fit venir un médecin réputé de Sabarthès, maître Amelin. Ce docte professeur resta de longues journées avec les membres humains qui séchaient sur son billot.

Il demeura secret jusqu'à la fin de son examen. Au lendemain du septième jour d'étude, il brûla son sarrau et ouvrit les portes de son officine aux sommités du bourg. L'évêque Haquin et ses fidèles découvrirent alors, ébahis, sur un grand établi en bois, trois corps humains, entièrement recomposés, morceau par morceau, comme des palets de bois dans un jeu de patience. L'effet était saisissant : malgré l'état putride, décharné et encore humide, on distinguait parfaitement les apparences d'un adulte et de deux enfants. Maître Amelin précisa qu'il s'agissait selon lui d'un homme, et d'une fille et d'un garçon d'âge identique, sans doute des jumeaux.

Méliesse releva discrètement la tête et visa la grande huche près d'Aveyron Quentin. Il ne put s'empêcher de songer à ce tas d'ossements probablement étiquetés et empaquetés à dix pas de lui.

Ce triple meurtre mit un comble à l'alarme des habitants de Domines. L'affaire sentait le démon. Le lit du Montayou ne remontait que de quelques jours vers l'ouest. Il prenait sa source dans une région marécageuse totalement abandonnée. Personne ne vivait en amont de cette rivière ; aucune route ne longeait son cours...
Il n'en fallait pas davantage pour déchaîner les superstitions.
On célébra des messes, on dépêcha des courriers et des équipages. L'évêque Haquin envoya trois groupes d'hommes inspecter les bords de la rivière et le pays qui la cernait. Ils partirent armés.

Au mitan de la journée, les quatre témoins achevaient leurs dépositions. Sidoine Méliesse avait creusé sept feuillets et usé le rachis de deux plumes. Dehors, les frères de l'archevêché chantaient déjà l'office de sexte. Les personnages du préau furent stupéfaits du temps écoulé. Ils avaient perdu toute mesure. Chacun s'était laissé emporter par l'audition de ces faits vieux de sept ans, souvenirs lugubres, fourriers de tant de scandales à venir.

Sauf Bérulle de Noy. L'évêque connaissait par cœur ces histoires macabres ; c'était grâce à son obstination et à son goût de la procédure qu'elles étaient aujourd'hui consignées pour les archives de l'Inquisition. Il savait qu'il lui faudrait plusieurs mois pour recueillir les témoignages et saisir chaque interprétation. Il savait surtout qu'il allait être le premier à embrasser pour la première fois tous les éléments contradictoires de « Meguiddo » et à en viser les conclusions. Il était prêt. Impatient, pour le moins.

Avant la clôture de la séance, le père Abel ajouta :

Père Abel : « On a identifié quelque temps après les trois corps retrouvés dans le Montayou. Un duc et ses deux enfants avaient été signalés disparus par la prévôté de F. depuis leur départ de Clouzès pour la Pitié-aux-Moines. Bien que le cours d'eau ne fût pas sur leur chemin, on peut supposer qu'ils se soient égarés et qu'ils soient malencontreusement tombés... »

Mais le rapport de Méliesse s'arrêta là, sur ordre de l'évêque.

Il allait être consigné « MEGUIDDO — I » et ouvrir le premier des dix-neuf volumes qu'occupe l'investigation complète de monseigneur de Noy. Ce dossier, ainsi que l'ensemble des documents adjacents, peut être aujourd'hui consulté à la Bibliothèque nationale, inscrit au registre manuscrit ISBN : 2-84563-076-X. Ces documents ont été restaurés et assemblés chronologiquement par le professeur Emmanuel Prince-Erudal.

Les extraits ici présentés sont authentiques ; leur langue a simplement été « actualisée ». Les feuillets historiques concernant ce prologue appartiennent tous au cahier dénommé : « Première Partie : Année 1283 ».

Première Partie

1.

Pour la majeure partie de l'Occident, le terrible hiver de l'an 1284 fut un désastre. Pour les habitants de Draguan, ce n'était qu'une malédiction de plus.

La statue d'une petite Mère de Dieu, toute rongée de givre, brisa la cotte de glace qui l'enveloppait depuis plusieurs semaines. Le froid seul fendit cette pauvre Marie d'albâtre, abandonnée en rase campagne à la croisée des chemins de Domines et de Befayt.

Ses fragments ne furent pas ramassés ; on les laissa gésir comme des avertissements, afin de décourager ceux qui oseraient encore s'aventurer dans le diocèse de Draguan.

La saison des « froidures du Diable » était sans précédent : les foyers les plus reculés se réfugièrent dans les paroisses proches, les âtres de campagne charbonnèrent le ciel comme des tourne-vent de dragon, on couvrit les toits de papiers huilés et de joncs secs, toute la population se pelotonna contre des bottes de paille et la fourre tiède des animaux qu'on rentrait dans les huttes. La dureté du temps dépassait cette année les famines du siècle noir.

Un peu plus d'un an après les événements inquiétants du barrage à Domines, l'évêque de Draguan, monseigneur Haquin, enseveli comme tout son pays sous des capelines de bêtes, inquiet des vierges brisées et du froid « infernal », continuait de penser que de trop nombreuses forces allaient à l'encontre de son petit diocèse.

Dès les premiers frimas, il avait dû, lui aussi, quitter son évêché pour une petite cellule au second étage de la maison des chanoines. Étroite et basse de plafond, fraîchement blanchie à la chaux, elle était plus simple à chauffer que son cabinet d'évêque. Le maître s'accommoda sans mal des conditions de sa nouvelle retraite : une chaise, une table sur pieds et une malle, le tout en bois vulgaire, suffisaient à sa dignité. Son unique raffinement allait à une large chaire, une stalle profane, dont le vieil homme ne se défaisait jamais. Mi-relique, mi-talisman, cette chaire de bois le suivait partout. Aujourd'hui plus que jamais. Le caractère de Haquin avait considérablement changé depuis la découverte des trois cadavres du Montayou. Cet homme qui avait jusque-là tenu la réputation d'un être puissant et agile laissa brusquement place à un vieux solitaire, chenu, oublieux de ses fidèles, perpétuellement cloîtré devant ses livres sacrés. Ses yeux prirent la tournure impénétrable des clairvoyants peints dans les églises : ils devinrent laiteux, cornés d'ivoire. Personne ne comprit pourquoi ce bon évêque prit tant le sort des noyés du Montayou à son compte et poussa si loin la coulpe chrétienne.

‡

En cette aube du 6 janvier 1284, le vieil homme était comme chaque matin à son écritoire. Les teintes du jour se découpaient à peine sur la crête des Pyrénées qui dominaient l'horizon. Dans les rues, un vent d'autan grondait entre les abris. Il gelait tout sur son passage, les habitats mal couverts et les aires à battre.

La cellule de Haquin, la seule éclairée à cette heure matinale, baignait dans le grésillement lumineux d'un cierge fiché au bout d'une carafe et de deux bougeoirs sur pied.

On gratta à sa porte. Le vicaire de l'évêché, frère

Chuquet, entrouvrit le battant et s'annonça. C'était un homme d'une trentaine d'années. Comme tous les membres de son ordre, il portait la tonsure, une coule non teinte et un petit sigle épinglé à l'épaule, en mémoire de la compagnie du Tabor qui avait fondé Draguan. L'homme, fidèle et consciencieux, tenait aussi la charge d'économe ; il salua respectueusement son maître.

— Bonjour, monseigneur.

Incliné sur son pupitre à corne, le vieil homme n'accorda qu'un bref salut à son auxiliaire, sans lever la tête. Chuquet apportait la jatte d'eau glacée qu'il déposait tous les matins dans la cavité du poêle.

Il referma la porte en chêne, sans la faire crier pour ne pas troubler la lecture de son maître. À peine sorti du lit, le moine se mit au travail, besognant à relancer le foyer.

— A-t-on des nouvelles de notre aventurier ? demanda l'évêque.

— Pas encore, monseigneur. Les temps sont rudes. Le chevrier Adso est rentré il y a cinq jours de Passier ; il nous a affirmé que la majorité du royaume est ensevelie sous la neige. Les grandes routes elles-mêmes sont devenues impraticables. Nous sommes les seuls pour l'instant à être épargnés par l'enneigement.

— Hm...

— Il ne faudra rien espérer avant le dégel, ajouta le moine. L'hiver ne fait que commencer. On peut s'attendre à ce qu'il s'intensifie dans les semaines à venir.

— C'est bien dommage. Quel jour sommes-nous ?

— C'est aujourd'hui la Saint-Émiel, monseigneur.

— Tiens, ce bon Émiel ?... Rien n'est donc perdu, dit l'évêque. Ce doit être un bon jour. Nous verrons.

Le vicaire ignorait tout des symboles associés à Émiel, mais il ne se sentit pas le cœur de relever. Il voulait simplement assurer le réchauffement du broc et rejoindre le réfectoire. Le feu tirait, doucement, dans une odeur de cendre froide. Il posa la cruche d'eau.

Dans cette pièce, une seule croisée ouvrait sur le petit jour. Comme chaque matin, le moine alla vérifier la résistance du loquet. Le fenestron donnait sur la place principale de Draguan, dominée par l'église et la maison canoniale. On continuait d'appeler cette bâtisse par ce nom bien qu'aucun chanoine n'officie plus à l'évêché depuis des années. Un vieil évêque, trois moines et cinq curés pour douze paroisses, c'était toute la fortune de Draguan, petit évêché de campagne.

Les rues du bourg étaient désertes. Le ciel restait couvert et bas, rognant presque le sommet de l'église. D'ordinaire, personne ne se serait montré sous un tel temps, mais Chuquet aperçut au détour d'une rue une petite lumière qui trottait et disparaissait dans le petit matin.

— Encore une affaire d'adultère, se dit le vicaire.

Il manœuvra la clenche de la fenêtre ; tout était en place.

En repassant près du bureau de l'évêque, le vicaire vit le manuscrit enluminé qui absorbait son maître. La curiosité n'était pas l'un de ses vices, mais la concentration aiguë de l'évêque et ses murmures à fleur de lèvres l'intriguèrent.

La toile était large et fine, encombrée d'icônes et d'arcanes diaprés. C'était une enluminure originale, rehaussée de couleurs tranchantes, recouverte de symboles et de petits personnages. Lorsqu'il démêla le sens inavouable de cette œuvre, Chuquet blêmit comme un cénobite surpris en plein vol. Au centre de la grande feuille s'étalaient d'effrayantes brochettes de nus féminins accouplés, des monstres cynocéphales, des hippogriffes aériens, des corneilles au cou coupé, des forêts obscures vomissant des populations pourchassées par des flammèches, des bûchers suiffés de chairs humaines, des crucifix renversés perçant la panse de prêtres aux mines lascives. Cette peinture était assurément l'une des plus ignominieuses représentations du Mal qu'un artiste ait jamais entreprise. Comment le stylet du parcheminier avait-il pu tracer ces courbes et ces arêtes diaboliques sans que le vélin ne prît feu de soi-même ?

Chuquet détourna le regard, s'efforçant de ne plus voir — même brièvement — les monstruosités sacrilèges de ce brûlot. Hélas, le reste du plan de lecture de l'évêque était tout aussi sulfureux. Il était couvert d'eaux-fortes sataniques, de traités d'Apocalypse, d'enluminures johanniques, de calendriers du Calabrais, d'infâmes reproductions de démons succubes ou de formules extraites du *Nécronomicon*... Chuquet ne savait où donner des yeux sans risquer d'enfreindre la décence monastique ou les vœux stricts de son ordre.

L'évêque ne vit rien de l'embarras du vicaire.

— Loué sois-je, se dit Chuquet. À l'abbaye de Gall, une telle indiscrétion m'aurait valu le mur ou les verges du Supérieur.

Le moine décida de s'éclipser. Il s'assura que l'eau du broc frémissait, salua son maître et se retira. Il courut jusqu'au réfectoire rejoindre les deux autres frères de l'évêché.

Peu après sa sortie, Haquin suspendit sa lecture et tira de sous son pupitre une petite boîte où il rangeait précieusement ses brous. Ces coquilles épaisses, récoltées à l'automne, conservaient tout l'hiver leur fruit tendre et humide. Il cerna deux grosses noix et les plongea dans l'eau bouillante du pot.

Quand, au bout de la macération, Haquin voulut remplir son hanap, un son inattendu l'en empêcha : un cheval venait de s'ébrouer devant la maison des chanoines. Le vieil homme resta figé, mais il n'entendit plus rien. Il se leva et fit quelques pas vers la croisée. Il ouvrit la petite fenêtre et, se penchant, découvrit enfin dans la faible lumière du matin le flanc d'un étalon. C'était bel et bien un cheval, solidement attaché au portail d'entrée. Il était immense, fort et encollé, rien à voir avec les pauvres haridelles communes à la région. Sa robe noire était protégée par des tapis de selle épais. L'animal soufflait beaucoup ; il venait de très loin. Son chevaucheur n'était plus à ses côtés.

Les rues de Draguan étaient désertes.

Le vieil homme referma le fenestron, la mine contrariée. Il attendait depuis plusieurs semaines un voyageur important, mais certainement pas nanti d'un tel équipage.

27

L'évêque voulut appeler, mais le roulement d'une course précipitée jusqu'à sa porte le prit de court.

Chuquet reparut, cette fois vif et éveillé comme un soldat.

— Pardonnez-moi, monseigneur...

Le moine n'attendit pas de signe de l'évêque, il entra.

— Un étranger vient d'arriver et demande à vous rencontrer.

— Eh bien ? N'est-ce pas notre nouvel... ?

— Non, monseigneur, coupa Chuquet. C'est un inconnu. Il veut vous voir de toute urgence. Il ne m'a pas dit son nom.

La voix du vicaire était fébrile et enthousiaste. Pour lui, tout concourait au merveilleux : la rudesse du temps, l'heure matinale et...

— À quoi ressemble ce visiteur ? demanda l'évêque.

— C'est un homme de haute taille, monseigneur. Immense. Je n'ai pas pu discerner son visage, il est harnaché de la tête aux pieds par une longue houppelande trempée.

... et l'aspect fabuleux de l'étranger donnaient à cette rencontre le caractère d'un prodige.

Haquin se montra moins endiablé que son vicaire. Une fois de plus, ce n'était pas du tout cet étrange individu qu'il attendait si loin dans l'hiver. Une telle arrivée ne présageait rien de bon.

— Faites-le entrer dans la salle du chapitre, dit-il. Nous le recevrons avec les honneurs dus aux lointains voyageurs.

Le moine bondit, ravi de pouvoir en remettre sur la gravité de l'entrevue.

— Non, non, monseigneur. L'homme m'a bien spécifié qu'il n'attendait de vous aucune cérémonie. Il est avant tout pressé et ne souhaite qu'un instant d'entretien.

L'évêque haussa les épaules.

— Faites-le entrer ici, si tel est son souhait. Voilà un gentilhomme qui ne s'embarrasse guère des convenances...

Chuquet avait déjà disparu. L'évêque retourna à son bureau, couvrit son encrier et remit soigneusement tous ses ouvrages, vélins et autres traités, dans sa grande malle en bois. Il ne laissa sur la table que quelques feuillets épars et anodins.

Il entendit bientôt des pas lourds résonner dans le corridor.

Le mystérieux visiteur suivait Chuquet. Ce dernier n'avait pas menti : l'homme était immense, caparaçonné sous des habits sombres et humides. On ne distinguait ni ses bras ni son visage. Ses traits étaient dissimulés sous un capuchon. Le pauvre moine, ému par la stature de l'homme et le bruit de ses chausses ferrées sur le plancher, n'osait pas un mot.

Arrivé devant la porte de l'évêque, il gratta et ouvrit sur ordre du maître. L'inconnu se planta devant Haquin, sans parler, sans découvrir son visage.

— Laissez-nous, Chuquet, dit l'évêque.

Le vicaire salua et referma la porte derrière lui.

Il redescendit en courant jusqu'au réfectoire, situé au rez-de-chaussée près du portail principal. Là l'attendaient les frères Abel et Méault, les deux autres moines de l'évêché. Ils étaient groupés autour de la table des commensaux. Méault était un bonhomme replet et rougeaud, assez nerveux. Abel, le plus ancien, avait meilleure tenue, mais il paraissait lui aussi inquiet…

Dès le retour de Chuquet, ils l'interrogèrent à mi-voix sur l'identité de l'inconnu.

— Sans doute est-ce un émissaire de Jehan ou des grands suffragants ? proposa Méault.

Après la découverte des cadavres de Domines l'année précédente, monseigneur Haquin avait mandé de l'aide à l'archidiocèse de Passier, mais ses missives furent toutes éconduites. Il s'était ensuite tourné vers les instances de Jehan. Idem ou presque : on ne daigna même pas lui répondre. Un troisième courrier acheminé vers les évêques et resté sans réponse emporta ses dernières illusions sur un dénouement collégial de l'affaire du Montayou.

— Peut-être ont-ils pris leur temps et n'ont-ils envoyé ce messager qu'après de longs débats ! ajouta Méault. À coup sûr, cet harnachement (il parlait du cheval et de la cape noire) dissimule une soutane et un pli important.

Ses deux compagnons ne parurent pas convaincus.

— Ou bien c'est une ancienne connaissance de l'évêque, qui vient le retrouver après de longues années, proposa le doyen Abel.

Cette supposition fut plus mal accueillie encore. Depuis son arrivée au diocèse en 1255, Haquin n'avait jamais rien laissé paraître de son passé. Venait-il de Paris, d'un diaconat du Nord ou d'un autre épiscopat de province ? Tout le monde l'ignorait. Draguan n'était pas assez fréquenté par la noblesse ou le clergé supérieur pour que des échos viennent étayer l'histoire de l'évêque. Après trente ans d'un magistère ininterrompu, les paroissiens n'avaient toujours rien appris, sinon que monseigneur Haquin ne recevait jamais de courrier en dehors des décrets de l'archevêché de Fougerolles ou de la primature de Passier ; que pendant ces années à la chaire, il n'avait pas quitté son diocèse une seule fois et qu'aucun étranger, dans le même temps, n'était venu au bourg pour le visiter. Haquin n'avait aucune autre identité que celle de son diocèse.

L'homme trahissait pourtant dans ses talents un parcours autrement moins obscur que celui de l'évêque. Haquin connaissait des nouvelletés trop étonnantes pour ne pas laisser envisager de nombreux voyages ou le commerce de maîtres étrangers. Il enseigna aux femmes comment dessuinter, graisser au beurre, et peigner la laine à la manière des fileuses de Florence ; il façonna des bougies avec une formule renouvelée de tanin et de résine ; c'est sous ses instructions qu'on acheva de bâtir un petit moulin à eau, industrie fameuse des pays du Nord qui servait à écraser le grain sans effort, à tamiser la farine ou à fouler les draps ; c'est lui enfin qui jeta à la resserre le vieux harnais de trait pour un collier d'épaule. Cette invention tripla la force de halage de toutes les misérables bêtes à sillon des Draguinois et fut célébrée par ceux-là comme un véritable miracle. L'évêque fit dans le même temps bâtir des ponceaux, tracer des routes, assécher des marais et forger des outils.

Sa vitalité et son caractère de fer imposaient le respect. Et chez ces paysans à la foi colorée, le respect, plus que le savoir, valait tout.

Depuis le rez-de-chaussée, frère Chuquet s'inquiéta de savoir si l'on pouvait saisir la conversation des deux hommes. Il s'avança jusqu'à l'escalier, prêta l'oreille, mais en vain.

Des trois moines, il était le plus exalté. Posté à Draguan depuis une quinzaine d'années, il souffrait de plus en plus de la monotonie de cette petite cure de campagne. Il était encore jeune et se rêvait une vie plus trépidante. Les morts du Montayou avaient un peu brisé sa routine. L'arrivée de cet inconnu serait peut-être l'occasion d'un nouveau départ ?

— Je ne crois pas à ton idée, dit-il à Abel en revenant au réfectoire. Ce ne peut être une simple visite de courtoisie. Une personne sensée ne saurait prendre la route en cette saison et venir jusqu'à Draguan sans un ordre important, une obligation quelconque !

L'évêché de Draguan était l'un des plus isolés du royaume. Son nom était souvent omis ou biffé sur les cartes de la prévôté. Quand le prédécesseur de Haquin, Jorge Aja, abandonna cette chaire, qu'il trouvait trop indigente, les fidèles du cru et leurs curés attendirent trois années un nouvel évêque. Personne, ni la cour ni les convents régionaux, ne s'intéressait à cet évêché sans valeur. Bien que le diocèse s'étende sur trois vals, il ne comptait que quatre-vingts feux abandonnés entre des marais poisseux et des forêts impénétrables. L'aire de Haquin se perdait dans des terres épaisses, dépeuplées, pénibles à cultiver. Aucune famille du royaume, aucun baron ne voulut jamais payer les droits d'entrage pour accoler à leur nom cette terre sans ressources, ni position militaire solide. Draguan était un des rares domaines du royaume qui ne dépendait d'aucun seigneur. Le peuple n'avait pas d'étendard à qui rendre hommage, pas de capitaine pour prélever le cens ou la tenure, et pas d'ost à servir. Cette province était juridiquement libre, « vilaine » comme on disait.

Libre, mais par là même sans protection. Aucune citadelle ne la préservait des invasions ; aucune garnison d'archers ne refoulait les rapines des reîtres ou des maraudeurs de passage. Les Draguinois devaient protéger eux-mêmes ce pays sans corvée qui ne rendait qu'une verdure de choux. Les quelques pillards et soldats égarés par les terres de Draguan n'emportaient jamais de cette contrée qu'un serment de ne plus reparaître dans un tel bourbier. Les paysans en réchappaient avec une serpe en moins et les femmes avec un giron rougi.

L'Église était la seule tutelle de Draguan. Elle était au même titre la reine, la conseillère, le juge, l'enseignante, l'arbitre, la famille et la grande sœur du peuple. Les fidèles s'en étaient accommodés ; ils savaient que le transept de leur église les couvrirait et saurait les protéger mieux qu'un castel crénelé...

Méault torsait ses doigts à s'en faire claquer les os.

— En tout cas, quel que soit ce mystérieux visiteur, pour sûr il n'a pas la mine d'un envoyé du ciel !

Abel et Chuquet n'eurent ni le cœur ni le temps de sourire de ce mauvais trait : un effroyable tonnerre résonna dans toute la maison. Il venait de l'étude de l'évêque. Les trois religieux se précipitèrent hors du réfectoire.

La sombre silhouette du visiteur dévalait déjà l'escalier et leur ferma la route. Un instant plus tard, l'inconnu remis en selle quittait le bourg au galop.

Chuquet courut jusqu'à la cellule de l'évêque. Il découvrit le corps du vieil homme écroulé au sol, la boîte crânienne complètement évidée. Elle n'était plus qu'un agrégat d'os rompus et de chairs à vif. Disséminée comme après un coup de massue. Le pauvre Chuquet n'en crut pas ses yeux. Une brume épaisse flottait dans la pièce. Une odeur âcre et inconnue lui irrita les narines.

Le vicaire s'approcha, déjà larmoyant. Le sang épais de Haquin coulait le long du dossier de sa grande chaise précieuse. Taillée en vieux noyer, elle avait à hauteur de nuque un gros cartouche gravé. On y apercevait avec force détails une assemblée de disciples entourant avec vénération un personnage dominant. Cet hiérophante central avait les bras levés au ciel, en pleine invocation. La gravure était admirable. Anodine, banale, elle pouvait tout évoquer : les premières assemblées chrétiennes, les écoles ioniennes, les cultes égyptiens, les collèges de Mirtha, ou les initiations d'Éleusis.

Le bois de la chaire était resté intact mais, dans ce cadre savamment sculpté, les jeunes disciples entourant leur maître étaient à présent tous baignés de sang.

2.

Le soir, la neige se mit enfin à tomber sur Draguan, pour la première fois. On avait parlé tout le jour de la mort de l'évêque. La nuit ne calma pas les esprits. La population déserta les rues enneigées pour poursuivre ses conseils au coin du feu.

En quelques heures, la renommée du bon Haquin était passée de la sainteté à la félonie. Les habitants ne plaignirent pas sa mort, ils la blâmèrent.

On avait appris le passage éclair de l'« homme en noir », le vacarme foudroyant et le crâne éclaté du vieil homme. Aucune arme de ce monde ne pouvait à ce point réduire en miettes un être de chair et d'os. Pour la foule désemparée et superstitieuse, le religieux devenait soudain coupable de quelque péché impardonnable, seul capable de justifier un tel châtiment. On le répéta : l'évêque avait succombé à la colère d'un diable. Son passé obscur refit alors surface. Son silence, son isolement, sa mélancolie : tout servait de texte à l'inspiration morbide des dénicheurs de secrets. On en fit un damné, un tueur d'enfants, un allié des hérétiques, un Milanais, un sodomite. Béatrice, la première servante de l'évêque, confia même avoir trouvé dans ses bahuts (il y avait de cela plus de vingt ans) une cape de San Benito, cette funeste casaque jaune que l'Inquisition faisait porter à ceux qu'elle avait frappés. On se signa. Haquin était un faux évêque ! Les fidèles avaient passé trente ans sous la coupe d'un renégat. Les messes, les confessions, les baptêmes, les absolutions : tout devint une source d'horreur, de honte et de colère... Et les malheurs perpétuels de Draguan depuis l'apparition des cadavres du Montayou prenaient soudain un sens et un visage. Même la rigueur de l'hiver fut imputée à Haquin.

Chaque Draguinois apporta sa contribution et son avis sur l'origine de l'assassin et sur les circonstances du meurtre. C'était à qui dévoilerait le détail le plus neuf ou le plus édifiant. Simon Clergues, le tisserand, assura avoir vu le tueur noir déambuler dans les rues bien avant son crime ; Haribald, le rémouleur, décrivit une troupe de cavaliers sombres attendant à la sortie du bourg (leurs montures étaient rouge vif, défendait-il) ; la tavernière jura ses grands dieux que le cheval de l'inconnu portait deux hommes (un colosse et un nain. Si le géant s'était échappé, le nain était sans doute encore dans leurs murs) ; l'archetier Pelat affirma lui que l'inconnu en s'enfuyant portait dans sa main droite un objet sanglant et monstrueux... le barbier Antéliau l'identifia même comme étant la tête de l'évêque ! Au fil des heures, il devint impossible de contenir ces révélations contradictoires et folles. La population se révolta, se saisit des objets du culte. On brisa des croix, on piétina des images. Les moines durent barricader l'évêché et la maison canoniale pour se prémunir contre les menaces du peuple : les habitants assimilaient sans équivoque les seconds de l'évêque à ses turpitudes passées.

— L'homme en noir aurait dû vous massacrer tous ! cria une vieille femme dans un jet de pierre.

Le soir, des villageois s'embusquèrent dans les chemins autour du bourg afin de guetter le retour éventuel de l'homme en noir ou des esprits malins évoqués dans la journée. Certains veilleurs cherchaient à protéger leur famille, d'autres à confirmer par les actes leurs dires et leurs fantasmes de l'après-midi.

Simon Clergues, le tisserand, se posta avec trois hommes à l'ancienne porte du Septentrion : jadis un pan entre deux contreforts, aujourd'hui un muret branlant, isolé, servant tout juste de redoute couverte. Ordre avait été donné d'alerter et de défendre.

Dans la maison des chanoines, le vicaire Chuquet et ses deux compagnons s'étaient bardés comme pour un siège. Les trois religieux avaient renforcé les issues. Ils avaient scellé l'entrée du cabinet de Haquin avec de la cire de sandaraque, mouché toutes les torches, béni un cierge en son nom et laissé toute la maison à deux étages dans une pénombre et un silence de columbarium. Chaque croisée était recouverte par une planche de bois ou un volet de plomb. La porte principale était soutenue par des madriers, des coffres et de longues barres de fer.

Les trois hommes veillaient dans le petit réfectoire, pièce commune qui leur servait de chauffoir. Ils n'avaient ni chanté ni célébré les heures du jour et jeûnèrent les repas sextal et vespéral. Ils manquaient aux devoirs du trentain envers le nouveau disparu. L'ordre des prières et des cérémonies à la mémoire d'un défunt était immuable et s'étalait sur une période d'un mois. Mais, au jour de l'assassinat, leurs esprits étaient simplement trop troublés pour s'attarder avec dévotion au salut de leur maître.

Dehors, la neige tombait par rafales, de plus en plus dense, de plus en plus contraignante. Le petit abri de Simon Clergues se retrouva bientôt enseveli, invisible au milieu des souches et des ramées blanchies. Le tisserand et ses trois compagnons attendaient au creux du fortin, battant la semelle pour se réchauffer, calés contre un muret humide et des tas de moellons.

En plus des groupes de veilleurs aux entrées du bourg, les environs étaient surveillés par deux Draguinois solidement bâtis. Un certain Liprando, et Grosparmi, le second rémouleur de Draguan. Ce dernier s'occupait de la partie nord de la ronde. Il passait régulièrement près de la redoute de Simon Clergues. Sa mission le conduisait de la porte du Septentrion aux soues de l'évêché, en traversant la fourche de Domines et de Befayt, là où une petite Marie en gypse avait été précédemment abattue par le froid. Ce parcours empiétait sur les chemins de forêt. L'homme était couvert de la tête aux pieds d'une capote chamoisée aux huiles de poisson. L'odeur était pestilentielle, mais l'humidité n'avait pas de prise sur cette cotte graisseuse. Le colosse tenait dans les mains une émotteuse cloutée. Ce bâton pointu lui servait à fendre les grosses mottes de terre qui bloquaient l'araire des champs. Il pouvait dévaster d'un coup n'importe quel corps d'homme.

Grosparmi répétait ses rondes avec une régularité de jacquemart. Sa vue s'était ajustée ; le moindre changement, la moindre anomalie lui sautait au visage. Rien ne pouvait le surprendre. Ou presque.

En passant une énième fois à la croisée de Domines et de Befayt, devant la niche en plâtre de Marie, le veilleur armé découvrit soudain, stupéfait, les fragments épars de la Vierge rassemblés les uns les autres, recollés ensemble par des paquets de neige. La statue avait retrouvé sa silhouette dressée ! Au passage précédent, les morceaux gisaient encore sous la neige, l'homme en était sûr.

Grosparmi releva son arme. Il repéra au pied de la niche des traces qui empiétaient sur les siennes. Une personne — une seule personne — était passée par là. Ses pas l'emmenaient droit vers Draguan.

Le rémouleur gronda et accéléra l'allure pour remonter sur le marcheur. Ses yeux ne quittaient pas les marques au sol. Les foulées de l'inconnu étaient grandes. Plus grandes que les siennes. Il marchait à côté d'elles, consciencieusement, prêt à en découdre. Mais, tout à coup, les traces disparurent. Sous ses yeux, plus rien. Au beau milieu du chemin. Comme si le rôdeur s'était évanoui.

Grosparmi releva la tête. Le sang lui battait les tempes. Il perçut vaguement un bruit d'air fouetté puis s'écroula au sol, hurlant comme une bête qu'on saigne. On venait de le cogner derrière la cuisse.

Ce cri résonna jusqu'aux parois du refuge de Clergues, à un trait d'arbalète de là. Le tisserand et ses hommes sursautèrent. Ils empoignèrent leurs armes et sortirent de l'abri.

À une vingtaine de mètres, découpée entre les talus enneigés et les troncs noirs, ils aperçurent soudain une silhouette immense qui avançait vers Draguan.

L'« homme en noir » était de retour.

Ce diable portait toujours sa cape noire et cette longue capuche qui lui couvrait le visage. Il ressemblait à un oiseau de nuit. Il avançait à pied, une simple besace sur le côté, la tête vissée vers le sol.

— Il n'a plus son cheval, murmura Clergues. Sans doute veut-il reparaître plus discrètement au milieu de la nuit... ou alors son étalon s'est écroulé sous le froid.

Les quatre hommes de l'abri s'élancèrent vers le bourg par un autre chemin. La plupart des huttes de Draguan étaient contiguës ; beaucoup possédaient des trouées intérieures qui servaient de passage d'une maison à l'autre et qu'on séparait avec une simple plaque de torchis. La nouvelle du retour de l'assassin se propagea à toute vitesse. Chacun fut averti en quelques secondes. D'un seul geste, tous les grésillons furent étouffés, toutes les conversations cessèrent...

À la maison des chanoines, les trois religieux entendirent heurter à leur portail. Une voix nerveuse leur lança : « Il est de retour. L'homme ! L'homme est là ! Celui de ce matin ! Celui de l'évêque ! Il a frappé Grosparmi... »

Au même moment, le tueur pénétrait dans Draguan. Il avançait à grands pas vers la maison des chanoines.

Une équipée de Draguinois descendue des encorbellements et avertie par les autres veilleurs se mit à sa poursuite. Ils restèrent à bonne distance. L'inconnu ne pouvait deviner la présence de ses assaillants. Il doubla cependant le pas.

Dans la forêt, l'autre sentinelle, Liprando, retrouva le corps de Grosparmi, étendu dans la neige, abattu, mais toujours en vie. Celui-ci murmurait des propos confus au sujet d'une ombre... d'une ombre qu'il suivait depuis la fourche de Domines... puis plus rien. La douleur, seulement. Fulgurante. Interminable.

Chuquet, Abel et Méault restèrent prostrés dans le réfectoire. Ils s'étaient agenouillés, les jambes bleuies sur le dallage froid. Les trois religieux, prisonniers de leur propre dispositif de défense, ne pouvaient s'échapper.

— *Salve, Regina, mater misericordiae ;*
Vita, dulcedo et spes nostra, salve, murmurèrent-ils pour invoquer la mansuétude de la Mère de Dieu.

On frappa un grand coup au portail.

— *Ad te clamamus, exsules filii Evae.*
Ad te suspiramus, gementes et flentes
In hac lacrimarum valle.

On frappa de nouveau. Deux chocs forts et ronflants. Les trois prieurs continuèrent leur oraison, sans bouger.

— *Eia ergo, advocata nostra,*
Illos tuos misericordes oculos
Ad nos converte.
Et Iesum, benedictum fructum ventris tui,
Nobis post hoc exsilium ostende.

La porte fut ébranlée, cette fois très violemment. On eut dit un coup de bélier. Les frères Méault et Abel voulurent déguerpir vers les souterrains, mais Chuquet les arrêta d'un geste vif. Il était pensif. Il finit seul, à haute voix, leur prière commune.

— *O clemens, o pia, o dulcis Virgo Maria.*
O clemens, o pia, o dulcis Virgo Maria.

Gardé enfin par ces adresses à la Vierge Marie, Chuquet se dirigea vers le portail, s'engouffrant dans le petit passage que le frère Méault avait aménagé au centre de la barricade pour atteindre le verrou. Les deux autres moines, pétrifiés, se signèrent abondamment, sans comprendre l'acte insensé de leur vicaire.

Arrivé devant le grand vantail, celui-ci déboîta un petit battant en bois à hauteur de tête. L'ouverture de cette lucarne était protégée par une grille de fer. Le moine s'approcha. La nuit était épaisse. Des flocons de neige dansaient frénétiquement dans le faisceau de lumière plongeant depuis l'ouverture.

— Que veut-on ?

— Entrer !

La voix était cassante, vive. Chuquet n'aperçut personne. Le visiteur était trop loin.

— Je ne suis pas du village, reprit la voix. Ouvrez-moi.

Le vicaire voulut s'avancer pour discerner l'inconnu. Celui-ci fit au même moment un pas dans la lumière. Chuquet sursauta et manqua de tomber à la renverse : il avait reconnu l'« homme en noir ». La houppelande, la cagoule, la taille envahissante, les traits masqués sous la capuche...

Le vicaire resta pétrifié. Le voyageur débrailla son manteau et en sortit une feuille de papier froissée qu'il glissa entre les barreaux du pertuis. Chuquet la ramassa et la lut. Il referma aussitôt la croisée.

L'homme, resté seul dans le noir, réajusta sa cape trempée. Il regarda autour de lui ; plus aucun villageois ne lui emboîtait le pas. Ils avaient tous disparu.

Le portail se mit alors à crier. Le battant s'écarta. Un petit passage de guingois laissait le visiteur se glisser : celui-ci entra de front sans se faire prier.

L'« homme en noir » se retrouva dans la grande salle d'entrée des chanoines, devant Chuquet, Méault et Abel. Ces deux derniers dévisageaient avec frayeur la sombre silhouette qu'ils avaient croisée à l'aube. L'inconnu était couvert de vêtements épais, portant pour tout équipage un maigre sac en bandoulière. Sa capote et ses chausses à revers étaient enneigées, trempées. Il avait sans doute marché de longues heures sur les routes glacées pour arriver jusqu'ici. Le vicaire s'approcha.

— Je suis le frère Chuquet, dit-il, vicaire perpétuel de l'évêque. Voici les frères Abel et Méault.

Les deux moines saluèrent l'inconnu d'un mouvement de tête à peine amorcé.

— Excusez notre méfiance, reprit Chuquet. Pourquoi ne vous êtes-vous pas présenté tout de suite ?

— Je doutais de votre réaction, dit la voix. L'un de vos

hommes m'a pisté depuis mon arrivée, avec l'intention ferme de m'assommer. Je crois lui avoir brisé une jambe.

— Vraiment ? Une jambe ? dit Chuquet surpris...

Le visiteur posa son sac et déboutonna sa capeline. Il élargit son pardessus. Méault et Abel découvrirent alors, ébahis, un bâton de pèlerin en bois d'yeuse, une large croix en bois d'olivier, une coule doublée de laine un peu lâche et un chapelet à grains noué autour de la taille.

— Je suis le père Henno Gui, dit simplement l'homme. Votre nouveau curé. Appelé au diocèse par monseigneur Haquin.

La figure du visiteur entra pour la première fois dans la lumière. Il était jeune, à peine âgé de trente ans. Les linéaments du visage gardaient la douceur de son âge, mais son regard était glaçant. La peau était tendue par le froid et la fatigue.

C'était bien un prêtre.

3.

Peu après, le vicaire et le nouvel arrivant entraient dans une cellule du rez-de-chaussée qui servait de bureau à Chuquet.

Le moine fit asseoir le prêtre sur une petite chaise, devant sa table de travail. Il referma sa porte à clef, s'assurant qu'ils n'avaient pas été suivis.

Henno Gui défit ses dernières pelisses. Chuquet lui proposa une bassine d'eau tiède et un morceau de touaille. Le jeune prêtre le remercia. Il était de bonne compagnie en ces temps de permettre à un hôte de se purifier les doigts dès son arrivée.

— Pardonnez notre accueil, répéta Chuquet. Nous ne vous attendions pas si tôt. Je veux dire... en plein mois de janvier. Seul l'évêque pensait que vous oseriez braver le froid.

— J'ai quitté Paris après mon ordination en octobre. J'ai envoyé un courrier pour vous avertir.

— Nous l'avons reçu, mais nous restions persuadés qu'avec le temps vous aviez décidé de rebrousser chemin et de repousser votre arrivée au printemps.

— J'espérais devancer l'hiver mais il est tombé d'un coup. La plupart des carrioles sont empêchées par la neige et la glace. Mon voyage s'est fait à pied. J'ai dû me plier à la vie de chemins.

Chuquet considéra la maigre sacoche du prêtre.

— En six semaines de marche, reprit Henno Gui, j'ai subi neuf rafles de gaignes-deniers.

Le vicaire sursauta.

— Le froid n'arrête pas un prêtre sur sa route, dit le curé, pourquoi contraindrait-il les brigands ? Qu'importe, d'ailleurs, j'ai appris à déjouer les meutes de loups ; ce ne sont pas des hommes qui m'inquiéteraient. Les derniers qui voulaient me surprendre à quelques pas d'ici me cherchent encore.

— Oh, ici ce ne sont pas des brigands, mon père. Vous savez… tout est devenu un peu particulier. Les gens de chez nous sont assez excités et…

Chuquet ne sut trop comment finir sa phrase. Il s'assit maladroitement devant Gui. Il avait toujours dans les mains la lettre fripée et délavée que l'inconnu lui avait glissée depuis la rue. C'était l'adresse manuscrite de Haquin spécifiant sa charge de curé et la route qui le mènerait jusqu'à Draguan.

Le jeune prêtre était penché sur ses chausses. Il avait ouvert son petit bagage et extrait une paire de sandales neuve. Il dénoua ses vieux brodequins enturbannés, ruisselants, pétris par la marche et la rocaille.

Henno Gui avait une carrure solide. Il était sec, élancé, avec un front haut, des sourcils et des yeux très sombres. Chuquet y trouva là un premier trait marquant : Gui n'avait pas le regard de son âge. On y sentait une détermination de vieux soldat, une volonté de fer presque inconvenante sur ce visage à peine sorti de l'enfance. Ces traits placides étaient assurément ceux d'un hardi capable de traverser à pied tout un royaume enseveli sous la neige…

— Monseigneur l'évêque a été assassiné ce matin, avoua brutalement Chuquet, surpris lui-même de son audace.

Le jeune homme releva lentement la tête.

— Il est mort sur le coup.

La voix du vicaire s'étrangla.

— Comment cela s'est-il produit ? demanda Gui.

— Un homme est arrivé à l'aube, sur un grand cheval. Il a demandé un entretien à l'évêque. Je l'ai introduit moi-même dans le bureau de monseigneur… Quelques minutes plus tard, un éclat, un tonnerre épouvantable a retenti autour de nous. Nous avons retrouvé le corps de l'évêque inerte, sauvagement décapité et en partie consumé.

— Un tonnerre ?

Le regard de Gui était impassible. Son calme devant une telle nouvelle était à la fois admirable et inquiétant.

— Je ne connaissais pas l'évêque Haquin, dit-il. Nous n'avons échangé qu'une brève correspondance au sujet de mon affectation. Il me paraissait être un homme d'Église digne et plein de grâce. Je prierai pour son âme.

— Merci, mon père. L'évêque était un homme excellent.

Le prêtre se pencha de nouveau sur ses souliers, comme si de rien n'était.

— Qui doit le remplacer ? demanda-t-il.

L'interrogation de prime saut était sèche, brutale. Chuquet n'y avait pas encore songé.

— Eh bien... Je l'ignore... Nous sommes peu nombreux ici... et mal encadrés... Je ramène le corps de monseigneur dès demain à Paris. De là-bas je préviendrai nos supérieurs plus rapidement. C'est eux qui décideront.

— Vous n'enterrez pas l'évêque dans son diocèse ?

— C'est-à-dire... les circonstances... Le peuple d'ici est assez impétueux et impressionnable. Il y a de grandes différences entre les croyants du Nord et ceux du Sud. Les esprits se sont violemment échauffés depuis cette mort mystérieuse. Nous avons nous-mêmes dû assurer notre sécurité. Aussi, nous ne voudrions pas que...

— Je comprends.

— Puis-je vous proposer une bolée chaude ? dit le vicaire, soulagé que le jeune prêtre lui ait épargné de poursuivre sur ce sujet pénible. J'ai là d'excellentes tisanes.

— S'il vous plaît.

Chuquet tira un sachet d'herbes d'une boîte posée près de son foyer. Il jeta une grande prise dans l'eau tiède et ajouta de la ramille sèche pour le feu.

— En ce qui me regarde, demanda le père Gui, dois-je attendre l'arrivée d'un successeur commis d'office avant de prendre mon poste ?

— Non, non... je ne pense pas... En fait...

Chuquet hésita. Il reprit plus bas.

— En fait, personne — en dehors de l'évêque et de moi-même — n'était au courant de votre venue. Certains s'en doutaient, mais Haquin n'avait jamais voulu confirmer les rumeurs. Cela vous explique l'effarement qu'ont montré les frères Méault et Abel lorsque vous vous êtes présenté.

— L'évêque ne m'a rien dévoilé sur ma paroisse. Il me paraissait très précautionneux dans ses missives.

— C'est moi qui les rédigeais sous sa dictée, mon père. Je sais en effet toute la prudence dont faisait preuve monseigneur Haquin à votre égard.

— Pourquoi ?

Le vicaire hésita encore.

— Vous désirez vraiment que je vous explique tout cela ce soir ? Vous êtes épuisé et...

Malgré sa mine recrue de fatigue, le regard fixe et déterminé d'Henno Gui obligea le vicaire.

— Il faudrait... bafouilla Chuquet... il faudrait se rendre dans le bureau de l'évêque... mais c'est là où...

Personne n'avait encore remis les pieds dans le cabinet de Haquin depuis l'assassinat. Les moines avaient transporté le cadavre de l'évêque dans une crypte sous l'église. Mais après ce périple éprouvant dans les souterrains, aucun d'eux ne consentit à assumer la besogne suivante : le nettoyage du bureau. On se contenta de condamner la porte.

Gui se redressa. Ses nouvelles chausses étaient parfaitement ajustées.

— Allons-y, frère Chuquet. Je sous suis.

Cette perspective déplaisait au vicaire, mais il n'avait pas le choix. Il escorta le jeune prêtre vers le solier supérieur.

En devançant Henno Gui avec une petite chandelle le long de l'escalier à vis moisi ou près des cloisons délabrées, Chuquet eut quelques sourires embarrassés. Le jeune prêtre, les poings glissés dans les manches de sa coule, n'y prêta aucune attention. Le parcours ténébreux et la désuétude du bâtiment ne l'affectaient pas.

Les deux hommes passèrent devant une cellule. La porte était entrouverte. Les moines Méault et Abel babillaient en secret dans le halo d'une bougie. On eût dit deux conspirateurs tirés de ces romans à la mode qui terrifiaient tant les lectrices du Louvre avec leurs abbés et leurs sacristains gâtés de vices. Les deux moines s'interrompirent. Ils attendirent le départ des deux hommes pour reprendre leur conversation.

Gui et Chuquet arrivèrent enfin devant la porte arquée de Haquin. Le vicaire sortit de sa robe un poignard à manche de bois. Les gonds et l'entrebâillement de la porte dégoulinaient littéralement sous des travées résineuses. Chuquet souleva son couteau et brisa les agrégats de cire qui enserraient les charnières et la serrure. Chaque coup porté sur le bois semblait l'atteindre en plein cœur. Quand le fer de la lame résonna sur le pêne de la serrure dans un coup cinglant et métallique, il lui rappela l'écho inquiétant des pas ferrés de l'assassin dans le corridor.

Ce pensant, Chuquet asséna un ultime envoi et força la porte d'un mouvement d'épaule.

4.

Un air glacé et nauséabond s'exhala de la porte. Un vent coulis moucha presque le lumignon du vicaire.

Rien n'avait bougé depuis le crime. La table, la grande chaire de Haquin, la malle, le pupitre, l'encrier, les deux bougeoirs, le poêle, tout était resté en place. Seule la lucarne avait fini par céder sous les coups du vent. Le poêle sentait le bois refroidi et la cendre mouillée, mais une odeur plus entêtante flottait dans la salle : la chair avariée de l'évêque. Chuquet, trop délicat, releva son col. Gui ne broncha pas.

— Je suis habitué à ce parfum, dit-il. On dirait une classe d'université.

Chuquet sursauta à cette douteuse comparaison.

— Je parle des classes d'anatomie, bien entendu.

Le prêtre marcha jusqu'à la lucarne et la referma d'un coup sec. Il relança ensuite le poêle. De même, Chuquet embrasa les deux bougeoirs.

— Voilà, dit Gui.

Le vicaire considérait avec stupeur les gestes calmes et détachés de son compagnon. Le jeune prêtre s'approcha de la chaire de l'évêque, piétinant sans retenue plusieurs taches de sang agglomérées entre les nervures des dalles. L'une d'elles, encore humide, conserva l'empreinte de sa semelle. Le pauvre Chuquet hésita entre la consternation et un violent haut-le-cœur.

— C'est une pièce très ancienne, dit le vicaire qui voyait Henno Gui considérer la chaire de noyer et son étrange cadre sculpté. Monseigneur y tenait beaucoup. Il me semble que c'est italien.

— Oui ? J'opterais plutôt pour un pays oriental... Cathay, sans doute.

— La Chine ?

— Donnez-moi votre couteau.

Chuquet tendit son arme. Henno Gui se mit à gratter un des bords du cadre. Il récolta dans une main un reliquat de poudre noirâtre. Il reposa la lame et porta à ses lèvres un peu de ce résidu obscur.

— Chinois ! confirma-t-il après avoir goûté. On ne trouve ce genre de charge inflammable que dans les empires du Milieu. Rien à voir avec la vulgaire poudre à canon de nos armées françaises ou espagnoles. Ce mélange de naphte, de soufre et de charbon est autrement plus efficace. Je ne savais pas qu'il s'en importait déjà dans nos continents chrétiens.

Henno Gui regarda autour de lui et considéra les empreintes de sang et les éclats de chair disséminés à plusieurs brasses dans la pièce.

— L'arme qui a frappé votre évêque est elle aussi surprenante, dit-il.

— Elle terrifie beaucoup de monde par ici, mon père... Les gens parlent déjà d'un feu diabolique.

— Ils ont raison. Ces canons portatifs n'en sont encore qu'au stade d'étude ; ils crachent le feu aussi facilement qu'on tire une flèche ou qu'on libère une fronde. Une rondelle de fer, une pierre de silex et le tour est joué. Plus de mèche à poudre. Avec cet instrument, les flammes de l'enfer seront bientôt à la portée de tous. Nos aïeux s'étaient émus de l'invention de l'arbalète, ils étaient loin d'imaginer ce qui attend la chevalerie avec ce nouvel arsenal. Monseigneur Haquin restera sans doute comme l'une des toutes premières victimes de cet engin qui nous vient du Sud... comme beaucoup d'hérésies d'ailleurs.

— Je ne saisis pas... mon père.

— C'est égal. Sachez seulement que votre évêque a été plus délibérément assassiné que vous ne l'imaginez. Quand vous m'avez évoqué ce crime, j'ai d'abord pensé à une vengeance de paroissien : la riposte d'une indulgence refusée ou le réveil d'un pénitent qui regrette une confession compromettante... Que sais-je ? Il y a tant de raisons de se défaire d'un religieux de nos jours. Mais premièrement, un fidèle d'une région aussi reculée ne saurait se procurer une telle arme de destruction. Ensuite, pourquoi s'embarrasser d'un chevalier masqué en cette saison ? Dans une petite région, on n'emprunte pas si facilement un étalon que personne ne puisse reconnaître, et je présume que l'on rencontre à Draguan beaucoup de paysans bourrus, mais peu de mercenaires habiles. Les deux peuvent s'ingénier à la perte d'un évêque, mais la manière trahit toujours l'assassin. Bien malin qui dénichera celui qui est passé par ici. Croyez-moi, frère Chuquet : hier, on a frappé l'évêque, pas l'évêché. C'est au fond ce qui doit seul nous importer. La fonction, avant tout. L'Église reste pure malgré ses sujets. C'est Elle qu'il nous faut défendre.

— Mais monseigneur Haquin n'avait pas d'ennemi, protesta Chuquet. C'était un prud'homme dont l'Église devrait s'honorer.

— Elle l'honorera, croyez-le bien. Elle l'honorera...

Henno Gui abandonna la chaire de Haquin en répandant la poudre brûlée dans un frottement de main.

— Maintenant, occupons-nous de notre affaire, dit-il.

Il s'assit sur la petite chaise posée en face du bureau.

À contrecœur, le vicaire se dirigea vers la grande malle de l'évêque. Elle était placée derrière l'écritoire, contre le mur, tachée elle aussi par des résidus rougeâtres... Le moine soupira, tourna la crémone et ouvrit le meuble.

Celui-ci faisait près d'une aune de large et trois pieds de profondeur. Il dépassait le haut de cuisse d'un homme. L'ensemble était disposé sur quatre roulettes ferrées permettant son transport ; la malle de l'évêque était lourde et pleine autant que possible. Chuquet en retira une première rangée portée par un manche en bois. Elle était saturée de feuillets étranges, grimoires, outils d'étude (plumes, encres, buvards), loupe de lecture, le tout recouvert par la vaste enluminure qui avait tant frappé le vicaire au petit jour. Chuquet posa cette rangée devant le prêtre. Celui-ci observa la grande toile. Il admira d'emblée l'habileté de l'artisan, louant la finesse du derme et l'association hardie des dorures, de la terre de Sienne et de l'encre de cinabre dont peu de coloristes pouvaient encore s'enorgueillir.

— Ces derniers temps, expliqua le vicaire, monseigneur Haquin s'intéressait à des domaines assez obscurs de la représentation religieuse. Cette fantaisie n'était mue que par la curiosité soudaine d'un vieil homme, rien de plus.

— Ce n'est certes pas moi qui la lui reprocherais.

— Non. Bien sûr... Moi non plus...

Henno Gui abandonna l'enluminure sans en commenter les audaces visuelles.

Chuquet sortit la seconde rangée du coffre. Celle-ci était mieux ordonnée, remplie de registres épais, reliés et classés avec soin. Sur chaque tranchefile grenue était inscrite une date, partant de 1255, l'arrivée de Haquin à Draguan, jusqu'à l'année 1284, l'année en cours.

— Rassurez-vous, ce ne sont pas nos registres de doléance, dit Chuquet. Ces manuscrits sont les Annales des cinq pauvres curés attachés au diocèse. L'évêché de Draguan supporte douze petites paroisses très éloignées et très différentes les unes des autres. Monseigneur Haquin était attentif à la vie quotidienne de ses fidèles. Aussi chaque curé, qui s'occupe d'au moins deux clochers, doit-il inscrire soigneusement les actes et les paroles de ses ouailles, dans l'ordre d'importance et chronologique. Cette méthode a fait des merveilles dans notre région trop étendue et mal couverte. L'évêque était au courant de tout. Il connaissait son monde et pouvait ainsi juger ou honorer chacun selon ses faits et ses dires. Son successeur n'aura sans doute pas cette attention. On vous épargnera ce labeur supplémentaire. Quoique. Votre cas est assez particulier.

Henno Gui se pencha sur le bureau.

— Puis-je voir le registre de mon prédécesseur ? demanda-t-il en montrant les rapports.

— Eh bien… non, mon père. C'est que, justement, là est le problème. Vous n'avez pas de prédécesseur.

Il y eut un long silence. Chuquet tira du fond du coffre un dossier noué hâtivement entre deux couvertures de cuir.

— Ah ! Nous y voilà, dit-il.

C'était le rapport ecclésiastique d'Henno Gui.

Comme tous les comptes rendus de séminaire ou de monastère, ces feuillets retraçaient point par point les origines, le passé, le tempérament et les qualités du sujet.

Le vicaire avait déjà feuilleté ce rapport imposant. Ses annotations l'avaient stupéfié. Gui était un théologien de premier ordre. Malgré son jeune âge, il avait emporté les meilleurs prix de mystique grâce à l'épître *Super Specula* d'Honorius III, et de canonique avec les *Décrétales* de Théodore. Il avait reçu deux titres à Anvers de cosmographie et d'anatomie et montra un talent hors norme quant à la compréhension des langues anciennes et étrangères. Cette aptitude naturelle lui avait même permis de déchiffrer intégralement l'araméen en moins de quatre jours. Cet élève prodige enchantait ses maîtres d'obédience, ce qui était rare pour un esprit fort. Gui priait beaucoup. Il avait été cité à deux reprises au Grand Séminaire de Sargines. On l'ordonna prêtre le 10 octobre précédent, à vingt-sept ans. Docteur éminent et déjà illustre, il avait été pressenti pour un poste de cardinal-diacre auprès de l'archevêque de Matignon. Mais il déclina farouchement cette offre. Contre toute attente, Henno Gui s'était porté candidat pour le prêche d'une modeste cure de campagne. Il n'y avait mis aucune exigence, sinon celle d'être le plus éloigné possible de Paris et de ses collèges.

Ce trait de caractère avait enchanté monseigneur Haquin. « Voilà un homme ! avait-il dit. Ce jeune prêtre a choisi de servir l'eucharistie plutôt qu'un vieux prélat, je salue ce héraut du Christ !… »

L'évêque de Draguan attendait ce jeune curé depuis de nombreuses semaines. Il interrogeait chaque jour à son sujet… Le vicaire se désola de se retrouver seul avec lui. Les deux hommes s'étaient manqués de quelques heures.

Dans le dossier de Henno Gui se trouvaient aussi les notes de Haquin à son sujet et le quitus qu'il devait signer à son arrivée.

Il était maintenant temps pour Chuquet de s'expliquer.

— Comme je vous l'ai dit plus tôt, reprit fébrilement le vicaire, monseigneur Haquin connaissait parfaitement les douze clochers de son épiscopat. Il avait parcouru son aire maintes et maintes fois. C'était un excellent évêque de terrain.

— Je n'en doute pas.

— Il n'en résulta pas moins que…

Le vicaire marqua une pause.

— Oui ? fit le prêtre.

— … que nous avons découvert l'an dernier, dans des conditions assez effroyables, l'existence d'un treizième village. Totalement oublié et abandonné par l'évêché tout entier depuis des années.

À travers leurs quelques lettres, l'évêque Haquin avait régulièrement averti Henno Gui sur le caractère imprécis de sa nouvelle affectation. Mais le jeune homme n'avait jamais soupçonné une si « totale » imprécision.

Chuquet poursuivit.

— Cette bourgade est située dans la région la plus retirée, la plus… disons insalubre de notre diocèse. Elle est à quatre jours de cheval d'ici. Cela fait maintenant plus d'un demi-siècle que ses habitants y vivent en totale autarcie, sans l'assistance d'aucun curé, ni le moindre contact avec le reste des diocésains. C'est un cas rarissime. La dernière présence d'un homme de Dieu dans cette petite paroisse remonte à l'an… 1233. C'était un certain père Cosme.

— Mais comment cela a-t-il pu arriver ? demanda calmement Henno Gui. Comment l'Église peut-elle perdre… ou oublier en terre consacrée une paroisse encore habitée ?

— Les circonstances locales y sont pour beaucoup. Le village est cerné par de vieux marais et des tourbières qui n'ont cessé de croître et d'engloutir les chemins d'accès.

Draguan a du reste, dans la première partie du siècle, été le théâtre de nombreuses pestes. Il s'est avéré que les premiers cas de *purula* naissaient toujours dans cette partie marécageuse du diocèse. On a vite fait le lien. Les Draguinois de l'époque ont évité cette terre de charnier... Les bêtes elles-mêmes se sont enfuies, les cadavres se sont amoncelés, et les eaux troubles ont continué de s'étendre... Après un hiver particulièrement redoutable, les fidèles, ne recevant plus aucun signe de leurs voisins, conclurent qu'ils avaient tous péri du froid ou de la dernière peste... Il est aujourd'hui évident que personne, à l'époque, n'est allé vérifier cette hypothèse sur place.

— Et ce père Cosme de 1233 ?

— Il est lui aussi tombé malade et est rentré chez lui à Sauxellanges pour se faire soigner. On raconte qu'il avait déjà miraculeusement survécu à une peste précédente, dans les années vingt. Mais cette fois, le mal s'est aussi déclaré dans sa ville, et le curé n'en a pas réchappé. Personne ne l'a jamais remplacé.

Gui resta silencieux. Le vent se remit à cogner contre la lucarne et à siffler dans les passes de la charpente.

Chuquet se sentit pris de scrupules. Il pensait avoir trop brutalement accablé le jeune curé. Il se reprochait le ton académique et purement factuel de son récit.

— Combien reste-t-il d'habitants dans ce village ? demanda Gui.

— Vingt-six, je crois.

Chuquet inspecta un feuillet tiré de la malle.

— Treize hommes, onze femmes et six enfants. Quatorze foyers.

— Et comment a-t-on retrouvé l'existence de ces gens ?

— En partie grâce aux relevés de la caisse décimale.

— La caisse décimale ?

— Oui. En plus de ma fonction de vicaire, j'ai aussi la charge de la dîme. En faisant des comparaisons sur nos recettes passées, j'ai remarqué une étrange chute de revenu après 1233. Une partie des fidèles ne payait plus l'impôt, mais il manquait les sacrements officiels et l'ordre de

53

l'évêché qui signifiaient leur disparition. J'ai fait part de cette trouvaille d'archives à l'évêque. Celui-ci a alors envoyé le sacristain Premierfait. C'était un ancien berger, très endurant. Grâce aux textes anciens, il a fini par redécouvrir l'emplacement du village. Il croyait y trouver des ruines, il tomba sur une communauté encore bien vivante.

Gui eut un petit sourire narquois.

— Ces pauvres gens vont donc recouvrer un Ministre de Dieu parce que leurs écots manquaient dans les caisses de l'Église ! Étrange façon de regagner les brebis égarées de Notre Seigneur.

Chuquet ne sut comment interpréter cette observation plutôt impertinente.

— Monseigneur Haquin s'est-il rendu sur place ? demanda le curé.

— Non, l'accès en est trop difficile et l'évêque se refusait à faire une visite sans lendemain. Il souhaitait emmener avec lui le nouveau pasteur du village. Selon ses recommandations, le sacristain Premierfait est resté en retrait pendant toute son enquête ; il a observé les membres du hameau pendant plusieurs jours, sans jamais être vu. Les villageois ignorent complètement que nous les avons retrouvés. Monseigneur Haquin vous attendait pour aller à leur rencontre. Il espérait beaucoup en vous. Il répétait qu'il fallait à ces gens un apôtre de campagne et non un curé. Celui-là même qui saurait rendre un Christ à des croyants dont on ignore complètement le culte actuel... Ces « abandonnés de l'Église » ont certainement transgressé beaucoup de nos règles. Leur Foi est une inconnue pour nous, une étrangère, disait l'évêque. Ce ne sera pas un sacerdoce facile, mon père...

— Vous m'avez parlé de la caisse décimale, mais ne m'avez-vous pas aussi dit que ce village avait reparu dans des conditions effroyables ?

— Oui, fit Chuquet. Mais c'était une maladresse de ma part. Ce récit pouvait attendre...

Le curé insista.

— Eh bien... Un seigneur et ses deux enfants se sont

égarés l'an dernier dans les environs de ce village... Leurs corps ont été repêchés peu de temps après dans une rivière de Domines, l'une de nos paroisses. Ils ont été tous les trois sauvagement déchiquetés. C'était avant les découvertes du sacristain Premierfait. Monseigneur Haquin a alors lancé des équipages en amont du cours d'eau pour collecter des indices sur ce terrible meurtre, mais en vain. Il a fallu le zèle de Haquin et mes calculs de décimateur pour isoler enfin le hameau. Premierfait a fait le reste. Mais rien n'indique pour l'instant que ces êtres sont les auteurs de ces barbaries. Enfin...

— C'est curieux, dit Gui. Vos fidèles ne parlaient jamais de ce village avant ce jour ? Les souvenirs de campagne ont pourtant la vie dure, même s'ils persistent sous des formes imagées ou populaires.

— Non, répondit Chuquet. Vous savez, par ici, les souvenirs s'étiolent rapidement. À la différence des villes, il n'existe pas de trace écrite dans nos villages. Un aïeul mort il y a vingt ans est facilement confondu avec un ancêtre vieux de plusieurs siècles. Il en a été de même avec cette paroisse oubliée. Son existence était devenue de nos jours aussi inconcevable qu'une vieille légende. Rien ne devait la rappeler à notre souvenir. Cette date précise de 1233, nous la devons aux registres de l'Église. Inutile de vous dire que, depuis les charognes de Domines et la redécouverte du village qui s'est ébruitée parmi nos fidèles, de nombreuses fables circulent déjà dans Draguan et ses paroisses.

Le poêle commençait à faire son effet. Une légère tiédeur envahissait la petite cellule. Chuquet posa le rapport concernant le prêtre et se mit à renfermer les deux rangées de la caisse de l'évêque.

— Mon père, dit le vicaire après avoir verrouillé la malle, ce n'est certes pas moi qui devinerai les mots que vous avait destinés l'évêque ; je ne suis qu'un pauvre auxiliaire. Mais nous... nous comprendrions très bien si vous refusiez aujourd'hui de vous acquitter d'une charge aussi difficile...

— Comment appelle-t-on ce village ?

— Heurteloup. On raconte que les loups eux-mêmes évitent cet endroit diabolique.

— Tant mieux. Ces bêtes me fatiguent. Qui pourra m'y conduire ?

— Eh bien... Premierfait, le sacristain, sans doute... Celui qui l'a découvert. Mais il sera difficile à convaincre. Tout ce qui touche à cette affaire lui est devenu très pénible. Et puis la saison n'est pas propice à une si longue expédition. La route est...

— Je trouverai les mots pour le décider, interrompit Henno Gui en se levant, ne vous en faites pas. Je ne souhaite pas m'éterniser à Draguan. Je reviendrai au retour du successeur de Haquin. Le sacristain me conduira demain.

Chuquet opina, sans rien oser ajouter. Il avait laissé sur la table de Haquin le corpus de présence du nouveau curé et le quitus du diocèse. Henno Gui les signa tous deux sans hésitation.

Le vicaire guettait sur le visage du prêtre un trait d'émotion : en vain. La face de Gui était aussi atone qu'un masque de cire. Il s'y peignait l'impassibilité des grands Pères de l'Église ou des anachorètes méditant au fond de leurs cavernes. Du moins, c'est ainsi que Chuquet se les figurait. Quand il en parlait avec Haquin, celui-ci répondait invariablement :

— Ce ne sont pas des hommes, Chuquet. Ce sont des personnages.

5.

Le lendemain, Henno Gui dormit bien au-delà du lever du soleil. Ni Chuquet ni les moines n'osèrent le réveiller pour les chants de prime et de tierce. Le curé avait été installé dans une petite cellule au premier étage. C'était une chambre stricte qui servait plus aux malades du diocèse qu'aux voyageurs. Les moines en avaient barricadé l'unique fenêtre. La veille, en entrant pour la nuit, Henno Gui l'avait défoncée d'un coup d'épaule et avait longuement observé la nuit du bourg et l'horizon des forêts. Ce matin, une lumière claire et douce inondait la pièce. La tempête de neige avait passé. Les rues de Draguan scintillaient comme du verre.

Le prêtre récita ses psaumes au pied de sa couche. Il se rasa la barbe et la tonsure avec un broc d'eau, puis sortit, vêtu de sa coule doublée et de ses souliers de cuir. Il emportait avec lui le bol de tisane vide et le bissac de provisions que lui avait apportés Chuquet.

Les longs couloirs de la maison canoniale étaient déserts. Des volets puissants calfeutraient toutes les fenêtres. L'air suiffé des bougies planait comme une brume sous l'orbe des voûtes.

Le curé retrouva le chemin du réfectoire. La pièce était encore chaude d'une flambée matinale. La table était propre, les dessertes soigneusement rangées et closes. Gui se servit un bouillon de chair salée et le but d'une traite. Il trancha ensuite une miche de pain gris. Après son repas, il recueillit soigneusement chaque miette tombée sur la table, du bout des doigts.

Au-dehors, on entendait des coups de marteau. Gui entrouvrit la porte du réfectoire ; celle-ci donnait sur la cour quadrangulaire de la maison. Au fond, les frères Méault et Abel s'activaient dans la resserre à bois. Ils confectionnaient le cercueil provisoire de l'évêque. Les deux hommes s'arrêtèrent pour saluer le curé. Henno Gui repensa à leur conversation secrète de la veille.

Il répondit d'un geste, referma la porte et se tourna vers la grande entrée où le portail était encore bardé.

Après quelques efforts, Henno Gui se dégagea enfin un passage et retrouva le grand jour, devant l'esplanade du bourg. Les rues étaient vides. Le froid, en dépit du soleil, était aussi piquant que la veille. La neige avait recouvert les talus, les meules à charbon et le chaume des terrasses. Quelques bêtes piétinaient au seuil des maisons, prêtes à retourner se blottir près des feux et de la paille.

Henno Gui observa les ruelles et choisit un chemin au hasard.

Il tomba un peu plus loin sur un attroupement de villageoises. Emmitouflées sous des bliauds et des toisons de laine épaisse, elles étaient toutes occupées à leur babil quand elles aperçurent le prêtre. D'un coup, elles se dispersèrent comme une volée de corneilles.

Deux seulement résolurent de rester sur place. C'étaient les plus jeunes ; deux petites filles. La plus grande avait un regard clair et des cheveux sombres ; la cadette, une chevelure dorée et des yeux verts. Le père Gui s'arrêta devant ces deux gamines qui se tenaient par la main, immobiles, à peine inquiétées de rencontrer une figure nouvelle.

— Bonjour. Je suis le père Henno Gui.

Les filles ne répondirent pas.

— Vous pouvez parler sans crainte, dit le prêtre. Je ne vous veux aucun mal.

La fille aînée haussa les épaules.

— Je m'appelle Guillemine. Je suis la fille d'Everard Barbet. Et elle, c'est mon amie Chrétiennotte.

— Vous êtes de Draguan ?

— Non, dit Guillemine. Nous sommes de Domines, dans la forêt. Mais depuis le début de l'hiver, on est installés ici, à cause du froid, chez notre commère Béatrice.

— Domines ? C'est une paroisse, n'est-ce pas ?

Henno Gui se souvenait de ce village évoqué la veille par Chuquet pendant le récit sur les cadavres de la rivière.

— Elle est loin d'ici ? demanda-t-il.

— Tout est loin d'ici, mon père.

Le ton de Guillemine était plutôt gourmé. La petite Chrétiennotte, elle, restait muette et en retrait, serrant ferme la main de sa compagne.

— Je cherche la hutte du sacristain, dit le curé. Pouvez-vous me l'indiquer ?

— Premierfait ? Qu'est-ce que vous lui voulez ?

— Lui parler et l'entendre. Vous connaissez sa maison ?

— Peut-être.

— Bien. Alors, vous m'accompagnez.

Le prêtre saisit le poignet de la petite Chrétiennotte et l'entraîna. Il était décidé à ne pas se laisser jouer plus longtemps par des fillettes. Ils s'engouffrèrent, au pas d'Henno Gui, dans le lacis des ruelles du bourg.

Les filles redoutaient à chaque fenêtre l'apparition d'un habitant ou d'un regard familier. Gui les accabla de questions. Chrétiennotte restait toujours silencieuse, mais Guillemine répondait pour deux. Elle lui raconta dans le détail la mort de l'évêque vue par les Draguinois, l'étrange assassin au cheval noir et la culpabilité avérée de Haquin dans les diableries qui s'abattaient sur le diocèse depuis plusieurs mois. Elle répétait au mot près les discussions de la veille.

— Au fait, ajouta-t-elle en s'arrêtant, peut-être est-ce vous notre nouvel évêque ?

— Non, ma fille, répondit Gui. Je n'ai pas cet honneur.

Les rues étaient vides. L'aînée des filles lui raconta comment un certain garde, appelé Grosparmi, avait été attaqué la nuit dernière par le mystérieux tueur de l'évêque, revenu à Draguan achever ses maléfices.

— Quel est son nom, dis-tu ?

— Grosparmi. C'est le second rémouleur.

Les blessures de cet homme étaient les seules traces tangibles qu'avait laissées l'assassin de son passage. Personne ne s'expliquait comment il avait disparu aussi soudainement alors qu'on le poursuivait depuis son entrée dans la ville. C'était un vrai tour de démon. Depuis lors, les habitants étaient terrifiés à l'idée de le savoir tapi quelque part entre leurs murs.

— Pas vous ? demanda le prêtre.

— Non. Nous, on a appris à craindre ce que l'on voit, pas ce que l'on entend.

— C'est mûrement pensé.

Guillemine ne répondit pas. Henno regarda soudain Chrétiennotte.

— Tu ne parles jamais, toi ?

— Elle est muette, dit Got. Cela fait plus d'un an. Personne n'a réussi à la faire parler depuis.

— Oui… à part toi. Mais, sans doute, ne parlez-vous que dans des lieux connus de vous seules. Les mystères d'enfants sont impénétrables.

Guillemine jeta un regard noir au jeune prêtre. Celui-ci fit mine de ne pas remarquer sa colère, ni le bref sourire sur le visage de Chrétiennotte.

— Je me demande bien ce que vous venez faire par ici… lâcha Guillemine Got d'un air agacé.

— Je ne suis qu'un jeune curé, ma petite, expliqua le prêtre. Je viens pour Heurteloup. C'est ma nouvelle paroisse.

Là, les deux filles se raidirent. Guillemine, à son tour, ne proféra plus un mot.

Ils arrivèrent devant une hutte en appentis de bois. Construite sur un seul niveau, elle faisait l'angle d'une venelle, supportant comme les autres une grande terrasse moutonnée de neige.

— C'est ici. Premierfait habite dans cette maison, avec sa mie.

— Merci, dit Gui. Merci à toutes les deux.

Le prêtre voulut les bénir, mais l'aînée lui agrippa brusquement le bras.

— C'est inutile, mon père... Nous savons que vous mentez.

Gui l'observa, passablement étonné par cette bravade.

— Heurteloup, ça n'existe pas, lança-t-elle. C'est une vieille histoire que l'on raconte aux enfants pour leur faire peur ou pour les menacer. Comme le Garou ou le Hennequin. Tout le monde le sait ici.

Le prêtre se contenta de sourire. Mais la fille en rajouta.

— Méfiez-vous de ne pas vous retrouver damné à votre tour. Comme l'évêque. Comme ceux du village. Comme tous les gens qui remontent trop loin dans nos terres.

Got avait crié cette dernière phrase. Elle entraîna son amie en courant. Henno Gui les regarda disparaître comme des petites fées au coin d'une ruelle noire. Autour de lui, il sentit les premiers curieux qui se braquaient derrière les fenestrelles.

6.

Henno Gui cogna à la porte de Premierfait. Celle-ci s'ouvrit d'un coup sec, sur une petite femme replète, à l'air borné et immédiatement rébarbatif. C'était Godiliège, l'épouse du sacristain. Drôle de personnage. Tout en elle fleurait le mauvais esprit : la pointe de ses socques, ses jambes courtes de canard, ses larges épaules arquées, son front buté embéguiné dans un drap bleu, ses mirettes étroites, et ses sourcils trop joints. Cette femme — qui vous ouvrait sa porte comme on vous crache à la figure — fut ahurie de se retrouver devant un étranger de curé.

— Qu'est-ce qu'on veut ?

— Je suis le père Henno Gui, dit le prêtre. Je viens demander l'aide du sacristain.

— Ah ? Bien sûr, mon père. Entrez. Entrez donc !

La méfiance de la mégère se transforma dans l'instant en une pieuse sollicitude de papelarde. Elle se mit à donner du « oh ! mon père » à toute volée, comme une bonne léche-reuse. Après avoir installé Gui à sa tablée, devant une tranche de rave et un bol de lait tiède, elle fit de son mieux les honneurs de sa maison. Celle-ci était du reste à l'image de cette paysanne brouillonne et râblée : le plafond toisait à peine la taille d'un homme, les meubles étaient trop petits et entassés, et les objets brutalisés et vieillots.

Quand elle héla son mari, son ton cuisant laissait présager un pauvre hère chétif et soumis ; ce fut un gaillard qui apparut, tout modeste, sous un pan de solives trop basses. Premierfait était rudement bâti. Il avançait à demi courbé dans cette hutte construite à l'échelle de son épouse.

— Vous êtes le sacristain Premierfait ?

— C'est lui, répondit la femme.

— Je suis le père Henno Gui, appelé dans votre diocèse par l'évêque, monseigneur Haquin.

Les deux paysans se signèrent spontanément.

— Dieu ait son âme, fit Godiliège.

— Il m'a convoqué pour m'occuper du culte d'une nouvelle paroisse.

— Voilà qui est bien, dit la femme. On n'aura jamais trop d'hommes de Dieu dans ce pays maudit. Sa Révérence a été bien inspirée... Dieu ait son âme, répéta-t-elle.

— Le frère Chuquet m'a confié que vous étiez le seul à connaître l'emplacement de mon nouveau presbytère.

Aussitôt, le couple blêmit comme des linges.

— J'ai besoin que vous me conduisiez là-bas, reprit le prêtre. Et dès aujourd'hui.

Avec une soudaineté presque comique, les deux êtres se signèrent une nouvelle fois.

— Vous savez de quelle paroisse je veux parler ? demanda Gui.

— Tout à fait, répondit la femme en donnant de la voix. Mais mon mari ne retournera pas dans ce pays, mon père. Je suis désolée. Monseigneur Haquin est bien bon de vouloir rendre un curé à ces sauvages, mais cela se fera sans Premierfait.

— Vraiment ? Il est pourtant le sacristain de l'évêché, dit le prêtre. Je ne vois pas ce qui l'autorise à refuser de porter un de ses pères jusqu'à son ministère. Je vais chez ces gens pour leur rendre le Christ. Il n'y a pas de mal à soutenir une entreprise de Dieu.

— Allons, dans cette affaire, il y a du mal partout ! lança la femme. Croyez-moi, mon père, on a suffisamment souffert pour le savoir.

— Souffert ? s'étonna le prêtre.

— Depuis que Premierfait est allé rôder du côté de ces vieux marais et qu'il a approché ces créatures...

— Hé! protesta pour la première fois le bonhomme, je suis resté éloigné. Je n'ai approché personne!

— Peu importe, c'est égal. Cette aventure a suffi pour que tout le diocèse s'emporte contre nous! Depuis son retour, mon père, plus personne ne nous adresse la parole... On nous fuit comme des pestiférés. On a cloisonné nos portes de passage avec les autres maisons, on nous refuse notre laine et notre lait! Paraîtrait que mon homme aurait rapporté avec lui quelques-unes des maladies ou des malédictions qui traînent là-bas et qui s'abattraient par sa faute sur nos terres. On nous affirme que ce village perdu n'est peuplé que de fantômes, que tous ses habitants y sont morts depuis longtemps, et que Premierfait n'est qu'un fou qui s'est laissé empoisonner par les marais puants et a perdu la tête! Tous des ingrats, des daubeurs et des mauvais! Pensez donc s'il va retourner là-bas! Il n'y retournerait pas pour y conduire un pape! Un monde où les hommes sont devenus aussi répugnants que la tourbe qui les entoure. Ils sont sales, violents, comme des monstres... Ils parlent des langues qu'on ignore. Et les poissons? Tiens, parle-lui des poissons, Premierfait! Ils mangent les poissons des marais, mon père! Des bêtes contrefaites, difformes, comme on n'en a jamais vu... Les plantes, les arbres, les herbes, tout y est vénéneux! Croyez-moi, c'est le Diable qui s'est installé dans cet endroit! Le Diable!

— Je vous remercie, madame, dit Henno, mais je me ferai par moi-même une idée de la présence du démon dans ma paroisse...

— C'est cela, par vous-même... D'ici là ne cherchez pas à nous entraîner là-bas, nous ne changerons pas d'avis.

Le curé avala une grande lampée de lait.

— Vous n'en démordrez pas?

— Jamais! Cette affaire ne peut nous apporter que des ennuis. Croyez-moi sur parole, je sais toujours ce qui est bon et ce qui ne l'est pas. C'est dans ma nature.

— Tiens, tiens, dit Henno Gui avec un œil pétillant. Vous

détenez là un don bien rare ; les philosophes s'évertuent depuis toujours à acquérir une telle sagesse. Aujourd'hui encore, la distinction du Bien et du Mal occupe beaucoup d'esprits. Si vous maniez si bien ce talent, me laisserez-vous profiter de vos lumières ?

Là-dessus, disputeur rompu à la maïeutique, le curé se joua en quelques questions socratiques de l'esprit de la pauvre paysanne. À son insu, chacune des réponses de la femme la conduisait un peu plus au point de vue d'Henno Gui. Il fit si bien qu'ils tombèrent tous deux d'accord sur la nécessité absolue de le conduire au village, sans que la sacristine n'ait à renier ses premières convictions. Cette controverse était un jeu d'enfant.

— C'est donc convenu, dit le curé.

Il conclut sur une tirade flattant les talents d'esprit de Godiliège.

— Oui, mais tout cela, c'était pour « parler », dit-elle soudain. Pas à faire.

— Il y a une différence ?

— Et comment ! Ce serait trop facile. Vous me parlez du Bien et du Mal, je veux bien, mais moi je vous parle du Bon et du Mauvais. Ce n'est pas pareil.

Alors, avec un bon sens désarmant, la Draguinoise pourtant inculte abattit magistralement la logique de Platon aussi bien que le fit son disciple Aristote.

— Soit, reprit Henno Gui fort amusé par ce tour. J'avoue avoir usé avec vous d'une nouvelle méthode que l'Église nous prône depuis peu et qu'elle souhaite voir appliquer dans toutes ses paroisses. Elle appelle cela le Dialogue et nous impose par là de chercher toujours un terrain d'entente entre le prêtre et le fidèle avant de prendre une décision. Ne rien brusquer, ne rien imposer trop violemment comme par le passé. Mais je vois que vous êtes par trop maîtresse de vous pour vous laisser aller à ce genre de nouveautés.

— Tout à fait, tonna Godiliège sans trop comprendre ce dernier trait.

La femme donna un coup de coude à son benêt de mari.

— Je concède qu'il vaut mieux user avec vous des anciennes méthodes du clergé, dit le curé.

— C'est ça. Gardez vos nouvelletés pour les autres ! Nous ici, on aime bien qu'on nous parle à l'ancienne ; avec les mots que nos parents entendaient et sans mille questions et mille pièges cachés dans une même phrase !

— J'entends bien.

Henno Gui acheva son bol calmement, puis se leva. Il rabattit sa capeline et se tourna vers Premierfait, la mine soudain dure et fermée.

— Premierfait, dit-il d'un ton intraitable, si tu refuses de me conduire ce jour à Heurteloup, je te ferai bannir de toutes les églises du diocèse. Tu seras privé des sacrements prodigués au nom du Seigneur. Tu ne pourras plus assister aux offices, ni te repentir de tes fautes au confesseur. Tu seras exclu de la communion des âmes et de la communauté des chrétiens, mis à tout jamais hors la loi de l'Église. Tes péchés s'accumuleront sur toi sans rémission. Au soir de ta vie, tu seras jugé sans absolution, tu rendras compte de tes fautes et de ton renoncement d'aujourd'hui à secourir des fidèles égarés et un homme de Dieu qui t'implore.

— Mais… murmura la femme.

— Ce renoncement, Premierfait, tu le payeras encore dans les limbes de l'autre monde !

— Mais…

— Vous souhaitiez la méthode ancienne, madame ? dit Henno Gui d'une voix brusquement apaisée. La voilà.

Le curé se retourna vers le sacristain.

— Si tu choisis de m'escorter jusqu'à ma paroisse, je n'exigerai pas de toi d'y entrer. Tu m'abandonneras au seuil du village et tu pourras rentrer chez ta femme.

— Mais les maudits… bredouillait piteusement celle-ci.

— Les maudits, c'est mon affaire, gronda Henno Gui. Premierfait ? Tu m'as entendu ?

— Oui, mon père, répondit le sacristain.

Le prêtre esquissa un signe d'assentiment puis se dirigea vers la porte sans attendre les réactions de la mégère.

Celle-ci jeta une poignée de fèves noires derrière ses épaules pour conjurer le sort.

Avant de sortir, Gui ajouta :

— Y a-t-il une église dans ce village d'Heurteloup ?

Premierfait hésita un peu. Il regarda sa femme ; celle-ci haussa les yeux, comme si sa réponse n'avait plus de conséquence.

— Oui, mon père, dit-il, je crois bien. Ils m'ont même semblé y aller assez souvent...

— Vraiment ?

Henno Gui demanda ensuite l'emplacement de la maison de Grosparmi.

— Ce n'est pas loin d'ici, dit Premierfait. C'est une hutte de briques rouges, à trois rues en tournant sur votre gauche. Vous ne pouvez pas vous tromper.

Le prêtre salua et prit congé.

7.

Le sacristain avait dit juste. Henno Gui arriva devant une petite maison efflanquée de pierres cramoisies, écrasée entre deux hautes bâtisses au bord de l'éboulement.

Des traces de piétinement devant la hutte du rémouleur indiquaient que de nombreuses visites avaient déjà été faites à cette pauvre « victime » du tueur en noir.

Derrière le prêtre, des villageois commençaient à se regrouper et à le suivre en murmurant. Henno Gui n'y prêta aucune attention. Il franchit le seuil de Grosparmi sans frapper.

À l'intérieur, le blessé vagissait sur son lit, la jambe droite atrocement tuméfiée. Henno Gui, après l'avoir confondu avec un nouveau détrousseur de chemin, lui avait sévèrement brisé le genou avec la crosse de son bâton de pèlerin et atteint le nerf sciatique.

Xabertin, le vieux rebouteux de Draguan, le « panseux de secret », avait passé toute la nuit sur les plaies du rémouleur. Il n'avait trouvé ni formule ni onguent pour endiguer ou apaiser le mal.

Dès son arrivée, Henno Gui tira de sa petite sacoche quelques herbes de jujube, fit des concoctions, arracha les bandages gras, imbiba la jambe d'une pâte de pharmacopole, et récita des prières inconnues aux quelques oreilles présentes autour du lit. Le prêtre, toujours secret, finit par réduire la blessure et par rendre souplesse et texture à la peau rougie. Les progrès de sa médecine furent diaboliques de prestesse. Certains témoins se signèrent devant tant de prodiges. D'autres abandonnèrent la maison pour aller conter ces miracles à la foule qui attendait dehors. À l'intérieur, le médicastre terminait son pansement en laissant la plaie à l'air libre.

— Je suis toujours partisan de laisser la nature faire ce que l'homme a défait, dit-il. Notre corps s'y connaît mieux en soins que bon nombre de nos maîtres de faculté.

La tournure de cette phrase n'échappa à personne : le jeune prêtre avait dit la Nature, il n'avait pas dit Dieu.

Après avoir sollicité le pardon de sa victime, Henno Gui bénit le rémouleur et le laissa se reposer. Il reprit son chemin vers la maison des chanoines, insensible à la foule et aux commentaires qui s'échangeaient sur son passage.

En traversant la rue devant la maison des Premierfait, le prêtre aperçut une haute jument au crin bai et une solide carriole postées face à la porte d'entrée. Le sacristain préparait leur départ.

8.

Pendant ce temps, à la maison canoniale, le vicaire Chuquet s'activait aussi pour son propre voyage. Il avait réquisitionné les trois chevaux qui constituaient l'écurie de l'évêché. Il s'était ensuite rendu discrètement dans le bureau épiscopal de Haquin, cellule fermée depuis le début de l'hiver. Là, il compulsa de vieux registres, prit un boursicot d'or pour son trajet et rechercha le dossier de correspondance de l'évêque. Chuquet avait décidé de rapatrier le corps de son maître jusqu'à Paris pour trois raisons : premièrement, il craignait que les Draguinois ne s'en prennent à la dépouille de leur ancien évêque ; ensuite, il ne faisait aucune confiance à la primature de Passier dont dépendait Draguan : le dédain continuel de ces prélats pour les problèmes du diocèse et la méfiance que leur vouait Haquin le confortaient dans sa résolution de ne jamais s'adresser à eux et de rallier directement Paris. Enfin, c'était de cette grande cité que partait l'unique indice que Chuquet tenait de la vie secrète de son maître. En quinze ans de service, le vicaire n'avait comptabilisé qu'une seule missive privée reçue par l'évêque. Elle venait de l'archevêché de Paris et portait la signature d'un énigmatique Alcher de Mozat. C'est tout ce qu'il possédait. Il ne lui restait qu'à suivre cette maigre piste et à découvrir les origines de son maître pour lui rendre une sépulture décente dans sa terre natale.

Chuquet avait souvent émis le souhait de changer

modestement le cours de sa vie... Ce moment advenait aujourd'hui avec fracas.

Une heure après l'entrevue de Henno Gui et du rémouleur Grosparmi, les convois de Chuquet et du curé étaient prêts pour le départ.

Les moines Méault et Abel avaient attelé un grand coche entièrement bâché qui dissimulait le cercueil provisoire de l'évêque et devait protéger Chuquet pendant les nuits froides du voyage. Les trois chevaux de l'évêché ne seraient pas de trop pour assurer les passages difficiles jusqu'à Paris.

À côté, la charrette de Premierfait et de Henno Gui était simplement remplie de couvertures, de piquets et de vivres.

La journée était radieuse. Le jeune curé avait passé la dernière heure à prier dans une abside de l'église.

On était convenu que le cercueil de monseigneur Haquin quitterait le bourg en dernier, après le prêtre, par un chemin de traverse à l'abri de la curiosité des Draguinois.

Abel et Méault bénirent de loin le départ du curé. Chuquet, pour sa part, promit à Henno Gui de venir le voir dès son retour de Paris.

— Je prie Dieu qu'il bénisse votre voyage et vous assure un prompt retour, lui dit-il.

Gui était prévenu, il lui faudrait au moins quatre ou cinq jours de traversée avant d'atteindre le village. Premierfait affirmait connaître parfaitement le trajet, trois vals et quatre forêts de taille. Il les avait plusieurs fois parcourus pendant ses longues nuits d'insomnie qui suivirent son retour de Heurteloup.

Assis sur une des banquettes du chariot, Henno Gui se replongea dans ses prières, sans daigner jamais se retourner vers Draguan.

« *Et dixit dominus michi quod volebat quod ego essem novellus pazzus in mundo...* » pensa-t-il. (« Et le Seigneur me dit que je suis un nouveau fou dans le monde... »)

Il savait qu'il laissait derrière lui des rumeurs contrastées, peut-être même des amorces de contes de campagne : un prêtre venu de nulle part, un demi-follieux acceptant d'aller chez les maudits, violent, dangereux, un peu médecin, un peu sorcier, un peu magicien, un peu... fictif.

Quoi qu'ils en racontent, les Draguinois, pour les jours à venir, se confortaient tous dans la seule certitude qu'à moins d'un miracle, ils ne reverraient jamais ce curé vivant...

Deuxième Partie

1.

Des blocs de glace gros comme des ruines antiques dévalaient les eaux du Tibre, heurtant les barges et les débarcadères.

À Rome aussi, l'hiver était impitoyable. Moins mortel et moins maléfique que dans les pays du Nord (les évêques italiens ne manquaient jamais d'insister sur ce point), il avait tout de même frappé de plein fouet la péninsule et les États de Saint-Pierre. On consumait des arbres entiers. Les greniers se vidaient.

Toutefois, en ce petit matin de janvier 1284, comme chaque jour, le défilé des soutanes et des robes de pourpre reprenait son cours et bravait le givre sur les marches du Latran, le palais du pape. Un escalier colossal conduisait jusqu'au parvis du Saint-Père. À l'intérieur, les galeries, les vestibules et les salles d'audience ne désemplissaient pas. L'hiver était une saison de trêve pour tout l'Occident, sauf pour Rome. Les guerres entre rois ne reprenant qu'au printemps, la politique de l'Église profitait de cette accalmie pour faire entendre sa voix.

Des piquets de garde et des archers protégeaient la place et les dégagements du Latran. Le pape avait une armée, les soldats de la Clef, et une milice d'élite, qu'on appelait *Provisa Res*. Ce matin, elle était scrupuleusement apostée autour du Latran, dirigée d'une main de fer par son chef, Sartorius.

L'une des jeunes recrues, Gilbert de Lorris, gardait au bas du grand escalier. Il avait tout juste dix-sept ans et terminait sa première semaine dans les rangs de la garde. Il avait cet air appliqué des novices et des apprentis. Ses chausses étaient lustrées de long effort et la flèche de sa vieille hallebarde scintillait comme du métal neuf.

Le jeune homme suivait des yeux le passage des badauds et des éminences devant le Latran. Rien ne lui échappait. Il fut du reste le premier et le seul à s'intéresser à un personnage assez mystérieux, attifé à l'ancienne, qui longeait les murs en face du palais. Cet inconnu se tenait à distance, observant lui aussi les entrées et les sorties du Latran. Il semblait parfois vouloir prendre le chemin des marches, mais se ravisait toujours. C'était un homme assez haut, les épaules larges et le port droit. De son poste, Gilbert discernait mal ses traits. Un seul point était sûr : ce passant n'était pas un jeune courtisan. Il portait de beaux habits neufs, savamment ourlés, mais dont la coupe et le tracé n'avaient plus cours depuis au moins trente ans. Seul un homme d'une autre génération s'enticherait encore de ces chausses enturbannées, de cette capeline fendue à la mode sarrasinoise, de ces agrafes à la française ou de ce bonnet burgondin. Gilbert se dit qu'il avait affaire à un homme vieillissant et fortuné, peut-être même à un « nom », comme on disait pour les nobles.

Cet étranger continuait son étrange manège devant le palais. Gilbert pensa qu'il ne se déciderait jamais. Cela n'avait au fond rien d'extraordinaire. Les dégagements du Latran étaient toujours encombrés de badauds et de solliciteurs qui s'effarouchaient pour un rien et battaient en retraite devant les personnages importants.

Le garde changea bientôt d'avis.

L'homme portait un long manteau. Lors d'une brève volte sur sa droite, un pan lâche se releva légèrement et Gilbert aperçut, avec certitude, la découpe d'une longue épée que l'inconnu cherchait à dissimuler.

Cela changeait tout. Le soldat connaissait le Code du Palais édicté par Sartorius : on ne devait sous aucun prétexte pénétrer dans le palais du pape avec une arme, sauf muni d'un sauf-conduit exceptionnel. Toute entorse à ce règlement était justiciable.

Gilbert regarda près de lui : son maître avait quitté les parages pour inspecter d'autres factionnaires. Deux gardes attendaient en haut des marches. Il était seul.

Soudain, la piazza et les marches du Latran s'éclaircirent un peu. Les soutanes et les mitres ralentirent leur passage incessant. Gilbert en était persuadé : l'homme allait essayer d'entrer. Cela ne manqua pas. Le visiteur suspect s'élança vers le palais, d'un pas si franc et si résolu qu'il dérouta le jeune garde. Gilbert eut un temps d'hésitation.

— Halte !

L'inconnu l'avait déjà dépassé et emboîtait les marches. Il fit mine de ne pas avoir entendu l'ordre.

— Halte-là !

Gilbert bondit et se retrouva vivement à la hauteur de l'inconnu, son arme bien en vue.

Le visiteur s'arrêta net. Il se tourna vers le vigile. Gilbert ne s'était pas trompé : il s'agissait bien d'un homme âgé. Le front était haut et tombait d'aplomb sur des sourcils clairs froncés. Le teint était bronzé, les joues mates, fendillées comme du vieux cuir. Le regard était droit, plongeant, mâle, mais d'une clarté d'eau de source. Gilbert se redressa spontanément. Une majesté et une grâce seigneuriale se dégageaient de cet inconnu. Le jeune soldat avait imaginé un vieil excentrique, curieux, cocasse, intimidé ; il se retrouva, à sa grande surprise, devant un félin.

— C'est moi que vous arrêtez, jeune homme ?

Gilbert se raidit. La voix non plus n'était pas celle d'un simple badaud. Elle avait les inflexions glacées du commandement.

— Vous... Vous portez une arme, monsieur... Monseigneur... Il vous faut un laissez-passer pour entrer au palais du Latran.

Le vieil homme sourit devant l'embarras du soldat.

— En effet, dit-il. Tu fais bien ton métier, mon garçon.

L'homme ouvrit son large manteau. Gilbert reconnut l'épée fourrée dans une gaine garnie de velours noir. Le visiteur portait aussi une cotte de cuir de chevalier. Il avait autour du cou, tenu par un chaînon doré, le Triangle du Saint-Esprit, un petit blason précieux qui ouvrait à ses détenteurs toutes les portes de la cour de Martin IV, le pape actuel. Ordre était donné de laisser aller tous les fidèles qui se présenteraient avec cet insigne, même harnachés pour un siège.

— Je viens ici pour voir monseigneur Artémidore, reprit le vieil homme en montrant le Triangle. Le chancelier du Saint-Père.

Gilbert fit un pas en retrait et baissa son arme. Il savait qu'il devait se soumettre.

— Veuillez m'excuser, monseigneur.

En soi, l'emblème du Saint-Esprit était une marque importante, mais ce fut une autre décoration qui jeta le pauvre Gilbert dans un trouble sans fond. Derrière le Triangle du pape, pendue elle aussi au bout d'un collier en or, le jeune garde aperçut soudain la croix des Compagnons de Tunis. Il fut stupéfait. Gilbert était français, il savait très bien ce que cette croix symbolisait. Seuls six hommes au monde avaient reçu cette distinction des mains de Louis IX. Il avait dispensé cet Ordre quinze ans plus tôt, après celui de Geneste, alors qu'il expirait de la peste sous les remparts de Tunis pendant sa seconde croisade. Le roi de France avait, par ce geste, oint ses meilleurs croisés, ses plus fidèles compagnons, ses « apôtres », disait-on.

Le sang de Gilbert passa du feu à la glace. Fils de paysans, il était imprégné des prouesses légendaires de ces six hommes. Leurs exploits s'étaient répandus comme les chroniques arthuriennes ; les vies avaient été inscrites et enluminées de leur vivant sur du vélin de jésus.

— Tu es bien avare de mots, l'ami, reprit le vieil homme. Conduis-moi plutôt jusqu'aux chambres du Conseil. Il y a bien longtemps que je ne suis venu à Rome.

Gilbert regarda autour de lui. Il était seul ; Sartorius n'avait toujours pas reparu. Avec un peu de chance, se dit le garde, il ne s'apercevra pas de mon départ.

Il acquiesça et escorta l'illustre inconnu.

En haut de l'escalier du Latran, les deux hommes empruntèrent le péristyle qui cernait l'édifice et menait au versant nord du palais : l'aile pontificale où siégeait la chancellerie.

Gilbert avançait à petits pas. Il entendait derrière lui la semelle lourde du guerrier. Celui-ci avait remonté le col de son manteau et dissimulait à nouveau son visage.

Le jeune homme essayait inlassablement de recouvrer le nom des six compagnons légendaires de saint Louis. Il y avait d'abord Eudes de Bretagne : un géant qui fut le seul à pénétrer les murs de la forteresse de Mansourah ; Siméon Lambal, qui monnaya secrètement l'achat de la couronne d'épines du Christ avec les Vénitiens de Byzance ; Oreyac de Toulouse, qui brandit le premier fléau d'armes au sortir d'Aigues-Mortes ; Daniel le Sage, qui secondait le bon roi Louis sous son chêne de justice ; Ore de Saxe, qui fit évader près de mille croisés prisonniers pendant la première croisade du règne ; et puis... et puis...

Diable ! Ils arrivaient à la porte du Conseil et Gilbert ne retrouvait toujours pas le nom de ce dernier héros. Il connaissait pourtant sa « geste » par cœur : c'est lui qui assista le roi pendant sa fièvre de Taillebourg, lui qui engagea deux fois toute sa fortune personnelle pour aider au financement des guerres saintes, lui enfin qui, à la dernière heure du royal compagnon, eut l'idée lumineuse d'étendre son corps agonisant sur un lit de cendre en forme de croix.

Allons, comment se nommait-il ? N'était-il pas du reste le seul à pouvoir se présenter aujourd'hui au palais de Martin IV ? se dit le jeune garde. Eudes avait été égorgé à Bayeux par un paysan possédé, Siméon mourut devant les portes du Saint Sépulcre, Oreyac rendit l'âme dans l'abbaye de Fontfroide, Daniel trépassa pendant une illumination à Saint-Pons-de-Thomières, et le tombeau d'Ore de Saxe avait été dressé il y a peu dans un monastère chartreux au cœur des Alpes. L'homme qui avait tracé la croix de cendre était le dernier en vie des six héros.

Gilbert s'arrêta devant une grande porte couverte de grosses têtes de clou où attendaient deux autres gardes. Il se tourna vers le visiteur.

— Vous y êtes, monseigneur. La garde en arme n'a pas le droit de pénétrer dans l'enceinte. Vous trouverez aisément votre chemin. Les offices du chancelier sont au fond de la galerie.

— Merci, mon jeune ami, dit le visiteur.

Dans un mouvement qui n'avait rien de rustaud tant il était fait avec noblesse et amabilité, le vieil homme lui glissa dans la main une petite monnaie de Louis en bronze. Gilbert fut subjugué de revoir la face de cette pièce ancienne, avec le profil admirablement ciselé du roi et ses fleurs de lys en camée autour de la Croix.

À cette simple vue, pleine de souvenirs français, la mémoire lui revint.

— Merci, dit-il soudain l'œil pétillant. C'est pour moi un grand honneur, monseigneur... Je suis français, et je n'ignore pas qui est le chevalier Enguerr...

Mais le vieil homme lui signifia d'un geste de taire son nom. Il mit un doigt devant sa bouche et d'un autre montra la pièce dans la paume du garçon. Celui-ci comprit le commandement.

Sur ce, le visiteur tourna les talons et pénétra dans l'enceinte.

La porte se referma lourdement derrière lui. Gilbert resta quelque temps immobile, stupéfait.

Il venait de croiser une légende. Le héros de sa jeunesse. Enguerran III du Grand-Cellier. Un des six Valeureux. On l'appelait aussi le Chevalier Azur.

✝

L'antichambre du chancelier Artémidore était une pièce immense, complètement vide. Enguerran mesura tout de suite ce qu'un homme, même robuste, avait de dérisoire dans ce vaste cube ostentatoire. Tout y était étudié pour humilier ceux qui s'y aventuraient avec morgue. On n'y trouvait que deux petits bancs inconfortables et une table de secrétaire placée devant la grande porte du chancelier.

Le vieil Enguerran alla s'asseoir sur un des bancs avec, pour toute compagnie, un garde en livrée de cour debout à une trentaine de mètres de lui. Le bureau du secrétaire était vide.

En d'autres temps, du Grand-Cellier n'aurait eu cure de ces intimidations de diplomate. Il serait resté debout, fier, claquant ses éperons contre le marbre, un poing sur la crosse de son épée, arborant cet air d'impatience qui sied si bien aux grands de son pays.

Mais aujourd'hui, le Français ne pouvait se permettre la moindre audace. Il avait quitté sa douce retraite de Morvilliers pour venir à Rome, en dépit de l'hiver et de son âge, boire la lie de son déshonneur.

Lui, le grand croisé, le compagnon historique d'un roi qu'on s'apprêtait à canoniser, attendait la mort dans l'âme qu'un prélat daigne le recevoir. Enguerran savait que cette entrevue devait sceller son sort et celui de son nom. Le chancelier Artémidore avait promis par courrier de l'entendre. Ce cardinal était une vieille connaissance. Il s'appelait autrefois Aures de Brayac. Ils avaient écumé ensemble les mers Thyrriennes dans leurs premières années de chevalerie. Artémidore, aujourd'hui chancelier de Martin IV, papable sous peu, se devait de le recevoir. Enguerran ne lui avait-il pas sauvé la vie deux fois lors du siège de Malte ?

Le chevalier espérait que ce jour marquerait la fin de ses longues vexations. Il se trompait.

D'abord, on le fit attendre plusieurs heures comme un vulgaire solliciteur. Il dut endurer les regards narquois de jeunes clercs qui traversaient l'antichambre. Il détourna souvent le visage afin d'éviter la vue d'un nonce connu, empêchant ainsi que son arrivée ne s'ébruite au palais. Il avait fait de même devant l'escalier du Latran où défilaient trop de figures familières.

Trois moines franciscains vinrent attendre à ses côtés dans l'antichambre. Ces hommes dégageaient une impression de puissance et d'autorité qu'Enguerran trouva inconvenante pour des frères mendiants de saint François. Ils ne lui adressèrent pas la parole. Le vieux soldat vit qu'ils arboraient comme lui le même Triangle du Saint-Esprit de Martin IV. Peu après leur arrivée, la porte d'Artémidore s'entrouvrit pour la première fois. Du Grand-Cellier et les trois cordeliers se levèrent. Un jeune diacre apparut dans le chambranle de la porte. Il considéra rapidement les visiteurs.

— Vous êtes attendus, dit-il sèchement.

Ce trait était destiné aux franciscains. Enguerran ne cilla pas. Il se rassit alors que la porte se refermait.

Il vit reparaître à l'heure de la relève de la garde de l'Antichambre le même soldat en habit de cour qui l'avait installé quatre heures plus tôt sur la banquette. Dans le regard indifférent de ce jeune homme, Enguerran du Grand-Cellier, général honoré de la septième croisade, ancien gouverneur des provinces de Jésus, ressentit toute l'étendue de sa chute.

Il attendit encore un bon tiers d'heure. La porte du chancelier ne s'ouvrit que pour laisser sortir les disciples de François. Enguerran refusa cette fois de se lever. Le diacre ne lui accorda pas un regard. Il ne daigna reparaître que vingt minutes plus tard.

Là, enfin, il fit entrer Enguerran.

‡

Le bureau du chancelier n'avait rien de la pompe coutumière d'un homme d'Église. On eût plutôt dit le quartier général d'un commandant d'armée. Des cartes militaires étaient dressées sur des guéridons, des fresques de batailles ornaient les murs, des reliques barbares étaient exposées sur des consoles en marbre. Enguerran eut bien un mouvement d'humeur devant ce décorum de mauvais chef, mais un autre point le révolta plus profondément.

Le chancelier Artémidore n'était pas présent.

Le jeune diacre s'installait à la place du maître, derrière la grande table de travail. Ce coup était une avanie de plus. Il surpassait de loin les précédentes : Brayac, l'ami de jeunesse, le chancelier de Martin IV, refusait de recevoir du Grand-Cellier en personne.

Le chevalier se refusait encore de réagir. Il toisa du regard le petit diacre. Celui-ci portait une soutane rouge et blanche et un collier de Saint-Pierre. Il avait le teint vitreux et le regard sournois des soldats de seconde ligne. Ceux qu'Enguerran rayait de ses contingents à la première faute. Des lâches et des félons, tout juste bons à faire du lard.

— Je m'appelle Fauvel de Bazan, dit le jeune homme. Je suis le second du chancelier Artémidore. C'est lui qui m'a demandé de vous recevoir.

— Y a-t-il une raison à cela ? demanda du Grand-Cellier.

— Non.

Bazan était fier, cela se sentait à son timbre gourmé, son regard narquois, sa fausse aménité.

— Asseyez-vous, dit Bazan.

Enguerran ne bougea pas.

— Je suis là pour mon fils, dit-il.

— Je sais. Aymard du Grand-Cellier.

— J'ai appris que le roi de France refusait de statuer sur son cas et que ce dernier était remis aux soins du Saint Père.

— En effet, l'affaire est très sérieuse. Le prestige des noms engagés dans cette histoire — et le vôtre bien entendu — réclame une attention toute particulière.

— Je suis ici pour réparer le tort fait à mon nom, à mon roi et à mon Église.

— Où se trouve votre fils en ce moment ?

— Il est enfermé dans mon domaine de Morvilliers.

— Prisonnier ?

— Oui. Avec ordre de l'abattre s'il tente de s'échapper. Mes gens surveillent sa cellule jour et nuit. Ils m'obéiront, soyez-en assuré.

Le ton d'Enguerran était ferme. Il intimida Bazan.

— Vous n'ignorez pas quel est mon nom, jeune homme, reprit l'ancien croisé. Au regard de ce que j'ai déjà accompli pour la gloire de notre Église, je me crois en droit de demander quel sort va être réservé à mon héritier.

— Vous connaissez les charges qui pèsent sur votre fils ?

— Je les sais toutes.

Aymard du Grand-Cellier était à l'origine d'un des plus sombres scandales de la jeunesse seigneuriale française. Le garçon, de caractère intrépide, avait abandonné une brillante carrière militaire pour entrer soudainement dans les ordres. Bien qu'il soit son unique héritier, Enguerran se félicita d'un choix aussi pieux. Louis IX, le roi saint, n'était-il pas son parrain ? Jamais le vieux père ne suspecta l'orage que cachait cette vocation subite. Aymard était un esprit fort. Il fit des merveilles au séminaire comme il avait fait des merveilles dans l'armée. Son renom familial lui permit d'être ordonné sur le vif. Le jeune homme proposa aussitôt de fonder un nouvel ordre mineur, à l'imitation des nombreux mouvements mendiants et prêcheurs qui avaient essaimé en Occident après les triomphes de François d'Assise et de Dominique de Guzman. Le futur « abbé » du Grand-Cellier souhaitait s'attacher aux chapelles et aux petits monastères privés de la noblesse de France. Chaque grande famille avait en effet un lieu de culte construit sur ses propres terres afin d'y faire célébrer des messes pour son salut et celui de ses parents défunts. L'organisation de ces offices religieux était libre. Cette indépendance était mal perçue par Rome ; Aymard voulait y mettre bon ordre et établir son pouvoir entièrement sous le patronage de l'Église. Il s'engagea aussi à lever des fonds avec ses frères afin de secourir les pauvres qui vivaient sur ces mêmes terres de nobles. Son entregent et le prestige de son nom firent des miracles. L'ordre des Frères du Seuil fut créé dans la liesse, soutenu par la couronne, par les grandes familles de France et par une bulle du pape.

Le ministère d'Aymard prit très vite de l'ampleur. Les dons en or affluèrent et l'ordre compta bientôt une quarantaine de prêtres et de moines ambulants ou patentés. À première vue, l'entreprise du Grand-Cellier semblait honorer ses vœux et sa vocation. Les meilleures familles confièrent leurs autels aux Frères du Seuil, et l'on répéta partout que leurs passages dans les campagnes démunies étaient célébrés par les miséreux avec allégresse. Tout le monde se réjouissait. Ce ne fut qu'au bout d'un an que les premières rumeurs commencèrent à se répandre. Aymard avait réuni à la tête de son ordre le noyau dur d'amis tapageurs qu'il avait au temps de ses ambitions militaires. Les mauvaises langues avancèrent que ces derniers étaient de véritables impies, qui n'hésitaient pas, en petit comité, à profaner les cimetières familiaux dont ils avaient la charge ou à détourner l'argent des offices. La générosité de l'ordre se révéla en effet dérisoire au vue des fortunes concédées par les grands de France aux Frères du Seuil. On s'interrogea sur la mise de plus en plus luxueuse de ces moines dits mendiants. Mais ces attaques ne portèrent pas. C'était alors monnaie courante que de fustiger les ordres des pauvres qui faisaient fortune. Aymard et ses amis instituèrent, à l'imitation des clunisiens, le « couvert de la chaise pauvre ». Dorénavant, chez les seigneurs qui accueillaient l'ordre du Seuil, à chaque trépas qui affligeait la famille, on continuait pendant les repas à préparer la chaise, le couvert et le menu du défunt. Mais à présent, c'était un pauvre de la région qui était convié et traité à sa place, avec les mêmes largesses que pour le parent disparu. Cette règle fut applaudie dans tout le royaume. Elle coupa court à toutes les mauvaises langues. Aymard du Grand-Cellier avait bien manœuvré, car tous les proches du Seuil savaient pertinemment que ses membres les plus haut placés s'adonnaient bel et bien, en toute impunité, à des vices d'horribles soudards. De nombreuses orgies furent organisées dans des églises privées, au pied de la Croix, avec la contribution de jeunes femmes abusées par le vin, puis contraintes par des sangles. Ce qui n'était d'abord que débordements juvéniles devint vite frénésie et franchit le cap de l'inhumain… Ils forcèrent des garçonnets, invoquèrent des dieux païens, se soûlèrent avec les premiers sangs d'une pucelle. Une nuit, ils déterrèrent le squelette d'un vieil abbé et le firent présider à une de leurs messes noires. Chaque nouvelle cérémonie était étudiée pour apporter de nouveaux frissons. L'apothéose du blasphème et de l'horreur eut lieu la nuit du second anniversaire de la fondation de l'ordre. À cette occasion, Aymard du Grand-Cellier organisa solennellement, dans une chapelle retirée au fond d'une forêt, son mariage avec la Mère du Christ. Une statue en plâtre servit à personnifier la Vierge pendant l'office. L'union fut consacrée par un véritable évêque romain acheté à prix d'or. Une jeune paysanne de douze ans incarna ensuite le corps de Marie. Elle fut atrocement violée par l'assistance. En dépit des tortures qu'on lui infligea, la pauvre fille survécut. C'est elle qui dénonça les Frères du Seuil.

L'affaire était sans précédent. Le prêtre de campagne mis au fait par cette fillette sut se montrer habile et prudent. Ce scandale entachait en même temps le pape, la couronne française et les grands seigneurs qui avaient contribué à l'ordre du fils d'Enguerran du Grand-Cellier. Il fallait être discret. Le secret ne devait pas quitter le cercle royal et le haut clergé. Il serait tenu sous le boisseau jusqu'au verdict final du pape. C'était une de ces vérités embarrassantes qui unissaient toujours, sans querelle, les intérêts du politique et du religieux.

— Qu'attendez-vous du chancelier Artémidore ? demanda le diacre Fauvel de Bazan.

— Peu de gens sont au courant des péchés commis par mon fils. Le roi de France l'est, monseigneur Artémidore et le pape le sont aussi. Qui d'autre ?

— Moi.

— Qui d'autre à Rome ?

— Personne.

— De près ou de loin, cette affaire affecte trop de monde. Personne ne peut aujourd'hui présager de ses retombées. Sur nous, sur nos adversaires, comme sur notre peuple.

— En effet.

— Il paraît raisonnable de travailler à ce qu'elle ne

s'ébruite pas. Le temps pardonne souvent ces omissions historiques quand elles touchent à de tels affronts faits à Dieu ou aux souverains.

— Que proposez-vous ?

— Je souhaite qu'on étouffe l'affaire. Épargnez le bûcher à mon fils. Exilez-le en Asie ou en Orient. Ce ne sera pas la première fois que l'Église fermera les yeux sur des mauvais sujets. Tout l'argent des Frères du Seuil reviendra à Rome. De plus, je me porte garant et je m'offre en échange de la clémence du pape. Je n'ai peut-être plus l'âge de mettre mon bras au service d'un seigneur, mais rappelez au chancelier que j'ai encore celui de déposer ma fortune, mon nom et ma vie aux pieds du pontife, et que je suis aujourd'hui prêt à réparer.

Enguerran étala sur la table son blason, son épée d'adoubement, sa croix de Tunis, son écusson et sa croix de baptême.

Le diacre Bazan mesurait parfaitement la portée de ces gestes. Pour un chevalier, cela équivalait à vendre son âme. L'éclat du nom était tel chez les chefs de famille qu'il comptait plus que des vies. Un homme d'honneur était prêt à tout pour préserver son patronyme de l'opprobre.

— Voilà le prix que je donne à cette réparation, dit du Grand-Cellier. Je réside en ce moment à la villa du seigneur Oronte. J'attendrai là-bas qu'on me dise ce qu'on attend de moi.

Le jeune diacre ne put s'empêcher d'admirer ce vieil héros qui venait de se soumettre avec les manières d'un grand seigneur.

Enguerran ne lui accorda pas un regard de plus. Il salua et prit congé.

Quelques instants plus tard, il était de retour devant les balustrades du péristyle, en haut du palais. Devant lui s'étalaient les toits de Rome rougis par le soir. Le soleil disparaissait doucement. Le vieil homme avait passé toute la journée au Latran, mais il avait atteint son but.

‡

Il rentra dans la demeure de son ami Oronte, à Milà, près de la mer. C'est là qu'il décida d'attendre la réponse du chancelier. Il se donnait huit jours. S'il n'obtenait aucune réponse, il considérerait sa supplique comme éconduite et s'en retournerait à Morvilliers.

L'honneur de toute une vie d'armes, l'honneur d'un héros de légende était maintenant suspendu à ces huit petites journées de patience.

Mais le lendemain, à l'aube, un émissaire du Latran se présenta aux portes de la villa. On le conduisit devant Enguerran qui dut s'habiller en hâte. L'entrevue fut expéditive. Le messager déposa aux pieds du vieil homme un baluchon où on avait rassemblé l'épée, l'écusson, la croix et le blason du chevalier. Il était accompagné d'une phrase lapidaire griffonnée par le chancelier Artémidore : « Votre acte n'est pas recevable aux yeux de Sa Sainteté le pape. »

C'était tout : la requête du Chevalier Azur était rejetée.

Sans récriminer, le jour même, Enguerran faisait empaqueter ses affaires et reprenait la route de ses terres.

‡

Du Grand-Cellier voyageait en carrosse, avec deux hommes d'équipage et deux gens d'armes en selle. Ses soldats pestèrent entre eux sur la décision soudaine de leur maître de retourner en France. Ils venaient à peine d'arriver à Rome qu'ils rebroussaient déjà chemin ! De plus, le voyage serait plus long qu'à l'aller ; le passage des cols était plus rude dans ce sens et tout le monde savait que l'hiver allait s'intensifier encore dans les semaines à venir.

Qu'importe, se disait Enguerran assis au fond de sa chaise, je ne suis plus pressé.

À la sortie de Milà, le cocher arrêta brusquement l'attelage. Du Grand-Cellier aperçut, devant ses chevaux, une autre voiture, très luxueuse, entourée d'une garde de six destriers. Une petite porte s'ouvrit et Fauvel de Bazan bondit hors du carrosse. Les armes du pape, une croix et une clef, étaient peintes sur les flancs du véhicule. Le diacre marcha précipitamment jusqu'à la portière d'Enguerran.

— Bonjour, seigneur.

Le vieil homme le considéra avec surprise.

— Monseigneur le chancelier souhaiterait s'entretenir avec vous, dit Fauvel. Pouvez-vous nous suivre ?

— Vous êtes avec lui ?

Le diacre acquiesça.

— Il est dans la voiture. Suivez-nous, s'il vous plaît.

✝

Le carrosse d'Artémidore conduisit du Grand-Cellier au nord de Rome. Ils pénétrèrent dans une villa dressée au milieu de jardins taillés de près. Le corps de logis principal était un bijou d'architecture, fait de pierres blanches et fraîchement sablées. Aucune sculpture, aucun créneau, aucune concession n'était faite à l'ornement. Tout était de mesures et de lignes épurées. Dans la cour, plusieurs autres carrosses et landaus bâchés étaient déjà alignés.

Du Grand-Cellier et Artémidore se retrouvèrent au pied des marches de la grande maison.

— Décidément, tu n'as pas changé ! s'écria le chancelier en l'empoignant par le bras comme s'ils s'étaient quittés la veille. Toujours aussi impétueux après autant d'années. À la première rebuffade, te voilà déjà en route pour ta vieille châtellenie. Comme tu le vois, je n'ai pas oublié tes coups de sang, Enguerran. Je savais qu'il fallait se presser pour ne pas te manquer.

— Je sais quitter la place quand il le faut, répondit le chevalier. Ne m'a-t-on pas d'ailleurs sèchement signifié mon départ ?

— Allons, allons, nous sommes à Rome, mon ami, pas à

la cour de Louis de Poissy. Ici, il ne faut tenir compte de rien ; ni de ce qui se dit ni de ce qui s'écrit.

— C'est commode.

— La politique romaine est ainsi faite : subtilités et apparences sont ses piliers principaux. Ici, on ne soigne que les formes. Tout le reste se conclut à huis clos. Suis-moi, tu vas comprendre.

Artémidore avait énormément forci. Ses trois mentons plissaient sur son col de pourpre. Il avait l'œil laiteux des gourmets et cette panse de Silène que les partisans du retour au dénuement du Christ vilipendaient de plus en plus violemment. Enguerran avait du mal à retrouver dans ce pas de goutteux la prestesse du cavalier qu'il avait connu à Malte.

Le chancelier entraîna son invité à l'intérieur du palais, à travers une enfilade de pièces bondées de monde. On faisait peu cas de leur passage. Un parfum de viande et d'oignons cuits envahissait les corridors. Les banquets concentraient toute l'attention. Il y avait là des courtisanes, des soldats en toilette de sigisbée et des religieux aux yeux fardés. Enguerran ne reconnaissait personne, sinon, près d'une cheminée, les mines et les mises sombres des trois franciscains qu'il avait déjà croisés, la veille, dans l'antichambre de la chancellerie. Ces trois religieux ne semblaient prendre aucun plaisir aux agapes du moment.

— Nous sommes chez le seigneur de Molé, dit Artémidore. C'est ici que nous fêtons le baptême de mon neveu. Nous utilisons toujours ce genre d'événement mi-public mi-privé pour nos rencontres.

— Qui ça, nous ?

Artémidore esquissa un sourire. Il eût été malicieux si ses gencives n'étaient pas tant poissées de graisse et de peaux flasques.

— Disons, un collège d'amis.

Enguerran fut escorté dans les soubassements de la villa, jusqu'à une salle voûtée. Trois chandeliers sommés de gros cierges charbonnaient le plafond bas. Ils éclairaient à peine cette pièce toute en longueur.

Le vieux chevalier aperçut une douzaine d'hommes, assis en arc de cercle autour d'une table scellée dans la roche de la cave. Artémidore leur présenta Enguerran, mais aucun des membres de cette assemblée ne daigna dévoiler son nom.

— Mon ami Enguerran, dit le chancelier, nous allons faire vite. Du reste, les choses sont limpides. Le cabinet secret du pape a bien reçu ta requête au sujet de ton fils, ainsi que les efforts que tu sembles prêt à fournir pour réparer les torts de ton héritier. Le Saint-Père les a refusés. Il ne peut les accepter en l'espèce. D'abord parce qu'il ne comprend rien à l'esprit de chevalerie, ensuite parce que cette clémence à un grand nom pourrait s'ébruiter et endommager ses relations avec la seigneurie française. Aussi consent-il à garder cette affaire aussi *discrète* que possible, pour le bien de tous, mais il veut la tête de ton fils, pour protéger ses arrières.

Enguerran resta de marbre.

— Si tu es devant nous aujourd'hui, reprit Artémidore, c'est parce que nous sommes les seuls à pouvoir le faire changer d'avis.

— Pourquoi ?

— Pourquoi ? Parce que nous sommes, disons… les « expéditeurs des affaires courantes ». Une fonction importante qui s'est créée au fil du temps, un peu malgré elle. Vois-tu, les papes ne se succèdent pas à Rome aussi facilement que vos rois de France qui ont toujours la fortune de trouver un héritier mâle à poser sur leur trône. Ici, entre deux pontifes, des mois, des années peuvent s'écouler. Il faut assurer pendant ce temps la politique de l'Église. Et solidement. C'est ce que nous faisons. Nous sommes en quelque sorte les « papes des interrègnes ».

— Mais Martin IV est vivant et commande aujourd'hui. Pourquoi contesteriez-vous son autorité, ou iriez-vous contre sa volonté ?

Artémidore le fustigea soudain du regard.

— Parce que nous savons ce que c'est que de poser sa croix de Tunis aux pieds de quelqu'un.

Il y eut un mouvement et quelques murmures dans l'assistance.

— Tu es prêt à beaucoup de sacrifices pour sauver ton fils, reprit le chancelier. Aussi affreux soient les péchés qu'il a commis, nous pouvons comprendre cet instinct paternel et ce besoin si français de sauvegarder son nom. Nous sommes prêts à échanger notre clémence contre quelques menus services de ta part.

— Je n'aime pas beaucoup les offres à caractère clandestin, dit Enguerran. Surtout quand elles sont faites dans des caves.

— Cela tombe bien, nous non plus ! s'esclaffa le chancelier. Comme tout le monde, nous savons que la vérité ne s'épanouit que dans la lumière, mais voilà : il n'y a que dans la clandestinité que l'on travaille bien en politique. Que veux-tu, les affaires des hommes sont ainsi faites, nous n'y pouvons rien.

— Pourquoi devrais-je vous écouter ?

— Parce que je suis le chancelier du pape et que parmi les douze personnes que tu as devant toi siège irrévocablement le prochain souverain de Rome. Nous sommes ta meilleure et ton unique chance. De plus, nos prétentions envers toi sont tout à fait raisonnables.

— J'écoute.

— C'est simple. Nous voulons que tu achètes des terres.

— Acheter des terres ?

— Oui. Pour nous. Pour l'Église. Tu n'ignores pas que notre communauté chrétienne et nos cultes se sont considérablement développés ces dernières générations. Nous avons réussi à associer le Christ à beaucoup de cérémonies qui étaient jusque-là trop empreintes de paganisme : les baptêmes de rivière se font à présent dans nos bénitiers, les contrats de mariage sont des actes accomplis dans nos églises dont nous sommes les seuls à pouvoir dénouer les liens, même les cérémonies d'adoubement des chevaliers se font dorénavant sous l'autorité d'un évêque : plus d'adoubement reconnu sans une épée consacrée par l'Église. Les morts eux-mêmes sont sous la protection du Christ. On a rapproché les cimetières des églises ; finies les cérémonies des temps païens avec ces horribles libations, ces offrandes et ces banquets. La messe seule accompagne désormais l'âme des défunts dans l'autre monde. Tu vois, peu à peu, la vie des hommes se rapproche des enseignements et de la parole de Notre-Seigneur.

— Je m'en félicite, dit Enguerran.

— Et pourtant. Il reste un domaine où les vieilles coutumes rechignent encore à nous accueillir : la possession des terres. Surtout en France. Les seigneurs, les vassaux du roi, refusent obstinément de céder leurs terres à notre clergé. Ils préfèrent se les vendre entre eux, conclure des mariages ou les abandonner à la Couronne. Chez vous, en France, la terre, c'est le nom. Le symbole du patronyme et des ancêtres. La dynastie ! Il y a là un lointain attachement aux mœurs du passé contre lequel on ne peut toujours rien.

— De nombreux seigneurs ont pourtant offert leurs terres à l'Église, protesta Enguerran.

— Hum... des parcelles, des bois à essarter ou des marais à assécher pour la construction d'une abbaye. Pour la bonne conscience. La réalité reste qu'ils refuseraient de marchander avec nous ce qu'ils négocient volontiers entre eux. Question de solidarité de caste, sans doute... L'Église a néanmoins besoin de terres. Beaucoup de familles françaises sont au bord de la ruine et veulent céder leurs domaines. Il est regrettable que la Maison de Dieu ne puisse profiter de toutes ces occasions. Tout le monde a à y gagner. Aussi aimerions-nous que toi, et toi seul, nous serves de couverture, de prête-nom, pour l'acquisition de certains biens qui nous sont particulièrement chers. Du Grand-Cellier est un nom fameux. Tout le monde le connaît et tout le monde le respecte. Ton fils est encore célébré comme un bon sujet et un homme de piété... Il ne court que des *rumeurs*... S'il le faut, nous ferons assavoir que ces « mauvaises paroles » ne sont aucunement fondées et qu'il est désormais blasphématoire de les propager. Cela est tout à fait de notre ressort. Comme tu l'as dit toi-même à mon secrétaire : ce ne sera pas la première fois que l'Église s'efforcera de fermer les yeux.

Enguerran marqua une pause avant de répondre.

— On va s'étonner de cette soudaine envie de terres de la part d'un vieux seigneur comme moi, dit-il.

— Oui, on va s'étonner… puis on conclura les marchés dès que tu chiffreras des offres flatteuses. Ne t'inquiète pas. Fais cela pour nous, et nous te garantissons la survie de ton nom et de ton prestige.

— Que va devenir mon fils ?

— Nous allons le conduire à Rome. C'est un esprit retors et rebelle. Nous allons nous occuper de lui. Ces caractères farouches, quand ils perdent leurs viles passions, deviennent souvent les éléments les plus attachants et les plus efficaces de notre institution… Nous saurons le remettre dans le droit chemin.

Artémidore eut un sourire toujours aussi repoussant.

— Peux-tu vraiment refuser un tel marché, Enguerran ?

⁜

La nuit tombait sur la Ville éternelle. Les factions du soir de la garde du Latran avaient pris leur poste autour du palais. Les autres soldats s'apprêtaient à se coucher dans leur corps de logis, via Gregoria.

Mais ce soir-là, la porte des dortoirs du premier étage s'ébranla violemment sous un coup de talon. Sartorius, le chef de la garde, entra, d'une humeur détestable.

— Où est le Français ?

Tous les soldats se figèrent à la vue de leur maître. Il tenait entre les mains un coffret et une épée de chevalier à lame plate.

— Où est le Français ? répéta-t-il. Où est le soldat Lorris ?

Gilbert sortit soudain de sa cellule. Il s'annonça, les talons joints, menton dressé.

Sartorius lui tomba dessus, lui fourrant rudement sa boîte entre les bras.

— Tiens, dit-il. Tu es réquisitionné. Prends tes instructions dans ce coffret et fous-moi le camp.

Sartorius haïssait lorsque la chancellerie ou la curie lui prélevait un élément pour des missions politiques. Il avait déjà du mal à recruter une élite respectable !

— Ils t'ont choisi pour leur mission parce que tu es le seul ici à parler français ! Comme si je ne le savais pas : ça m'arrangeait bien moi aussi ! Bah !

Sartorius haussa les épaules.

— Prends cela aussi.

Le maître se débarrassa de l'épée. C'était une arme exceptionnelle pour un petit garde comme Gilbert. Sartorius ne commenta pas ce privilège étrange et fit demi-tour.

Le jeune homme ouvrit la boîte. Il y trouva de l'argent sous forme de bons à tirer dans les commanderies des Templiers, des sauf-conduits et un ordre de mission : c'était un mandat d'amener à Rome à l'intention de l'abbé Aymard du Grand-Cellier, au château de Morvilliers. Un sceau du pape Martin IV sous-entendait que l'affaire était grave, urgente et qu'elle devait être accomplie par tous les moyens. Des billets de poste promettaient au cavalier Lorris des chevaux à chaque étape. Le prisonnier devait être à disposition dans les délais requis, sous huit semaines.

Un frisson d'aise glissa le long de l'échine de Gilbert. Il allait retourner en France.

2.

À la sortie de Draguan, passé les premiers coudes du chemin, Henno Gui se retrouva avec Premierfait sur la route de forêt qui l'avait conduit au bourg la nuit précédente. Il découvrit pour la première fois les entours de la ville inondés de soleil : de grands résineux bordaient la voie comme une haie de garde-corps. Cette forêt, écrasée sous la neige, portait le nom de Cavalière. Le soleil sans chaleur y faisait miroiter des gerbes de paillettes glacées et des branches habillées d'eau. La châsse lumineuse semblait saluer le départ de Henno Gui. Mais le prêtre n'était pas dupe de ce spectacle, il en connaissait le revers : à trop s'en émouvoir, ces éclats tranchants de soleil finissaient toujours par vous incendier le fond de l'œil.

Les deux hommes croisèrent les traces de la lutte avec le rémouleur Grosparmi et la petite statue de Marie que Henno Gui avait rapidement rebâtie avec de la neige.

— Elle s'écroulera au printemps, dit-il simplement.

Premierfait se signa. Il n'avait pas pris la route depuis cinq minutes qu'il soufflait déjà d'épuisement. Le chemin privé d'ornières laissait les roues glisser vers les bas-côtés et cogner contre des racines ou des souches mortes. À chaque cahot, le sacristain désespérait un peu plus de son sort.

Henno Gui, lui, restait impassible, rencogné dans ses pensées comme un ver qui file son abri. Il se contentait de jeter quelques regards vers les sous-bois lorsqu'un craquement ou un battement d'ailes résonnait.

Ils avancèrent ainsi pendant plusieurs minutes, à très faible allure, en silence.

Ce calme exaspérait Premierfait. Il lui était physiquement insupportable. La palabre, la soûlerie des mots, le bruit lui semblaient de meilleurs expédients pour soulager cette mauvaise langueur qui lui rongeait le ventre. Une panique lancinante refusait de lui lâcher les entrailles. Il se mit alors à soliloquer, plus agaçant qu'un geai. Henno Gui ne répliqua pas, quoi qu'il en ait, mais prit un air fâché. Le cocher s'attaqua d'abord à sa femme. Sale peste ! Celle-ci avait fait exprès de ne pas garnir leurs sacs de provisions jusqu'au ras. En plein hiver ! Ils allaient crever de faim ! Il serait obligé de rentrer tout seul, à bride abattue, l'estomac ballant au fond du froc ! C'était à coup sûr une de ses fourberies pour s'assurer qu'il ne traîne pas en route ! Ou peut-être même voulait-elle les obliger à rebrousser chemin avant que d'arriver ? Mégère ! Mégère !

— Vous savez chasser, mon père ?

Henno Gui fit non de la tête.

— Moi, j'ai un peu perdu la main, mais j'espère dénicher quand même quelque cuisse ou quelque aile bonne à rôtir pour nos repas du soir. Malgré ma bedondaine, je suis encore vaillant. J'ai là arc et flèches qui seront du meilleur effet.

Il montra sous son siège un long paquet de toile qui avait échappé au contrôle de Mme Premierfait.

Le cocher visa la petite sacoche du prêtre.

— C'est là tout votre barda, mon père ?

— Oui.

Premierfait hocha la tête. C'était bien léger pour un curé venu s'installer dans une paroisse de campagne. Un curé qui, racontait-on, avait fait sa route depuis Paris à la seule force de ses godillots.

— Vous comptez sans doute retourner bientôt à l'évêché ? dit le sacristain.

— Non.

— Et vos affaires ? Ne sont-elles pas restées à Draguan ?

— Non, mon ami. Tout ce que j'ai emporté hier est ici avec moi.

Henno Gui montra son petit sac. Premierfait s'esclaffa.

— Allons, allons, il faut être un peu fou pour s'aventurer ainsi en plein hiver avec un ballot maigre comme ça ! Fou ou menteur !

— J'ai là une Bible, un crucifix, un contenant d'eau bénite, quelques plantes, une mine et du papier. Que me faut-il de plus ?

— Pour survivre au gel ? Tout ! Couvertures, broches, armes, pièges, argent, gourde de médecine. Que sais-je !

— Et pour panser les infortunés du Seigneur ?

— Ah ça, pour ça je ne sais pas trop... Mais pour sûr une fontaine de bénitier n'a jamais étanché son soiffard et on passe rarement l'hiver à se réchauffer à la chaleur du Saint-Esprit. Hé ! Je m'en doutais bien. Chuquet s'est encore moqué de moi en racontant que vous aviez trotté tout du long depuis Paris.

— Non. Frère Chuquet vous a dit vrai.

— Allons ! Comment survit-on avec un appareil aussi navrant, alors que nos roches elles-mêmes se tailladent sous le froid ?

Henno Gui lui rendit un regard plein de malice.

— Mon fils, nous avons tous nos petits secrets, n'est-ce pas ?

Premierfait haussa les épaules.

— Bah, je finirai bien par voir comment vous vous y prenez.

Le chemin longeait un bois épais d'un côté et un versant vertigineux de l'autre, le premier dans cette région semi-montagneuse. On appelait cette vallée le Val d'As.

Le silence avait repris entre les deux hommes, au grand dam de Premierfait. Ce dernier, pour distraire son mal, se mit à fureter les sous-bois à la recherche d'un supplément de ripaille. Faire bombance était la seule pensée qui restait au cœur de ce pauvre homme.

Le gibier ne tarda pas à arriver. Un frémissement sortit tout à coup à droite du chemin, dans le bois.

— Vous avez entendu ?

Henno Gui acquiesça. Sa figure était réjouie. Premierfait prit cette allégresse pour un encouragement, une sorte de solidarité du ventre.

— Ce doit être une biche... Une petite biche, mon père, murmura le sacristain.

Il figea sa jument en tirant un coup sec sur les guides et descendit.

— À ta place, je n'insisterai pas, dit le prêtre. Notre route est encore longue et la nuit nous gagne bientôt.

Premierfait lui recommanda le silence. Il dénoua son arc emmailloté dans de la touaille.

— Elle est là... elle est juste là. Ce sera l'affaire d'une minute, argua-t-il. J'étais berger dans le temps... je sais ce que je dis...

Henno Gui haussa les épaules.

— Je t'aurai prévenu.

Le curé resta assis sur la carriole. Il défit de sa sacoche un rouleau de feuillets et une mine de plomb et se mit à écrire sur ses genoux sans plus faire attention au sacristain.

Ce dernier laissa le prêtre et entra dans le sous-bois. L'orée était plus dense et plus obscure qu'il ne l'imaginait. La lumière passa peu à peu du grand soleil à la pénombre d'un petit matin. Les branchages étaient enchevêtrés comme de l'étoupe. Le chasseur n'y voyait pas à vingt pas.

Il avança prudemment. Il s'arrêta pour « prendre le pouls » de sa victime. Le silence était inquiétant. Pas une brindille ne frémissait. Premierfait fit une lente rotation sur lui-même, la pointe de l'arc relevée, l'empennage de sa flèche bien serré entre le pouce et l'index. Il écoutait.

Un crépitement retentit derrière lui. C'en était fait. Premierfait était sûr de sa proie. Il se retourna et se mit en chasse dans la direction du bruit.

Après seulement quelques pas, il entendit un second frondement, toujours dans son dos, un peu plus vers la gauche.

Il s'orienta vers celui-ci mais un troisième peu après, puis un quatrième, puis un cinquième le firent à chaque fois retourner sur ses pas, sans que jamais il aperçoive le moindre flanc d'animal. Il tournait en rond. Les sons étaient toujours émis derrière lui. La vivacité étrange de la bête alarma Premierfait. Les petites branches de bois recouvertes de neige auraient dû trahir ses déplacements hâtifs. Mais rien ne bougeait. Et pas une trace au sol en dehors des chancelières du sacristain.

Premierfait n'était pas un homme hardi par nature. Même à l'époque de sa bergerie. Il sentit soudain l'urgence de retourner auprès du curé. Un bruit de neige froissée reprit au même moment, juste derrière lui. « Cela s'approche ! » se dit-il. Son sang se glaça pour de bon. Il rabaissa piteusement son arme et sentit monter de ses braies une belle panique de lièvre. Il regarda autour de lui. Son cœur se mit à cogner. Les ombres l'enveloppaient, impossible de retrouver son chemin jusqu'au chariot. Cloué au sol, il repensait aux contes fabuleux de sa jeunesse, remplis de forêts sinistres, de faunes, de meutes de loups affamés, de pièges de diables, de garous... et puis l'assassin de l'évêque hier lui revint à l'esprit, et les cadavres de l'an dernier, et le village, et la douleur de Grosparmi...

Un tas de neige s'échoua soudain à quelques pas de lui. Ce fut le coup de grâce. Premierfait voulut détaler mais une main puissante l'agrippa au col et le fit pivoter violemment. Le sacristain percuta le poitrail bombé d'un homme, un GÉANT, couvert de la tête aux pieds par un grand manteau noir. Premierfait chuta à la renverse en hurlant, la nuque dans la neige, les yeux écarquillés plantés vers le ciel.

Un sifflement mystérieux se mit à tournoyer autour de lui. Le pauvre homme ne pouvait déceler s'il venait de la forêt ou de son crâne en feu. C'était un sifflement de démon. Il résonnait comme une menace, strident, inhumain. Puis il se transforma. En rire. Un rire d'enfant. Premierfait cligna de l'œil ; il vit descendre des arbres, au-dessus de lui, un jeune garçon hilare.

— Mais qu'est-ce que ?... bredouilla-t-il.

Il avait soudain, devant lui, un homme fort au visage horriblement creusé de cicatrices et de plaques blanchâtres, et un jeune blondet, les yeux riants, la bouche enjouée, la ceinture encore grêle.

Le géant approcha ses deux énormes poignes carrées du cou du sacristain. Il s'évanouit.

‡

— Premierfait, je te présente Floris de Meung, mon élève, et Mardi-Gras, mon fidèle compagnon.

Le cocher était appuyé contre la charrette, les jambes encore tremblantes, le teint vert comme ciboule ; il peinait à reprendre son souffle. Le géant l'avait porté à bout de bras jusqu'au curé. Henno Gui était à ses côtés, légèrement amusé par l'incident. Le sang commençait à revenir aux joues du sacristain.

— Ce ne sont pas des tours à faire à un bon chrétien, dit-il. J'aurais pu… j'aurais pu…

Le garçon repartit d'un cri hilare.

— Pardonne mon apprenti, dit le curé. C'est encore un enfant. Il ne pensait pas à mal.

Le gamin, appelé Floris de Meung par Henno Gui, avait à peine une quinzaine d'années. Il portait une coule claire, un manteau doublé de menu-vair, des gants et des chausses fourrés, et un bonnet de laine. Bien qu'apprêté en petit moine, le garçon avait encore le cheveu long et les manières d'un oblat. Il était aimable, agréablement mis entre deux âges, avec des joues vermillonnées par le froid et des yeux ronds comme des avelines.

L'autre, le géant, le « Mardi-Gras », était stoïquement planté près du curé. Aussi droit qu'un pic, les cuisses larges comme des poteaux, les bras robustes, le cou englouti par le renflement des muscles, tout était puissance et mystère. À commencer par cette face scrofuleuse, délavée, meurtrie, que ne trahissait aucune expression, aucun rictus. On eût dit un faciès de carnaval, celui-là du « Trespassé », le plus horrible, que les enfants s'arrachaient pour les parades. L'homme avait du reste la faconde d'un masque : il ne prononçait pas un mot.

— Nous avons devancé notre rendez-vous, maître, dit Floris à Henno Gui. Mardi-Gras soupçonnait qu'avec un attelage ordinaire, vous mettriez autant de temps à venir à notre point de rencontre que nous à remonter jusqu'à Paris et la rue de Chaufour.

— C'est bien probable, dit le curé en souriant.

Mardi-Gras retourna de l'autre côté de la lisière et saisit derrière un arbre deux longues planches de bois étroites qu'il avait soigneusement taillées et polies. L'homme sortit ensuite de son fourreau dorsal une machette en acier. Premierfait le regardait faire sans comprendre. Le géant mesura la charrette du sacristain et, en deux coups secs et précis, réduisit les lattes de bois d'un pouce chacune. Il alla les fixer sous les roues du chariot avec des cordelettes et des clipets qu'il avait dénoués de son ceinturon. En quelques minutes, la petite charrette se convertit en un engin inédit, maniable et vif, prêt à luger sur les routes enneigées.

Premierfait était stupéfait : Mardi-Gras n'avait ni souffert, ni peiné, ni même soufflé un seul instant en soulevant seul la charrette.

— Tu comprends à présent, lui dit Henno Gui, comment nous avons traversé des pays entiers sans encombre ? Mardi-Gras est un phénomène. Tu n'as plus à t'inquiéter. Il s'occupera de tout.

‡

Le cortège avait repris sa route. Premierfait s'adaptait à la nouvelle conduite de sa charrette. Il guidait avec attention, cramponné aux rênes, jetant des coups d'œil vers le géant qui marchait à côté de la jument, prêt à la « regaîgner » en cas d'embardée trop brusque.

Plus loin, l'équipage s'arrêta au croisement de trois chemins, devant un grand buisson. Mardi-Gras disparut de nouveau derrière des fourrés, et reparut avec une charrette à bras remplie de paquets, juchée elle aussi sur deux palets de glisse.

Premierfait eut beau chercher, il ne trouva aucun baudet pour remorquer cet appareil. Deux longues anses servaient à le piloter. Le sacristain dut convenir que Mardi-Gras conduisait seul cet équipage et qu'il avait bourlingué ainsi depuis Paris.

— Ce petit traîneau nous a permis de passer outre les pièges de l'hiver, dit Henno Gui. À notre rythme, et sans être empêchés par la neige. Il contient toutes nos affaires. Je n'avais donc pas que ma sacoche en arrivant à Draguan, Premierfait !

Floris écarta la bâche qui couvrait la charrette. Il se saisit de trois grandes couvertures tissées de peaux d'agneau, de renne et de lapin. Premierfait aperçut brièvement des coffres, des paquets, des outils et des livres…

— Quelle route prendrons-nous ? demanda Henno Gui en désignant la fourche à trois voies.

Le sacristain indiqua celle de droite : un chemin sinueux. Il était plus étroit, et assurément moins emprunté que les autres ; la robe basse de ses arbres envahissait presque entièrement le passage.

Les trois hommes endossèrent les pelisses apportées par Floris. Seul le géant resta tel quel ; il se mit à tirer sa charrette, à quelques pas derrière l'attelage de Premierfait.

‡

Le curé instruisit son élève et Mardi-Gras des quelques points touchant à son ministère de Heurteloup : l'isolement du village, l'absence de culte depuis de longues années,

l'assassinat étrange de Haquin, les corps — tout aussi mystérieux — retrouvés un an auparavant dans la rivière, l'ignorance du peuple, et l'utilité de Premierfait pour les
conduire...

— Pourquoi avoir accepté une telle paroisse, maître ?
demanda Floris après avoir entendu Henno Gui.

— On ne refuse pas un autel.

— L'évêque n'est plus là pour vous assurer. Il vous aurait
certainement interdit de vous y rendre seul, sans escorte.
Sait-on même où nous allons ? Pourquoi se précipiter ?

Henno Gui ne chercha pas à convaincre ses compagnons.
Il leur répéta le même discours qu'il leur tenait depuis leur
départ de Paris.

— Je comprendrais très bien votre refus de m'accompa-
gner jusqu'au bout. Nous avons au moins quatre jours avant
l'arrivée à Heurteloup. Premierfait nous quittera avant
l'entrée au village. L'un et l'autre pourrez rentrer avec lui si
vous le souhaitez. Je ne force personne. Sachez seulement
que je n'ai pas vocation à devenir martyr ; j'ai vocation à
être honnête et à respecter mon serment d'obéissance. Si
je vois que nos vies courent de trop gros dangers dans cette
paroisse, je l'abandonnerai sans attendre. Mais au moins
pourrai-je faire un rapport sur cette cure et aider au secours
de ces pauvres gens. Rien de plus, rien de moins.

‡

À la nuit tombée, l'équipée achevait la traversée du Val
d'As. Ils s'engageaient dans la seconde forêt du voyage, celle
dite du Valet.

Henno Gui choisit entre les arbres un coin légèrement
clairsemé pour faire halte et dresser un refuge. Il préférait
toujours dormir sous les frondaisons d'une forêt : on y était
à l'abri du vent et partiellement préservé des chutes de
neige.

Premierfait fut d'abord éberlué par cette décision. Chasseur et berger, il avait souvent dans sa jeunesse traqué le daim et dormi à la belle étoile. Il n'avait jamais entendu parler d'un bivouac dressé en pleine forêt. Tout le monde savait que les loups ne quittaient que rarement les bois et qu'ils y faisaient crocs de toute chair, surtout humaine. Mais le sacristain ne voulut pas émettre de critiques. Il avait bien préparé son équipement. Il accrocha la longe de sa jument à un petit arbre et commença à tirer de sa charrette les piquets de sa tente.

Derrière lui avait débuté un chantier surprenant.

Au signal de Henno Gui, les trois hommes tracèrent un large triangle sur la neige et allumèrent un grand brasier à chaque pointe de cette figure géométrique. Ils dégagèrent ensuite le sol des racines et recouvrirent le tout avec de larges couvertures étanches.

Floris lança un foyer au centre du triangle. Il mit un petit morceau de viande faisandée à bouillir dans une marmite d'étain et un fumet appétissant s'exhala bientôt de la cantine.

Mardi-Gras achevait de rompre du bois. Le géant avait si adroitement monté ses trois feux aux bouts du triangle qu'ils flambaient déjà comme des bûchers de fête, réchauffant tout le campement, orientés pour ne jamais mordre sur les arbres voisins. C'était un travail exemplaire.

Henno Gui se plaça près de l'âtre.

— Sache que tout ce qu'a préparé ta femme est pour toi seul, dit-il à Premierfait. Il t'en restera pour ton chemin de retour. Nous, nous ne manquerons de rien.

Le curé prononça les grâces et la bénédiction du pain. Seul Mardi-Gras ne participa pas aux prières. Il se tenait à l'écart, démantelant les palets de glisse de son chariot.

— Mardi-Gras ne vient pas prier avec nous ? demanda Premierfait.

— Non. Il ne croit pas en Dieu.

Dans la bouche d'un curé, la franchise d'une remarque aussi grave était déconcertante.

— C'est un diable d'homme… marmonna le sacristain.

— Ne t'en va pas répéter ce mot-là à l'évêché, dit le prêtre.

— Je ne pensais pas à mal, mon père.

— Sois plus prudent alors. Si j'ai cru devoir dissimuler la présence de mon ami aux gens de Draguan, c'était par prudence. Depuis notre départ de Paris, plus nous piquons vers le Midi, plus Mardi-Gras est mal accueilli aux portes des hameaux et des auberges. On nous lance des mauvais regards, quand ce n'est pas des insultes ou de la menue rocaille. À croire que le soleil du Sud rend ses habitants plus superstitieux ou plus ignorants que leurs frères du Nord. De guerre lasse, et pour gagner du temps, j'ai choisi d'entrer seul dans les bourgs pour ravitailler notre équipe et préparer la suite de notre course. J'ai agi de même à Draguan. Que n'aurait-on pas dit d'un nouveau curé arrivé en compagnie d'un « homme à tête de diable » ?

— Je n'ai pas dit cela. Mais son visage…

— … n'a rien de démoniaque. Ce sont les marques d'un métier qu'il exerçait jadis, avant de me rencontrer. Un travail long et dangereux, crois-moi.

— … et difficile à tenir, ajouta le sacristain en observant les larges épaules de Mardi-Gras. Ce travail l'a rudement endurci.

— Oui, dit Henno Gui. Plus encore que tu ne l'imagines.

Les trois hommes tranchèrent le pain et commencèrent le dîner. Les bûchers gagnaient en puissance. Henno Gui et ses voisins purent bientôt ôter leurs grosses pelisses d'hiver.

— Comme tu le vois, dit Gui, le froid nous est de peu d'embarras. Avec ce procédé, nous avons traversé tout le pays sans jamais attraper de mal. Ces triples bûchers viennent des vieux Germains qui ont conquis l'Italie. Ils nous tiennent à l'abri de tout : du grand vent — aussi gelé soit-il, même s'il tourne, il est obligé de nous rendre la chaleur d'un des trois feux —, et des bêtes qui ne s'aventurent jamais aussi près des flammes.

— Elles s'éteignent pourtant avec la nuit…

— Non. Mardi-Gras veille. Il dort très peu. Depuis toujours, il se repose à sa manière par une succession de courtes tranches de sommeil réparties entre le jour et la nuit. Encore une habitude de sa vie passée.

Premierfait n'osa pas interroger plus avant le curé sur son compagnon. Il se contenta de lamper son écuelle. Ses entrailles frissonnèrent sous la morsure du bouillon chaud.

Peu après, le géant vint s'accroupir. Il avait donné du fourrage à la bête de Premierfait et posé les deux patins de son chariot au pied des brasiers afin d'en sécher le bois.

— Nous parlions de toi, dit Floris à Mardi-Gras. Tu intrigues beaucoup messire Premierfait ici présent.

— C'est bien.

C'était la première fois que le sacristain entendait la voix du géant. L'homme s'était assis entre le curé et lui. Premierfait observa son teint étrange. Il était ravagé et chancreux. À l'œil nu, on pouvait discerner chaque plaie, chaque brûlure. Toute la couche supérieure du visage avait été dévorée et des entailles creusaient les joues et la gorge du pauvre homme comme un vulgaire parchemin mité. Premierfait distinguait l'entrelacs violacé des veines et des artères. Il contempla avec stupéfaction le renflement régulier et bleu de la tempe de Mardi-Gras.

Le géant dévorait une tranche de galette. Il regarda ses trois bûchers et les effets qu'ils rendaient autour de l'âtre.

— Il y a peu de vent et le bois mort a commencé à sécher avec le beau temps d'aujourd'hui, dit-il. Cet endroit est bien, maître. Ce sera une bonne nuit.

Le curé se tourna vers le sacristain.

— Votre vicaire Chuquet m'a parlé de cet « homme en noir », attelé à un grand cheval, qui a assassiné votre évêque. Le même jour, sur notre route en allant vers Draguan, nous n'avons croisé personne, ni dans un sens ni dans l'autre. Y a-t-il d'autres chemins qui conduisent au diocèse ?

— Par ici, non, dit Premierfait. Pas à ma connaissance. À part... À part le chemin abandonné qui mène au village maudit.

— Celui que nous empruntons en ce moment ?

— Oui... Celui-là seul...

☦

Le lendemain, les quatre hommes reprirent la route « à l'heure où l'homme commence à reconnaître l'homme », comme il est dit dans la Bible. Le jour était aussi clair et radieux que la veille. La traversée de la forêt du Valet dura toute la matinée.

À midi, au fond d'un petit précipice, la troupe découvrit un cours d'eau qui charriait de grosses plaques de glace. Premierfait refusa obstinément d'y remplir sa gourde comme le firent Henno Gui et ses deux amis.

— C'est le sale Montayou, finit-il par maugréer. C'est lui qui redescend jusqu'à Domines, là où on a trouvé les bouts d'hommes. Ils flottaient là, comme ces morceaux de glace...

Floris recracha aussitôt le peu d'eau qu'il avait mis en bouche.

— Moi, je n'ai pas vu grand-chose, ajouta le sacristain. Un bout de pied, c'est guère tout. Mais je sais qu'il faut un cœur de démon pour s'acharner comme on l'a fait sur ces trois malheureux.

La sacristain raconta alors tout ce qu'il savait des blessures et de la dispersion des trois cadavres de Domines. Il n'épargna aucun détail.

— Tu crois que ce sont les habitants d'Heurteloup qui ont commis ces horribles crimes ? lui demanda Floris.

Henno Gui fit mine de ne pas s'intéresser à la réponse de Premierfait.

— Et qui d'autre ? lâcha celui-ci. Tout ce que j'ai vu là-bas était à vous faire dresser le poil. Ils ont des têtes de Normands, de briseurs de crânes. Je me suis bien gardé de me montrer. Ma femme m'avait prévenu : ne t'en va pas finir éparpillé comme un jeu de quilles !

— Qu'est-ce qui peut pousser des hommes à tant d'igno-
minie ? murmura Floris.

Il pensait aux enfants... aux jumeaux découpés en
morceaux.

— Vous le savez mieux que moi, vous qui lisez les livres,
dit Premierfait. Le Diable, sans doute. Des esprits, des
démons, des envoûtements.

Il exposa, avec force récits, toutes les hypothèses que le
village formulait sur le sujet. C'était un rebut grossier de
superstitions, de fantasmagories apeurées. Le cocher débitait
les noms de démons et de possédés comme un compteur de
bottes. Henno Gui écoutait de loin, de plus en plus agacé...

— On dit que ces villageois sont d'horribles pécheurs
dont le châtiment a été de ne jamais mourir, raconta
Premierfait. Ils errent comme des fantômes et régurgitent
éternellement les hosties qu'ils ont consommées pendant
leur vie d'homme. C'est pour cela qu'ils jalousent et détes-
tent les vivants. On dit que s'ils ont torturé si lentement
et si profondément ces trois pauvres voyageurs, c'était pour
mieux voir la mort entrer petit à petit dans leurs corps et
les prendre. C'est cette curiosité morbide qui les a rendus si
cruels.

Le curé coupa soudain court à ce charabia.

— Allons, cela ne te paraît pas beaucoup de diableries
et beaucoup de fables tout justes faites pour tromper les
idiots ?

— Ces êtres sont très étranges... ils se comportent
comme de vraies bêtes... Je les ai vus de mes yeux grimper
aux arbres comme des primates. N'est-ce pas un signe ?

— La belle affaire ! s'esclaffa Henno Gui. Dans une région
infestée par les marais et les tourbières, il ne t'est jamais
venu à l'esprit que c'était pour eux le seul moyen de se
déplacer d'un endroit inondé à l'autre ? Et toutes ces
histoires de morts vivants ne t'ont jamais paru un peu trop
exagérées pour expliquer une pulsion sanguinaire finalement
assez ordinaire chez l'homme ?

— Ordinaire ? s'étonna le sacristain.

— Je ne crois pas à ces calembredaines de malédiction,

reprit le prêtre. Il en faut peu pour inciter l'homme à martyriser son prochain. La peur tout d'abord. La peur seule suffit à nous faire commettre ce genre de massacre.

Premierfait hocha la tête.

— On sait que les trois cadavres étaient ceux d'un jeune chevalier et de ses enfants, dit-il. Pourquoi diable aurait-on peur d'une petite famille qui s'est perdue en chemin ?

— C'est justement ce qu'il faut se demander, au lieu de tisser des contes !

Henno Gui avala une longue rasade d'eau du Montayou.

— Combien de temps avant notre arrivée ?

— Nous serons au bout du Val du Petit au soir tombé, ce sera l'entrée de la forêt de la Reine, dit Premierfait. Il nous y faudra dormir deux nuits, car ce bois est profond. Après le demain de demain, peut-être, en fin de matinée, si tout va sans mal, nous arriverons à la frontière du pays des marais.

— Et ensuite ?

— Ensuite, je l'ignore. Cette région est tortueuse et dangereuse en cette saison, et je ne suis venu ici qu'en été. Nous verrons. Le lendemain au soir, peut-être approcherons-nous…

— Bien, fit le curé. Continuons.

‡

Premierfait sauta à pieds joints sur un gros monceau de neige. Le convoi venait de s'arrêter. Pour la première fois, le prêtre et ses amis étaient au milieu d'immenses nappes planes, immaculées, encadrées de haies courtes et de boisseaux. Ils avaient passé trois jours éprouvants à traverser la forêt de la Reine, dont les ombres s'évanouissaient derrière eux ; ils étaient à présent à découvert sur le plat du Roy.

Le sacristain s'accroupit et dispersa la couche neigeuse du revers de la main. Il gratta ensuite en profondeur et trouva enfin ce qu'il cherchait : une plaque de glace. Il se mit à cogner du poing. Ses coups étaient sourds, sans résonance.

Au sixième choc, la plaque céda enfin. Une eau trouble, verdâtre, épaisse, gicla subitement entre les craquelures et souilla la neige qui l'entourait. Une odeur infecte s'en exhala aussitôt.

— Nous sommes sur la bonne voie, dit Premierfait. Tout ce que vous voyez autour de nous, ce sont les premiers marais du pays. Ils sont bien sûr moins étendus que la neige nous le laisse croire, mais si on les discerne moins en été, on les *sent* bien davantage...

‡

Le convoi pénétrait la dernière forêt, celle de l'Atout, lorsque Henno Gui ordonna d'arrêter la charrette. Il sauta au sol et remonta le chemin de quelques pas.

La forêt était pouilleuse. Les arbres étaient maigres, les troncs roussis et rongés par des champignons gros comme le poing. L'odeur saumâtre des marais prenait à la gorge malgré le gel. L'air circulait mal dans ces sous-bois épais.

Le curé se pencha dans des fourrés. Il repéra une charogne. Ses chairs étaient rabougries, le sang bruni, la dépouille glacée. La veine jugulaire avait été adroitement sectionnée, en profondeur. Le cou de l'animal était pris dans un nœud de corde coulant. C'était un piège.

Les trois autres voyageurs se rapprochèrent du curé. Ils découvraient avec lui la toute première trace de présence humaine rencontrée depuis leur départ de Draguan.

Premierfait, qui avait gagné de l'assurance au contact de la petite compagnie, retrouva peu à peu ses langueurs de ventre. Il savait que le danger rôdait. Il remâchait intérieurement des promesses d'ex-voto pour l'église de Draguan s'il venait à réchapper de cette aventure.

Sa présence se révéla toutefois indispensable : la forêt de l'Atout n'était qu'un lacet tramé pour perdre les voyageurs. Elle était large et sinueuse, faussement abordable. Henno Gui repensa à la petite famille égarée. Cette forêt pouvait conduire n'importe où. Rien n'en indiquait les limites, ni la présence d'un village de sauvages en son sein. Cette absence de marques et de repères ne sembla pas déranger Premierfait. Sa mémoire était sûre.

— Malgré le temps, je reconnais les lieux, avoua-t-il.

Ils arrivèrent près d'un vieil arbre au tronc large qui avait autrefois servi de refuge au sacristain pendant son observation du village. Sur les grosses branches, à mi-hauteur, il retrouva une toile suspendue et des tasseaux abandonnés l'année précédente. Il eut un soupir de soulagement. Cet arbre sonnait la fin de son périple.

— C'est ici que je vous abandonne, mon père, dit-il. Si vous acceptez d'honorer votre promesse de Draguan.

Henno Gui approuva.

— Je ne reviens jamais sur ma parole. Indique-nous le chemin à suivre et je te rends ta liberté.

Premierfait montra sur le tronc de son arbre une croix creusée à même l'écorce.

— À partir d'ici, vous trouverez une marque semblable tous les sept arbres, jusqu'à la vue des premiers toits d'Heurteloup. J'ai fait cela pour ceux qui viendraient après moi. Dieu sait que je n'imaginais pas être de ceux-là.

— Merci, Premierfait, dit le curé. Nous te devons beaucoup.

— Comment retrouverez-vous votre chemin jusqu'à Draguan s'il vous fallait… enfin… rentrer précipitamment ? s'inquiéta le sacristain avant de les quitter.

— Ne crains rien, lui dit le curé.

Il sortit de son petit sac le rouleau de feuilles sur lequel il écrivait continuellement depuis le départ de l'évêché.

— J'ai noté les points de route, dit-il, et j'ai observé le ciel de nuit à chaque fois qu'il se découvrait. Mes rudiments d'astrométrie nous seront utiles le cas échéant.

Pour le remercier encore, Henno Gui lui céda des vivres supplémentaires et Floris glissa dans sa charrette deux nouvelles couvertures.

— Utilise nos campements, dit Mardi-Gras avant qu'il ne

parte. À chaque étape, j'ai récolté un peu plus de bois pour qu'il t'en reste au retour. Même s'il pleut, les bûchers se relanceront facilement.

Premierfait fit demi-tour. Soulagé mais triste, il abandonnait ses trois compagnons.

Au bout de quelques minutes, sa silhouette disparut dans l'épaisseur de la forêt.

☦

Le silence était angoissant, sinistre. On sentait, au tracé même des sentiers, que cette terre était plus fréquentée que les précédentes.

Les voyageurs suivirent les indications du sacristain. Sans s'égarer, ils se retrouvèrent bientôt devant une preuve irréfutable de leur arrivée près du village : une petite hutte en bois. C'était la première habitation d'Heurteloup. Henno Gui regarda autour de lui, le hameau n'était pas encore à portée de vue. Cette maisonnée était complètement en ruine. Elle tenait avec du bois et de la terre. Des branchages noués lui servaient de faîtage. Henno Gui observa attentivement la toiture.

— Regarde, dit-il à Floris en montrant le haut de la hutte.

Un passage avait été volontairement percé au centre du toit. Un trou béant. On avait même écarté la neige pour le laisser dégagé.

— C'est un espace que l'on pratique toujours lorsque le maître du lieu est passé de vie à trépas. On s'assure ainsi que son âme puisse entrer et sortir à sa guise durant sa vie d'esprit errant. C'est une très vieille tradition qui commence seulement à se perdre depuis un siècle... Voilà qui est intéressant : les gens d'ici croient aux mannes et aux revenants...

Les trois hommes continuèrent leur route. Les indices de Premierfait étaient creusés de plus en plus discrètement sur les arbres. La voie s'élargissait. Les voyageurs savaient qu'à tout moment ils pouvaient tomber nez à nez avec un villageois.

— Je me demande quel accueil nous allons recevoir, dit Floris.

— Il n'y en aura pas, répondit Gui. Ils vont abandonner leurs maisons, dès notre arrivée. Que ferais-tu si tu n'avais vu personne pendant des décennies et que tout à coup surgissaient trois hommes à l'entrée de ton village ? Tu te cacherais, pour mieux les observer. C'est exactement ce qu'ils vont faire. Peut-être même ont-ils déjà fui et sont-ils en train de nous épier...

Floris et Mardi-Gras regardèrent autour d'eux, inquiets.

Sans s'être concertés, les trois hommes avançaient à pas mesurés. Ce n'est qu'après un chemin incurvé, en haut d'un tertre, que les toits d'Heurteloup apparurent enfin.

Floris eut un petit hoquet de surprise. De loin, on ne discernait que des silhouettes de maisons basses, entassées les unes sur les autres. Une cheminée laissait échapper un filet de fumée grise. Le village était encerclé d'arbres et faisait face sur une courte rive à un immense marécage couvert de blanc. Les trois étrangers restèrent longtemps absorbés par cette vue. Pas une seule âme ne pointait à l'horizon.

— Vous avez raison, maître, dit Floris. Ils nous ont déjà repérés.

Le curé attendit, silencieux, sans bouger. Soudain, il fit quelques pas vers la charrette de Mardi-Gras, démit ses pelisses et son grand manteau à capuchon, et déposa le tout. Il se retrouva dans son plus simple appareil de prêtre : une coule aux manches courtes, une corde nouée sur les reins et une grande croix d'olivier pendue autour du cou. C'est ainsi mis que Henno Gui souhaitait apparaître dans sa paroisse.

— Je suis un curé. Pas un étranger qui s'est égaré. Je veux qu'ils s'en souviennent... ou qu'ils le devinent.

L'air était glacial, porté par un petit vent. Mardi-Gras et Floris frissonnèrent devant les bras nus de leur maître.

— Je m'inquiète pour la langue, murmura le disciple.

Comment ferons-nous si nous ne pouvons pas nous entendre ?

— Comment ferons-nous ? dit Henno Gui. Nous ferons comme les premiers chrétiens qui cherchaient à se faire comprendre des peuples étrangers : nous prêcherons par l'exemple.

Sans rien ajouter, le curé se remit en marche, prenant quelques pas d'avance sur ses compagnons.

Dans sa main droite, il tenait fermement son gourdin de pèlerin, indestructible, taillé en profondeur dans un large bois d'yeuse.

‡

On distinguait dans la neige les empreintes de pieds, les traces de bousculade et de précipitation. Les feux avaient été hâtivement éteints, les portes cloisonnées, les travaux laissés à même le métier, les vivres et les bêtes emportés. La neige virait par endroits à la boue. Le curé avait vu juste. Le village avait été abandonné dans l'urgence. Mais quand avait commencé cet exode ? Depuis combien d'heures — de jours — Henno Gui et ses amis étaient-ils attendus ?

La disposition du village était chaotique. Une étrange sauvagerie suintait de chaque hutte, de chaque pierre, de chaque indice trahissant la vie de ces hommes. On ne savait si les villageois d'ici s'étaient conformés à cette atmosphère macabre ou si c'étaient les murs eux-mêmes qui reflétaient leurs âmes noires et sauvages. Le village était sans apprêt, sans confort, miséreux. Seuls les rudiments les plus fonda-mentaux de la vie en communauté demeuraient visibles : les démarcations entre familles — mais pas entre les hommes et les animaux —, le rassemblement des forces, le feu commun, le bois et la terre, la forêt qui entoure, qui menace et qui nourrit.

Henno Gui et ses deux amis avançaient prudemment sur le chemin principal qui traversait le hameau.

Ce qui frappa en premier le curé, ce fut le nombre important de huttes en état de décomposition. Une grande partie du village était à l'abandon depuis longtemps. La population se réduisait. Les foyers étaient clairsemés. Sur chaque toiture, un, deux, parfois trois trous invitaient les esprits défunts... Henno Gui compta les logis encore habités. Cela correspondait aux pronostics faits par Chuquet à Draguan : quatorze foyers, à peu près vingt-cinq âmes. Quelques détails au seuil de certaines huttes lui permirent de deviner les activités de leur propriétaire : le chasseur, le peaussier, l'homme à bois, le forgeron, les lavandières, etc.

Derrière le curé, Mardi-Gras ne traînait plus son chariot que d'une main. Il avait dégainé de l'autre sa machette et la gardait discrètement le long du corps. Le géant était aux aguets.

Le jeune Floris, lui, croyait voir partout apparaître des visages et des silhouettes monstrueuses : un nœud de poutre se transformait en un œil inquiétant, les ombres des arbres semblaient s'extraire du sol, les planches et les portes de bois ajourées claquaient comme des esprits frappeurs. Le bruit même de ses pas lui était effroyable et le faisait continuellement se retourner.

Au bout du chemin principal, à l'autre extrémité du village, encadré par les dernières maisons en ruine, un petit édifice s'élevait, le bois rongé, la pierre creuse et blême, couverte d'herbes grimpantes : l'ancienne église.

Henno Gui avait déjà rencontré ce genre d'architecture rudimentaire pendant ses voyages d'étudiant. Identique depuis des siècles, elle ne le surprit pas. C'était un petit toit de culte comme il s'en construisait dans les régions pauvres. Il était plus proche des temples et des petites chapelles païennes que des églises. Tout en bois et en torchis, assez bas, il conservait dans ses proportions les artifices et les symboles des grands monuments, mais en modèle réduit : la porte arquée formait son propre tympan, les excavations arrondies mimaient les absides, les gravures dans le bois simulaient les vitraux, une petite saillie servait à exhausser le clocher.

Mardi-Gras et Floris regardaient toujours autour d'eux. La quiétude des entours de la forêt était de plus en plus étrange. L'étendue du marécage qui bordait le village était immaculée, personne n'avait fui dans cette direction.

— Ils ne doivent pas être loin, supposa Mardi-Gras. Ce ne sera pas difficile de les débusquer.

— Ce n'est pas notre rôle, dit Henno Gui. Laissons-les venir à nous. Nous avons d'autres choses à faire pour le moment.

Il s'approcha de l'entrée de l'église et voulut enfoncer la porte d'un coup d'épaule, mais celle-ci s'ouvrit sans effort. Le curé entra. Il fut étonné de voir ce qui s'y trouvait.

L'église avait été transformée en remise à nourriture. C'était là que les villageois conservaient tous leurs vivres pour l'hiver. La toiture était encore bonne. Grâce à elle, cette petite nef chrétienne privée de son Dieu était tout de même restée l'endroit le plus précieux du village. Henno Gui repensa à Premierfait qui lui avait avoué qu'il avait observé les maudits se rendant souvent à l'église... Il savait dorénavant pourquoi.

Pendant une bonne heure, Henno Gui, Mardi-Gras et Floris avaient extrait de l'église les bottes d'herbes, les quartiers de gibier fumés, pour les jeter tous dans une hutte voisine, ouverte aux quatre vents.

Dès que l'intérieur fut entièrement dégagé, Henno Gui laissa entrer la charrette de Mardi-Gras.

— Ce toit va nous héberger pour le moment, dit le curé. Ce n'est encore qu'une coquille vide. Nous devons lui rendre son fruit sacré. Nous quitterons la place quand le Christ sera de retour chez lui.

Tous les symboles religieux avaient disparu. On devinait çà et là quelques vieilles niches, le promontoire d'un autel, les travées, la croix du Sauveur, mais tout avait été ravagé. Pas un seul reste ne subsistait sur le sol de pierres plates.

Henno Gui empoigna l'épée de Mardi-Gras et vint se mettre à la place présumée de l'ancien autel. Là, avec la pointe de la lame, il traça dans une dalle poussiéreuse un petit cercle à peine assez large pour contenir les deux pieds joints d'un homme. Il souffla et épousseta la craie de son dessin et fit une petite prière en déversant quelques gouttes d'eau bénite. Il se releva.

— Voilà. L'église d'Heurteloup, pour le moment, c'est ça ! Il montra le petit cercle.

— À nous d'étendre ce disque, dit-il. Je souhaite que d'ici peu l'église entière en fasse partie. Après quoi, et seulement après, nous l'élargirons encore pour accueillir le reste du village. Chaque chose en son temps. Avant tout, reconstruisons la maison de Dieu.

Floris et Mardi-Gras passèrent le reste de la journée à rendre l'espace viable pour le campement. C'était la première fois depuis longtemps qu'ils allaient dormir à bourdon planté.

De son côté, Henno Gui quitta le village. Il retourna dans la forêt, toujours vêtu de sa simple bure de curé. Là, il se mit à débiter de larges tranches d'écorce. Il les choisit toutes selon leur teinte et l'épaisseur de leur chair. Chaque fois, il prélevait avec une lame un fin résidu de tanin qu'il goûtait du bout de la langue et conservait ensuite dans une toile de torchon.

Le prêtre revint ensuite dans la petite cahute abandonnée où il avait transvasé les victuailles du village. Il se saisit d'un petit contenant de terre cuite rempli de graisse.

Dans l'église, il s'appliqua pendant de longues minutes à mélanger cette graisse animale visqueuse avec son tanin. Il déroula ensuite sa ceinture de corde et arracha quelques bouts de fibre.

À la brune, Henno Gui achevait son ouvrage. Au centre de deux longues écorces dont il avait soigneusement décapé le cœur, il libéra un long cylindre de couleur blanchâtre. Mardi-Gras et Floris étaient médusés. Avec de la simple graisse animale et un peu de tanin, une mèche tressée dans les fibrilles d'une ceinture, le maître venait de confectionner un cierge magnifique.

Il le disposa au milieu de son cercle mystique tracé dans

la pierre. Il utilisa un rouet et une petite pierre pour enflammer la bougie. Elle se mit aussitôt à scintiller, fumant une suie épaisse. Un rougeoiement chaleureux envahit toute l'église.

C'en était fait. Dieu était de retour à Heurteloup.

‡

Le soir, aucun signe ne trahit la présence des villageois aux portes du hameau.

Mardi-Gras avait creusé une fente dans une des parois de l'église afin d'y glisser le conduit d'un poêlon. Les trois hommes avaient mangé sans toucher aux réserves des villageois. Henno Gui tenait farouchement à ne pas se servir de leurs vivres. Il se coucha en premier après le repas et s'endormit en quelques minutes, sans aucune appréhension.

Le géant, lui, prit ses quartiers de veille près de l'entrée de l'église.

Seul Floris était affreusement anxieux, empêché de sommeiller par des prémonitions sinistres. À bout de nerfs, se retournant sans cesse sur sa couche, le jeune homme finit par se lever et tirer dans la charrette de Mardi-Gras un des livres reliés de peau d'agneau qu'il avait emportés avec lui. Il prit un exemplaire du *Roman du Temps*, une chronique légendaire à la mode dont il raffolait. Au bout de quelques pages, il mit de côté les ombres inquiétantes de la paroisse pour les aventures magiques de rois et de héros sans peur. Floris en oublia son angoisse et son besoin de dormir. Au petit jour, il était encore avec les fantasmagories de l'auteur anonyme. Loin... bien loin du diocèse de Draguan, du village de Heurteloup et de ses habitants mystérieux.

3.

À Draguan, la nuit suivant le départ de Henno Gui vers Heurteloup et de Chuquet vers Paris, les deux moines Méault et Abel s'étaient précipités, sans chandelle, dans le bureau d'hiver de l'évêque à la maison des chanoines.

La porte, enfoncée la veille par le vicaire, était restée descellée. Les deux religieux, sans un mot, crochetèrent le verrou du grand coffre en bois qui servait aux effets de monseigneur, et emportèrent avec eux les trois rangées superposées pleines des feuillets et des livres de Haquin.

Toujours sans prononcer un mot, ils redescendirent dans la grande salle commune où ils avaient exceptionnellement embrasé un feu de cheminée. La maison canoniale était toujours barricadée. Bien que Méault et Abel soient seuls dans ce grand édifice, ils faisaient tout pour être le plus discrets possible, comme s'ils craignaient d'être démasqués. Ils n'avaient pris aucun flambeau à l'étage pour être sûrs que personne ne rapporte avoir vu de la lumière dans le cabinet de Haquin pendant la nuit.

Les deux religieux posèrent toutes les affaires de l'évêque devant le feu et les déballèrent une à une.

Le doyen Abel tomba le premier sur les dessins diaboliques de Haquin. Ils regardèrent longuement la grande toile qui avait tant frappé Chuquet. Abel suivit de l'index le contour de l'enluminure.

— Ces bords dessinent le diocèse de Draguan.

C'était une carte allégorique. Comment le vieil Haquin s'était-il procuré un tel dessin ? Qu'est-ce que ces figures de fin du monde faisaient au milieu d'une région aussi calme que Draguan ? Ils regardèrent le nom de l'artiste enlumineur : Astarguan.

Les deux hommes ne s'interrogèrent pas plus longtemps. Ils jetèrent le précieux dessin dans les flammes. Bientôt, la suite des textes et des œuvres mystiques vint le rejoindre dans le feu. Il en fut de même pour les registres reliés des confessions paroissiales de Draguan depuis 1255 et l'arrivée de Haquin. Méault et Abel agirent sans précipitation, avec méthode, passant de longues heures, tison en main, à consumer tous les textes administratifs et épiscopaux et à réduire en cendres toutes traces écrites du ministère de Haquin.

Abel tomba dans les fichiers du coffre sur le rapport ecclésiastique de Henno Gui. Il conserva cet exemplaire avec lui. Le reste finit dans le brasier. Même les rangées de bois du coffre furent incinérées. Au petit matin, les deux hommes achevèrent leur entreprise en descendant le bahut de Haquin du bureau. Ils le brisèrent à coups de marteau et l'envoyèrent lui aussi rejoindre son contenant dans les flammes.

Ensuite, les moines s'installèrent à la table du réfectoire avec deux feuilles, une plume et de l'encre. Abel avait avec lui une règle à chiffrer. C'était une grille secrète qui permettait d'écrire des messages selon des indices codés. Avec application, Abel décrivit de sa plus belle plume tous les événements survenus à Draguan depuis trois jours : l'arrivée de l'homme en noir, le meurtre, l'apparition imprévue du jeune curé et son départ pour le village maudit. À cela, il ajouta une description complète du physique de Henno Gui et une copie de son rapport.

— Cette lettre ne pourra pas quitter Draguan avant les beaux jours, dit Abel. Le temps est trop mauvais et Chuquet a pris tous nos chevaux.

— Nous devons pourtant l'écrire aujourd'hui, rien ne doit être oublié.

— Si, après cette missive, nous ne recevons pas un meilleur poste... après tous ces efforts... ce serait à désespérer !

— Suis bien le chiffre, Abel. N'oublie pas de parler des dessins du coffre de Haquin...

4.

À Morvilliers, fief des Grand-Cellier, Aymard, le fils d'Enguerran, était incarcéré dans les sous-sols d'un commun du château. C'était une maison isolée dans le parc. Aymard y était au mur depuis plus d'un mois. Il passait ses jours et ses nuits dans une petite geôle, sans lumière, ne recevant aucune visite et profitant d'un seul repas par jour et d'une heure de feu. Son père lui imposait par là les mêmes conditions de détention qu'il avait subies dans les cachots du bey de Damiette. Dix hommes armés gardaient les alentours de la prison...

Ce matin, pour la première fois, la porte du fils d'Enguerran s'ouvrit à une heure autre que celle du repas.

Ney, le régisseur du domaine d'Enguerran, apparut dans l'embrasure de la porte. La cellule empuantait le mâle crasseux ; Ney porta un mouchoir à ses narines.

— Aymard, dit-il. Ta mère te réclame.

L'abbé des Frères du Seuil, loqueteux, se souleva péniblement. Il portait une tunique grasse et poussiéreuse. Le cheveu était long et le cul, le nez, les ongles, noirs comme de la tourbe. Un garde le déferra en brisant sa chaîne avec un maillet. Les hommes de Ney le dépouillèrent ensuite dans le parc, à même la neige.

— Rince-toi, dit le régisseur. On ne saurait te présenter dans cet état.

Les hommes lui jetèrent des seaux d'eau glacée sur le dos et lui donnèrent une brosse de crin.

On l'habilla ensuite d'un froc épais, d'un cilice, et on le rasa sommairement. Il retrouva une vague apparence de religieux, plus digne de son rang officiel d'abbé. Aymard montrait une mine dure. Il ne prononça pas un mot pendant sa toilette. Par deux fois, il cracha au visage de ses gardes et les bouscula rudement...

Peu après, il entrait au château, dans la bibliothèque de son père. Sa mère l'y attendait, assise dans un fauteuil de tapisserie, près d'un feu fourni. Au centre de la grande hotte de pierre étaient suspendus les écus de France.

Hilzonde du Grand-Cellier était une femme de croisé. C'était tout dire. Les dernières guerres de Jérusalem avaient changé la face du monde pour deux raisons : d'abord parce qu'elles avaient toutes été des échecs, ensuite parce qu'elles avaient duré plus longtemps que prévu. En emportant avec elles la fleur des chevaliers d'Occident pendant plusieurs années, elles avaient laissé, pour la première fois, le gouvernement des terres à leurs femmes. C'était un fait sans précédent dans un monde de soldats où l'host n'était généralement levée que pour quelques semaines et où le seigneur ne quittait jamais son domaine plus d'une saison. Toute une génération de compagnes fut ainsi contrainte d'apprendre à tenir seules leurs biens et leurs sujets. Hilzonde avait été de ces maîtresses femmes qui prirent leur nouveau rôle avec l'énergie et la poigne de la régente Blanche. Cette petite femme douce et frêle qui aimait la lecture et la musique se transforma en un chef de famille intraitable. Beaucoup de seigneurs se retrouvèrent ainsi stupéfaits de voir à leur retour des croisades leurs caisses plus fournies et leurs domaines parfois plus étendus qu'ils ne les avaient quittés ! Ils avaient laissé derrière eux une fileuse de quenouille et découvraient une femme prête à lever un camp et à prendre les armes.

Telle était Hilzonde du Grand-Cellier.

Aymard n'avait pas vu sa mère depuis la révélation de ses actes à son père et son emmurement immédiat. Il la sentit vieillie. Elle le trouva sali.

Un jeune inconnu était assis à ses côtés. Deux grands plateaux d'argent conservaient les carcasses d'un chapon entier et de trois cailles qu'il venait de dévorer.

— Je vous présente Gilbert de Lorris, dit Hilzonde. C'est la chancellerie du pape qui nous l'envoie.

Aymard jeta un regard noir au cavalier. Gilbert le remarqua à peine. Il avait les traits tirés, les chausses crottées, mais la mine encore vive, pleine d'audace et avide d'exploits. Ce garçon vivait sa première aventure.

— Il va vous conduire à Rome, dit Hilzonde.

La femme secoua la tête de fatigue.

— Rendrez-vous jamais grâce de tout ce que votre père accomplit pour vous ?

Le visage d'Aymard resta de marbre. Il était élargi, c'est tout ce qui lui importait.

— Ce jeune homme porte un pli et le sceau du pape : vous êtes son prisonnier. Vous partez sur-le-champ.

Le régisseur mena les deux hommes au haras des Grand-Cellier. Il y avait là des dizaines de magnifiques étalons, des poulains au crin d'or et aux encolures travaillées pour soutenir des hommes en armure. La fortune de la famille Enguerran venait de l'élevage et du dressage de destriers pour la noblesse. D'ici sortaient les plus belles montures du royaume. Ce commerce, avec celui du bois, avait permis aux Grand-Cellier de traverser les nombreuses crises de la seigneurie française : la cherté des croisades, les charges de chevalier, les tribus de l'Église avaient fortement grevé les riches du pays...

Ney choisit deux montures. Il donna la plus courte à Aymard.

— Soyez toujours certain d'avoir un cheval plus fort que lui, dit-il à Gilbert. C'est Madame qui vous le recommande.

Sur ce, le régisseur aida Aymard à monter sur l'animal, puis il l'entoura à la taille d'une large courroie qui était vissée à la selle. Impossible de s'enfuir. La courroie avait un loquet, Ney en donna la clef à Gilbert, avec une boucle en fer en supplément.

— Vous placerez cette boucle autour de sa cheville dès qu'il sera à terre, dit-il. La pression l'empêchera de s'enfuir.

Le jeune soldat était éberlué des dispositions de sécurité qu'on prodiguait sur un homme portant habit d'abbé. Gilbert observa Aymard pour la première fois ; il lui trouva la même taille, la même prestance, le même œil bleu azur que son père Enguerran... Mais cette face fermée et coléreuse jurait avec sa mise de religieux. Ce prisonnier prestigieux n'avait pas trente ans. Qu'avait-il commis pour être mené ainsi à Rome sous le sceau du pape ?...

Quelques heures après son arrivée sous les grilles du château de Morvilliers, Gilbert galopait déjà sur son chemin de retour.

Le fils d'Enguerran se montra coriace à la course. C'était un cavalier hors pair, toujours droit en selle, comme un militaire. Le froid, la faim, le vent ne semblaient pas l'atteindre.

Gilbert s'appliqua à refaire scrupuleusement sa route établie par le Latran en chemin inverse. Le jeune soldat repassait aux mêmes postes, retrouvait les mêmes chevaux, s'arrêtait aux mêmes templeries pour changer ses bons de papier en écus d'étain et se restaurait dans les mêmes monastères ou les mêmes auberges. C'est sur ce dernier point que se manifesta la première colère d'Aymard. Les deux hommes caracolaient dans le royaume du nord au sud. Plusieurs fois, leur route passa non loin de domaines ou de villes où logeaient des familles amies d'Enguerran et de son fils.

— Nous ferions mieux d'aller chez eux trouver un digne repos, disait Aymard. Je ne supporte plus ces auberges mal famées, mal chauffées, où l'on vous jette une bouillie tiède et un clairet de mauvais chai.

Mais Gilbert refusa à chaque fois. Il voulait conserver son cap.

Aymard était un personnage complexe. Il était coléreux, se montrant souvent dédaigneux des autres malgré sa condition d'homme de Dieu. Il choquait souvent son jeune garde par des remarques douteuses, voire impies.

Un incident arriva à Méry. À la sortie d'un petit village, près d'un cimetière, un cortège funéraire emportait un cercueil vers sa fosse. La famille était misérable. Elle éclata de joie en voyant l'abbé et le soldat arriver devant eux. Le curé de la paroisse était mort depuis quelques semaines et personne ne devait le remplacer avant la saison prochaine. Le père de cette famille venait de mourir, sans sacrements, ni absolution. Les enfants supplièrent l'abbé Aymard de bénir au moins la tombe de leur père. Cette bénédiction leur suffirait.

Mais du Grand-Cellier refusa crânement. Il cracha sur le cercueil en bois et envoya toute la famille au diable.

Gilbert fut éberlué par tant de cruauté.

5.

À Heurteloup, le lendemain de leur première nuit passée au village, Henno Gui et ses deux compagnons poursuivirent leur installation. Le maître allait bientôt quitter le camp pour inspecter le reste du village et Mardi-Gras travaillait déjà à la réfection de l'église. Floris de Meung partit poser des collets dans les sous-bois qui cernaient le hameau. La besace des voyageurs commençait à se vider et le curé refusait toujours de se servir dans les réserves des villageois. Le garçon était prévenu : ne pas s'éloigner au-delà d'un cri d'homme, revenir à la première incertitude, poser le plus de pièges possibles sans traîner. Il promit d'honorer tous ces points et partit avec des cordelettes nouées à l'avance.

Il avait encore beaucoup neigé pendant la nuit. Le jeune disciple entrait dans une forêt immaculée, avec des éclats blancs et bleutés qui miroitaient comme de l'eau. Les chemins étaient vierges. C'était la première fois que Floris se retrouvait seul et libre de ses mouvements depuis son départ de Paris. Il était émerveillé par le spectacle. Le dépaysement si brusque jouait avec lui du temps et de l'espace. Quelques coups de marteau ou de machette de Mardi-Gras au loin le rappelaient parfois à la raison, mais le jeune garçon, traversé par des mirages dignes de son âge, se laissait aller à rêvasser dans cette forêt de roman. Le disciple, grand lecteur, se sentait investir un pays de charmes, tiré droit de ses pages favorites : *Méliador*, *La Demoiselle à la*

Mule, Gliglois, Le Livre de Léan, Le Chevalier au Papegau...

De ces quelques titres bien sonores, le jeune homme s'inventa des visages et des silhouettes. Et il extravaguait de la sorte lorsque l'un de ses songes, plus fort et plus précis que les autres, vint le submerger. Floris se retrouva entouré d'une dizaine de jeunes filles, belles, vaporeuses, à peine nubiles, vêtues d'un mince linge bleu aux reflets transparents, les bras et les pieds complètement nus. Ces étranges fées étaient apparues à la cime des tertres au-dessus du garçon et derrière des troncs d'arbres. Elles tournaient autour de lui, enjouées, se tenant à distance, perchées sur les éminences...

Floris n'avait pas sciemment convoqué ce mirage ; il ressemblait plutôt à ces fantasmes inavouables qu'il avait de plus en plus souvent pendant ses nuits, où des filles échappées d'un château magique venaient pour l'enlacer sur son châlit. La fatigue, la nuit blanche passée à lire contribuaient sans doute à la netteté de ces impressions. Au milieu de cette neige éclatante, le rêveur se laissait aller sans retenue à ce petit simulacre délicieux. Trois des filles se démarquèrent peu à peu du cercle des dryades et descendirent vers lui. Elles avaient des visages lisses et de longs cheveux. L'une d'elles, la plus grande, fut la seule à s'approcher du garçon. Floris souriait d'aise. Ce songe le ravissait et dépassait de loin tous ceux qu'il avait commis jusque-là. Il l'aurait bien fait durer encore le temps d'une parole ou d'un baiser, mais un détail le réveilla subitement. Il aperçut la peau de la fille... elle avait la chair de poule et ses pieds nus étaient bleuis par la neige. Son sein blanc palpitait comme celui d'un oiseau. Floris fit un pas en arrière, les yeux révulsés. Il secoua la tête. Aucune des filles fantômes ne disparut. La grande fille était toujours là, devant lui, retenant mal ses grelottements. Floris sentit soudain qu'il ne rêvait plus. Il était bel et bien entouré d'une dizaine de filles, à demi nues, en plein hiver. Il voulut crier, mais la grande fille l'implora d'un signe doux de la main de garder le silence. Elle s'approcha et porta ses doigts vers la joue du jeune homme. Il était pétrifié. La vision effleura pendant quelques secondes les mèches blondes de Floris. Elle le regardait au fond des yeux, mais ne dit pas un mot. Ses douces lèvres un peu violacées par le froid restaient immobiles, fines comme un trait d'artiste. Enfin, la fille fit un pas en arrière, aérien, et le salua d'une révérence. C'était tout. Quelques secondes plus tard, elle avait disparu avec ses compagnes. Mais pas d'un évanouissement de conte de fées : une véritable fuite de jeunes filles en chair et en os, rieuses, filant à toutes jambes entre les arbres...

Floris sentit soudain une chaleur de bûcher lui monter à la tête. Il s'évanouit. Il tomba comme tombent les héros lorsqu'ils ont approché de trop près un monde défendu.

Le garçon ne revint à lui que quelques minutes plus tard ; des gouttes d'eau lui glaçaient le cou. Il se redressa en frissonnant. Il avait toujours ses collets à demi noués dans la main. Qu'était-il arrivé ? Il regarda autour de lui. Il reconnut les traces sur le sol. Des petites empreintes de pas étaient creusées dans la neige. Il les regarda attentivement. Elles étaient fines et aiguës. Assez fines et assez aiguës pour être celles des fillettes de son rêve, mais aussi celles d'une petite biche ou d'un jeune daim...

Le rêve et la réalité commençaient à se bousculer dans la tête du garçon. Il ne savait plus quelle était la part de songe ou de vérité... Il retourna à ses pièges.

‡

Mardi-Gras avait estimé le travail de réfection de l'église. Il lui faudrait changer les poutres portantes, refaire le mortier, défricher les herbes sur la façade, niveler le sol, colmater la petite cloche en vieux bronze, et pétrir un nouveau torchis.

Malgré ce labeur de Romain, il œuvrait déjà d'arrache-pied, rembuchant le bois utilisable et celui qui servirait au feu.

Par deux fois, Mardi-Gras interrompit son travail : il se sentait observé. Floris était pourtant parti aux pièges et le curé examinait le hameau.

Il se retourna brusquement. Il n'y avait personne. Ou presque.

À une cinquantaine de mètres, sur la voie principale du village, il aperçut un loup au pelage gris et jaunâtre, posément assis sur ses pattes arrière. La bête, calme, les oreilles dressées, le regardait sans bouger.

L'homme observa les alentours : le loup est un tueur en meute, il se met rarement seul à l'affût. Rien ne trahissait pourtant la présence d'autres carnassiers autour du géant. Le face à face entre l'homme et la bête dura plusieurs secondes. Le loup était toujours parfaitement immobile. Mardi-Gras décida de l'éprouver. Il avait plusieurs fois usé de ce stratagème pour se défaire de ces mangeurs d'hommes. Il posa son bois et se mit à avancer droit devant lui, sa machette hors du fourreau. Il le ferait déguerpir ou l'achèverait d'un coup de tranchet. Il marchait d'un pas ferme, sans hésiter ; le loup ne bougeait pas. Mardi-Gras s'approcha jusqu'à quelques mètres de la bête, sans que celle-ci ne s'enfuie, ni n'attaque. À une dizaine de pieds, l'animal fit même un mouvement curieux : au lieu de se mettre en position de garde, il se coucha entièrement à plat ventre, les pattes de devant allongées et les oreilles basses. La physionomie de ce loup était étrange, plus proche de celle d'un chien sauvage. La bête était osseuse, on voyait nettement ses vertèbres. Elle avait le poitrail et l'échine un peu pelés et un museau large. Elle avait un œil noir et un œil vairon. Le géant resta face à l'animal, moins inquiété que jamais. Il voulut avancer lentement la crosse de son arme. Le loup releva aussitôt la gueule et se mit à lécher ses doigts.

Lorsque Mardi-Gras revint sur son chantier, il était accompagné comme un majoral suivi de son barbet. Il lui donna un petit morceau de galette. L'animal le dévora puis s'allongea près du géant.

Pendant qu'il reprenait son travail, le géant laissa flotter un sourire sur son visage étrange ; il venait d'apprivoiser la première bête sauvage d'Heurteloup...

‡

Henno Gui inspectait le village.

« Si l'église de Dieu n'est plus l'endroit de culte de ce village, se dit-il, un autre édifice ou d'autres indices doivent quelque part trahir leurs nouvelles croyances. Les plus frustes des hommes n'échappent pas au sentiment du divin. Je serais bien surpris de ne trouver aucune image, aucun symbole de forces supérieures dans cette communauté. »

Le curé longeait les façades. Il observait le décorum, les outils, l'ornementation. Tout était voué à la vie pratique. Pas de crucifix, pas de coupole propitiatoire, ni d'inscription magique. Rien. Henno Gui s'interdisait pour l'instant d'entrer dans les habitations.

Après avoir fait le tour complet du village, le curé se résigna : il ne trouverait aucun autel, aucun temple, ni même une simple maison dédiée à l'adoration d'un dieu local. Pas d'idole domestique non plus. La neige de la nuit passée avait recouvert les traces des habitants et l'aire des maisons. Henno Gui savait que cette couche épaisse lui serait pour longtemps une entrave : elle cachait sans doute ce qu'il recherchait. C'est pourtant elle qui lui fournit son premier indice.

Il y avait sept maisons. Au pied de chaque porte s'élevait une statue en terre cuite de la taille d'une main. Elles représentaient toutes des femmes. Sept femmes. Leurs traits n'étaient pas idéalisés : ils ne montraient aucun attribut mythologique ou guerrier, ni aucune marque de puissance divine. Ces effigies en ronde-bosse portaient des hardes de villageoises et avaient des proportions plus qu'humaines.

Deux points étonnèrent cependant Henno Gui. Le premier était que ces sept femmes étaient toutes enceintes. Le second que, de par leurs dimensions, elles auraient dû être en grande partie ensevelies par les neiges de la nuit précédente, comme le reste du village. Mais pour chaque figurine, le curé observa le même phénomène : on les avait soigneusement époussetées... Quelqu'un avait déblayé les flocons tombés sur elles et autour des socles ; et on ne pouvait avoir fait cela que cette nuit, ou très tôt ce matin.

Le prêtre tenait enfin quelque chose. Les villageois n'avaient pas fui, ils restaient dans les parages et venaient inspecter leurs idoles. L'audace de ces adorateurs bravant leur retraite en pleine nuit pour garder leurs statuettes découvertes de neige prouvait que leur culte était pris très au sérieux. Henno Gui s'en doutait déjà, ces sept idoles allaient assurément se dresser un jour en face de son Christ.

Le prêtre repartit dans le village. Il avait trouvé une piste. Il savait maintenant où débusquer la seconde. Si les hommes d'ici avaient une vie empreinte, même légèrement, de sentiment religieux, leur passage dans le monde des morts devait être lui aussi soumis à un ordre de croyances. C'est un autre instinct auquel l'homme n'échappe jamais : le besoin d'aménager et de sanctifier sa chair, son cadavre et le bris de son âme. Et Henno Gui ne l'ignorait pas : une tombe en dit toujours plus sur une civilisation que tous les textes ou les raisonnements d'historiens.

Mais ce jour-là, le curé ne trouva rien de plus que ces sept mystérieuses statues de femmes enceintes.

‡

Floris n'avoua rien de son aventure dans la forêt. Rêve ou réalité ? Il préférait garder l'incident pour lui. Ses collets avaient été bien posés et rapportaient déjà du gibier ; cela seul importait. Le garçon s'efforça de ne plus penser à cette histoire de filles.

Mardi-Gras, lui, acheva les premières réfections de l'église en moins de sept jours. Henno Gui décida que le temps était venu de la consacrer. Avec Floris et le géant, ils confectionnèrent une table d'autel, une grande croix et un tabernacle où Gui enferma le pain, l'huile et le vin de l'Eucharistie qu'il avait apportés de Paris. La première messe fut décidée pour le dimanche suivant. Ce serait le dixième jour de leur entrée dans Heurteloup.

D'ici là, le curé d'Heurteloup allait faire de nouvelles découvertes.

Tout d'abord, en recherchant obstinément la trace d'un cimetière ou de tumulus isolés, il était tombé, un peu à l'est du marais principal, sur une source qu'il crut identifier comme étant celle du Montayou ou convergeant jusqu'au Montayou. Ce qui l'intrigua ne fut pas le rapprochement avec les cadavres de Domines, ni le fait que les premiers Draguinois envoyés par Haquin pour longer la rivière étaient peut-être arrivés jusque-là sans deviner qu'à quelques minutes se trouvait un village complètement oublié. Ce fut plutôt un engin construit à une cinquantaine de pas en aval : un astucieux mécanisme d'irrigation parfaitement opérationnel qui alimentait un conduit gros comme le poing pénétrant sous la terre pour ressortir près d'une hutte dans le village.

— Pas mal pour des sauvages maudits, se dit le prêtre.

Plus tard, il retrouva les sept figurines une nouvelle fois déneigées après une autre chute nocturne. Henno Gui savait qu'il tenait là une occasion de démasquer ses fugitifs. Il lui suffirait de se cacher un soir de neige. Le curé remarqua du reste que les visiteurs de nuit ne laissaient aucune empreinte de pas autour des statues ou près des maisons où elles se trouvaient. Il se souvint alors des aveux du sacristain Premierfait. Ces hommes grimpaient aux arbres comme des singes ! Henno Gui regarda. Les marques étaient bien là, sur les troncs et les branches radiales. Elles confirmaient l'agilité des villageois.

La veille de sa première messe, il identifia enfin un empan de terre assez étroit, dans la forêt, qui servait sans nul doute à l'inhumation des morts.

Une stèle de pierre, plus haute et plus claire que les autres, dressée au-dessus de la couche de neige, l'avait mis sur la voie. Dans ce petit trapèze déboisé, le curé et ses amis dénombrèrent une douzaine de pierres tumulaires dressées sans ordre apparent. Elles ne portaient aucune lettre, aucun nom : seules des suites de bâtonnets étaient gravées sur les plaques. Elles indiquaient peut-être un numéro ou une date. C'était un mode numérique très rudimentaire, mais son sens échappait aux trois hommes.

— Ce ne peut être des nombres qui indiquent le comptage des décès du village, dit Henno Gui. Ils ne commencent pas par un, ils comportent de grands bonds dans la numérotation et l'on voit plusieurs répétitions. Nous ignorons s'il s'agit d'un calcul calendaire. Si c'était le cas, que représentent ces bâtonnets ? Une année ? Une décennie ? Il y a cinquante ans que ces hommes ne sont plus en contact direct avec le comput romain. En combien de temps peut-on perdre le sens d'un calendrier ? Si l'on admet qu'ils aient instinctivement conservé la notion annale, et qu'un trait représente une année, nous ne remontons ici que de vingt-quatre ans. Il y a donc d'autres tombes ailleurs, et plus anciennes ? Un curé était encore là en 1233 : où sont les tombes chrétiennes ?

Henno Gui secoua la tête, perplexe.

— L'espace autour de ce village est très étroit. Je ne m'attendais pas à ce qu'il soit si chiche en enseignements…

‡

Le loup apprivoisé par Mardi-Gras avait pris ses quartiers avec les nouveaux venus. Cette bête avait choisi de mener deux existences parallèles : celle des bois et celle des trois hommes. Elle s'endormait chaque soir contre la porte de l'église. Mais chaque matin, elle disparaissait. On ne la retrouvait qu'en fin de matinée, ponctuelle comme une dame-d'onze-heures.

— Il rejoint sans doute les villageois qui doivent ripailler au petit matin, dit le curé.

— On pourrait peut-être le suivre ? proposa Floris.
— Non.
Henno Gui leva les yeux au ciel. Les nuages étaient aujourd'hui lourds et menaçants. Il neigerait très bientôt.

Le lendemain, on célébrait la première messe dans l'église d'Heurteloup.

✝

Henno Gui avait confectionné une quinzaine de cierges et les avait disposés tout au long de la petite église. Leurs feux illuminaient le vaisseau central et le chœur.

Il faisait encore sombre. On attendait les premiers rayons du soleil. Il était interdit par l'Église de conduire une messe de nuit.

Le curé revêtit ses habits liturgiques et prépara avec Floris le Livre, l'encens, les chants et les instruments de la célébration. Pour la lecture, Henno Gui avait apporté de Paris une Bible vaudoise, un exemplaire farouchement interdit puisque seul traduit en français. Le jeune prêtre avait ferraillé pour dénicher une telle version. Mais il tenait à en emporter une avec lui dans sa petite paroisse de campagne.

Près du carillon, Mardi-Gras attendait un signe du curé pour lancer l'appel. Il avait obturé les brèches de la vieille cloche de bronze. Les portes de l'église étaient grandes ouvertes.

Quand, à la première lueur de l'aube, l'écho du bourdon se mit à tinter à la volée dans toute la campagne, Henno Gui lui-même ressentit un léger pincement. Depuis combien de temps cette maison de Dieu n'avait-elle pas convié ses enfants à prier ?

Le prêtre, pendant l'annonce, longea les murs en tenant au bout d'une chaînette une petite coupelle d'argent où se consumaient deux morceaux d'encens sur un lit de tisons. La fumée purificatrice, l'odeur aromatique et forte envahirent peu à peu les bas-côtés et le croisillon. Symboliquement, grâce à ce nuage de prières, Henno Gui élargissait son premier « cercle ».

Mardi-Gras cessa de sonner. Suivant le rite, il referma les portes. L'église était vide. Le curé vint se mettre en face de l'autel pour le vénérer et l'encenser.

— Béni soit Dieu, maintenant et toujours.

À genoux près du chœur, la tête inclinée, Floris se préparait à la pénitence. Son péché principal avait des traits féminins, de longs cils soyeux et un regard célestiel. Cette figure le visitait chaque soir dans ses rêves depuis leur rencontre dans la forêt. Lorsque Henno Gui, imperturbable, proféra la confession commune, le jeune homme accompagna son maître avec contrition, mot à mot.

— Je confesse à Dieu tout-puissant, je reconnais devant mes frères, que j'ai péché en pensée, en parole, par action et par omission ; oui, j'ai vraiment péché.

Les deux hommes se frappèrent la poitrine du poing.

— Que Dieu tout-puissant nous fasse miséricorde. Qu'il nous pardonne nos péchés et nous conduise à la vie éternelle. Amen.

La messe suivit son cours. Ce fut seulement après l'« Ainsi soit-il » qu'on entendit les premiers bruits à l'extérieur de l'église. Mardi-Gras, assis au fond, fut tout de suite averti.

Après les trois exclamations du kyrie, Henno Gui entonna l'hymne de louange, inflexible dans la marche de son rite.

Mais les sons s'intensifièrent. Quelque chose se tramait. Floris regarda le prêtre. Celui-ci poursuivait son office. C'est Mardi-Gras qui l'interrompit.

— Ils sont là, maître.

Floris se releva. Lui aussi avait entendu : les pas dans la neige, les froissements de branches, le cliquetis qui rappelait étrangement celui des armes...

Les parois n'étaient pas entièrement calfeutrées ; les trois hommes aperçurent, entre les jours, des éclairs, des lueurs de torches, des ombres inquiétantes...

Les « maudits » semblaient avoir choisi de se montrer les premiers. Il fallait se décider, vite. Henno Gui s'était mal préparé à cette éventualité. Était-ce le son de la cloche, les cierges, l'écho des chants qui les avaient attirés ? Le curé sentit qu'il lui fallait agir sur-le-champ, de n'importe quelle manière, prendre l'initiative.

Il posa son livre de chants sur l'autel, saisit un crucifix et choisit de sortir, de front. D'un coup.

Des murmures et des grognements encerclaient l'église. Mardi-Gras dégaina sa machette. Le curé descendit de l'estrade du chœur et se dirigea vers l'entrée.

Mais, au même moment, la porte centrale de l'église vola en éclats !

Floris fut projeté au sol. Henno Gui recula. Un homme, à demi nu, se jeta sur le dallage de l'église, face plaquée contre le sol. Des cris stridents, inhumains, pénétrèrent dans l'enceinte. On eût dit une meute hurlant de colère. Ces hurlements étaient comme des jets de rocs, une lapidation de sons. Les portes étaient béantes mais dehors le petit jour ne suffisait pas à éclairer les silhouettes des crieurs. Personne n'entra dans l'église à la suite de l'homme allongé au sol. Il ne se relevait pas. Il était secoué de soubresauts nerveux. Mardi-Gras lui jeta un bref coup d'œil. Il avait les pieds et les mains tranchés à l'os. Une mare de sang se répandait sur les rainures du sol. L'homme respirait par hoquets.

Mardi-Gras releva tristement les sourcils. Il avait reconnu le sacristain Premierfait.

Les « invisibles » jetèrent une botte de paille enflammée dans l'église. Leurs cris cessèrent d'un coup. Henno Gui et ses deux amis entendirent autour d'eux un mouvement de retraite. Très rapide. En quelques secondes, le calme redevint total. Plus un bruit. À part les hoquets du blessé et le crépitement des flammes.

Mardi-Gras se précipita pour étouffer le feu. Henno Gui et Floris empoignèrent le mourant et le déposèrent sur le plateau de l'autel. À défaut de terminer la messe, celui-ci servirait d'abord de table de chirurgie.

Le corps baignait dans son sang. Il était couvert de griffures et de plaies tranchées à blanc. Une odeur d'épanchements entourait le blessé. Mardi-Gras ne s'était pas trompé, il s'agissait bien de Premierfait.

Henno Gui mesura rapidement le mal. On avait sectionné ses poignets et ses chevilles ; le sexe était arraché, ainsi que les mamelons du torse. Des lacérations striaient tout l'abdomen et un œil manquait. Le pauvre homme perdait son sang comme une outre percée. Henno Gui fit un signe à Mardi-Gras et à Floris. Le premier se rua vers le foyer, l'autre vers les affaires du curé.

Le prêtre prit son écuelle encore pleine d'encens et la renversa sur le ventre du sacristain. Le blessé ne réagit même pas sous la morsure des tisons brûlants. Henno Gui fit tomber l'encens à terre et déplaça lentement les braises à l'aide d'un bâtonnet, le long des plaies vives. À chaque fois, un crépitement de sang et une odeur de chair grillée assuraient la cicatrisation.

Floris revint avec la sacoche de maître-mitre de Henno Gui, et Mardi-Gras, avec deux brandons tirés du poêle à l'entrée de l'église. Le sang de Premierfait coulait toujours. Le prêtre découpa des lanières de cuir tirées de son sac. Il fit des boucles coulissantes et les noua de toutes ses forces au bout des quatre membres tronqués. Le flux ralentit légèrement. Henno Gui arracha ensuite les quelques linges qui entouraient encore la taille du blessé.

La plaie béante à l'entrejambe de Premierfait lui sauta au visage. C'était plus grave qu'il ne l'imaginait. Floris manqua de se trouver mal. Il n'y avait plus à cet endroit du corps qu'un vide monstrueux, une masse sanguinolente entourée de chairs déchirées.

Henno Gui essuya la sueur qui lui perlait au front. Il étendit la jambe droite du sacristain et prit la machette de Mardi-Gras. Il essuya la lame le long de sa chape de prêtre. Il désigna ensuite au géant son bois incandescent et les moignons du blessé. À son signal, Mardi-Gras appliqua le bout embrasé du brandon sur une des plaies de Premierfait. Au même moment, Henno Gui lui tranchait une large bande de peau sur la partie supérieure de la cuisse. La fine lame entrait sous le derme comme dans une darne de poisson. À trois reprises, le curé lui ôta des grosses pièces de peau.

Mardi-Gras brûlait à chaque fois les poignets ou les chevilles du blessé.

Henno Gui saisit dans sa sacoche une aiguille et du gros fil. Il devait coudre ces morceaux de peau sur la plaie centrale. Il savait que cette opération ne se faisait d'ordinaire qu'après avoir appliqué un cicatrisant spécifique sur les chairs, mais le temps lui manquait. Il tissa au plus vite, agrafant les peaux sur des endroits sains pour avoir de meilleures prises. Tout en travaillant, il murmurait des paroles inaudibles. Il rechercha ensuite avec le doigt le petit canal de la vessie. Quand il le sentit si loin et si massacré, il douta des chances de survie du sacristain.

L'opération s'acheva dans les râles de Premierfait. Malgré la douleur, le bonhomme ne s'était jamais complètement évanoui.

Quand Henno Gui se releva, sa chape immaculée était imbibée de sang.

La messe était dite.

‡

Toute la journée, Floris resta auprès du blessé. Premierfait finit par s'endormir, épuisé par ses pertes de sang.

Pendant ce temps, Henno Gui et Mardi-Gras entourèrent l'église de défenses, de chausse-trappes et de pièges en tout genre.

Sur le soir, les deux hommes avaient barricadé la bâtisse et achevé la confection de nouvelles armes de poing. Des armes d'assaut.

Ils ne trouvèrent aucune trace des assaillants de ce matin.

Avant la nuit, Henno Gui saisit une masse et partit seul dans le village. Sans faiblir, il écrasa une à une, violemment, toutes les statuettes en terre cuite qui représentaient les femmes enceintes.

Il revint ensuite à l'église, la mine fulminante et grave. Il palpa les blessures du sacristain.

— Il doit rester en vie, dit-il. Il a sûrement des choses à nous révéler.

Floris retrouva dans l'œil de son maître la rage du disputeur terrible de Paris, celui qu'on savait prêt au bris de glace et de chaises pour le gain d'une joute oratoire.

Il ne savait encore si c'était un signe encourageant ou une folie.

6.

Sur la longue route qui les ramenait vers Rome, Gilbert de Lorris et son prisonnier s'arrêtèrent un soir à la croisée de plusieurs chemins dans une forêt épaisse, sans pouvoir décider lequel emprunter. Gilbert n'avait aucune indication sur son plan et ne se souvenait pas de ce passage lors de sa première course. Au bout d'un moment, il prit le parti de s'engager dans la seconde route, la plus ouverte et la moins accidentée.

Il dut admettre, peu après, qu'il s'était trompé. Le chemin se rétrécissait comme un goitre. La nuit tombait vite. L'ombre gagnait la forêt. L'air était glacial. Il devenait urgent de faire demi-tour. C'est alors qu'une lumière étrange s'alluma soudain en face des voyageurs, au loin, derrière les arbres. Cette lueur était saisissante. Elle rappelait le scintillement chaleureux des lanternes d'hôtellerie ou les feux de camp d'un pâtre de montagne. C'était en tout cas tout à fait singulier dans un lieu aussi désert et hostile.

— Allons vers ce point, dit Aymard en montrant la lumière. Si nous rebroussons chemin jusqu'à la poste précédente, nous arriverons en pleine nuit, gelés, tout juste bons à couler en bière.

Pour une fois, Gilbert, lassé par la longueur de l'étape, céda aux arguments d'Aymard. Il accepta de continuer, bien qu'il trouvât cette luminescence trop prodigieuse à son goût.

Ils avancèrent, empêtrés dans les ronces et les fondrières

enneigées. C'était à croire que le chemin choisi par Gilbert n'était qu'un leurre ou une mauvaise farce.

Bientôt, ils croisèrent un petit panneau étrangement cloué sur un tronc isolé. Il indiquait : « Auberge du Roman ».

Les deux hommes poussèrent plus loin. Ce qu'ils trouvèrent en lieu et place de la lueur les stupéfia.

C'était bel et bien une auberge, magnifique, spacieuse, éclairée par de hauts flambeaux, soigneusement déneigée. Sortie de nulle part.

À l'entrée, ils remarquèrent des sangles neuves pour attacher leurs montures, de l'avoine fraîche et un abreuvoir.

— Voilà ce que j'appelle un gîte qui a de l'allant, mon garçon ! dit Aymard, ravi.

Gilbert ceignit la cheville du prisonnier avec la boucle de fer et libéra la courroie qui le retenait à la selle. Derrière la bâtisse principale, le garçon aperçut deux granges et une écurie. Il entendit quelques paroles indistinctes qui venaient de ces granges, mais Aymard ouvrit la porte principale. Il le suivit.

Le tintement d'une clochette annonça l'arrivée des deux voyageurs.

Ils entrèrent dans une vaste pièce, propre, rangée, fleurant bon la résine de bois et le fumet de potage. Des couvertures de bêtes étaient déployées sur les bancs, devant des tables nettes de poussière. Trois couverts étaient déjà dressés : une table de deux personnes et une table seule, chacune placée à un angle opposé de la pièce. La salle était vide.

De tout son périple, Gilbert n'avait jamais rencontré d'auberge ou de logis aussi bien tenu. Le bois était clair, neuf ; le sol lisse et propre, sans aucune trace de boue ni de foin.

— Il n'est parfois pas si mauvais de s'égarer, murmura-t-il.

Une porte s'ouvrit à l'étage. Les deux voyageurs aperçurent un petit homme replet, à la mine joyeuse et fraternelle, arborant un gros tablier de tavernier, qui dévala l'escalier à vis.

Il se planta devant Gilbert et Aymard, il avait les joues couperosées et des petits yeux sémillants.

— Bienvenu, messieurs. Je me présente, messieurs. Je suis maître Roman.

Le fils d'Enguerran laissa échapper un soupir narquois.

— Maître ? dit-il. Allons donc ! Et pourquoi maître, s'il te plaît ?

— Parce que je suis ici maître chez moi, mon ami ! Cela me paraît une raison suffisante. Vous ne trouverez en ces murs personne d'autre que moi pour s'occuper du logis, mis à part ma femme Francesca et mon chien Lucas. Tout ce qui se passe ici est de mon fait ! Et je crois bien que c'est être maître que d'assumer un tel pouvoir. Mais vous-même, vous êtes ?

— Aymard du Grand-Cellier, en chemin pour Rome.

Maître Roman visa Gilbert.

— Gilbert de Lorris, soldat de la garde du pape.

— Hm… C'est fort bien. Je suis ravi de recevoir des jeunes gens portant beau nom, belles armes, et bonne santé. Pour cela, je n'ai pas été gâté jusqu'à maintenant. Deux autres convois vous ont précédés aujourd'hui. Le premier transporte un mort, et le second, un moribond. Voyez ma peine. Je n'ai pas eu un seul client pendant des mois à cause de cet hiver étrangleur de commerce, et voilà qu'en une seule journée me tombent coup sur coup un moine qui rapatrie le corps de son évêque vers le nord et une troupe de comédiens ambulants dont le vieux chef est au bord de passer !

Il leva ses bras vers le ciel.

— Il y a des jours comme cela… Enfin, le cadavre est cloîtré dans son coche au fond de l'écurie, et les comédiens ont pris leur quartier de nuit dans une de mes granges. Ils sont trop nombreux et n'ont pas de quoi me payer des chambres. Je leur cède à bon prix de la paille et une bonne rasade de bouillon.

— Nous voulons aussi passer la nuit et le dîner, dit Gilbert.

— Rien de plus facile, mes amis, dit l'aubergiste. Vous

êtes ici chez vous… tant que vous me payez comptant et au débours.

Gilbert accepta et s'acquitta des conditions du tenancier. Il choisit ensuite, à l'étage, une chambrée commune pour Aymard et lui.

À leur retour dans la salle à vivre, les tables précédemment dressées étaient déjà garnies. La petite table solitaire était maintenant occupée par un moine aux traits fatigués, la tête penchée au-dessus de son bol. C'était le vicaire Chuquet, épuisé par sa longue marche depuis Draguan. Il expédiait sa soupe à coups de grandes lampées.

Les deux voyageurs le saluèrent avant d'aller s'installer à leur tablée.

— Nous avons deux chevaux, dit Gilbert à maître Roman.

— Je sais, dit-il. Ils sont déjà à l'étable.

— Vous avez des montures saines pour nous, demain matin ?

— Non, mon sire. Aucune en cette saison. Mais vos coursiers vont bien se reposer. Ils repartiront demain à la fraîche.

— Alors j'irai les voir après le souper.

— Comme vous voudrez. Vous avez des torchiers à côté de la porte d'entrée.

Aymard fut enfermé dans la chambre dès la fin du repas ; le vin de maître Roman l'avait alangui, Gilbert ne risquait rien à l'abandonner quelques instants. Comme convenu, il sortit s'assurer de la mise de ses chevaux. Les flambeaux extérieurs avaient été soufflés. Visiblement, le maître des lieux n'espérait plus personne…

Dans l'étable, le jeune soldat trouva ses montures avec du fourrage frais. D'autres chevaux — ceux de Chuquet — étaient parqués un peu plus loin. Le jeune homme regarda autour de lui. Les dimensions, l'agencement et la netteté de cette auberge étaient stupéfiants. Comment un homme seul pouvait-il administrer tout cela ? Et que faisait-il installé dans un coin aussi retiré ? Quelle idée lui avait pris de bâtir une auberge par ici ? Il n'y avait pas de village proche, pas de route fréquentée…

Gilbert aperçut le chariot du vicaire de Draguan, encastré dans un coin de l'écurie. Maître Roman en avait parlé au dîner : il avait obligé Chuquet à laisser son cercueil dans la voiture.

Le jeune homme ne put s'empêcher d'aller examiner de plus près le coffre funéraire.

Arrivé tout près de la portière, Gilbert se souleva sur les pointes. Il se demanda s'il aurait le cran de monter à l'intérieur et d'ouvrir le cercueil. Il mit une botte sur le marche-pied, mais, sans qu'il comprenne pourquoi, la voiture se mit à tanguer avec force. Gilbert fit un bond en arrière. Il vit une silhouette fluette qui bondissait du toit du carrosse. Dans un réflexe, le soldat attrapa l'inconnu au col et le plaqua au sol.

— Qui es-tu ? Qu'est-ce que tu fais là ? cria-t-il.

— Laissez-moi, laissez-moi... dit une voix d'enfant. Pardon, je suis l'Oiseleur. Je suis avec la troupe... les comédiens...

Gilbert redressa son prisonnier d'un coup de poignet. C'était un garçon d'environ treize ans. Il portait un habit étrangement bigarré, entre le justaucorps de seigneur et le débraillé d'un mendiant.

— Qu'est-ce que c'est que ça ?... fit Gilbert.

— Je suis comédien, vous dis-je. L'Oiseleur. J'étais venu pour voir le mort.

Gilbert relâcha le garçon.

— Tu as manqué te faire embrocher.

— Pardon... Pardon...

Le soldat trouva l'enfant plutôt amusant.

— Les morts t'intéressent ? dit-il.

L'Oiseleur fit oui de la tête.

— Si un jour je dois jouer sur les planches un évêque mort, c'était l'occasion d'en voir un pour de vrai !

Gilbert éclata de rire.

— Combien êtes-vous dans votre troupe ? demanda-t-il.

— Dix-sept. Je ne compte plus Nouveau Penser qui va bientôt nous quitter.

— Nouveau Penser ?

146

— C'est son nom de spectacle. C'est notre chef. Son vrai nom est Ismaël. Mais il est très vieux maintenant.

Gilbert et l'Oiseleur laissèrent là le cercueil de Haquin. Le jeune comédien entraîna le soldat dans la grange voisine. Là, Gilbert découvrit, ébahi, la compagnie de comédiens. Ils veillaient tous autour d'un vieil homme allongé dans une épaisse pelisse rouge vif…

Le soldat resta longtemps au milieu de ces bateleurs. Ce fut une soirée lumineuse… la chaleur des gens du voyage, les chants, les costumes colorés, les poèmes qu'on récitait à l'oreille du vieil homme pour lui arracher un sourire, la joie d'une vieille réplique retrouvée, les animaux de foire endormis près des enfants, les rires qui éclatent soudain… Mais de cette nuit sans égal, Gilbert n'allait retenir qu'une seule image. Le visage d'une jeune actrice aux longs cheveux, à la mine triste, aux jambes fines comme des roseaux, qui vint se mettre à ses côtés, sans dire un mot. Avant de se quitter, elle lui caressa délicatement une mèche brune qui tombait sur sa tempe. Cela ne dura qu'un instant. Cela n'avait aucun sens. Mais le soldat ne devait jamais l'oublier.

‡

Le lendemain, Gilbert se leva d'un bond et descendit en trombe de sa chambre vers la grande salle de l'auberge. La marmite du matin bouillait déjà. Il croisa le frère Chuquet, en habits de voyage, qui se pressait pour le départ.

— Bonjour, mon père. Vous partez ?

— Il n'est que temps. Ma route est encore longue.

Chuquet ouvrit la porte et sortit. Le jeune soldat l'accompagna. Il voulait retourner du côté de la grange.

— Si vous cherchez les comédiens, dit soudain Chuquet, retournez à l'auberge. Ils sont déjà partis.

Ce trait cloua le garçon sur place.

— Le Diable les emporte ! ajouta le vicaire.

Il avoua qu'à leur arrivée chez maître Roman, ils l'avaient mandé au chevet de leur mourant pour lui donner les derniers sacrements. Mais malgré l'insistance des siens, celui-ci avait violemment refusé l'absolution du prêtre.

— Pourquoi ?

Resté seul avec le moribond, Chuquet s'était entendu répondre…

— Vous ne pouvez rien pour moi, mon père…

L'homme avait raconté un épisode improbable de sa jeunesse où il aurait accepté de vendre son âme et de jouer la comédie pour divertir Satan en personne ! Satan !

— Pour un tel crime, personne de ce monde ne pourra m'absoudre.

À la fin de son récit, le vicaire haussa les épaules, bénit le jeune Gilbert et reprit sa route solitaire avec son cercueil.

Le garçon retourna à l'auberge. Il mangea avec Aymard le déjeuner du matin. Maître Roman était introuvable. Les deux hommes quittèrent les lieux sans l'avoir salué.

Plusieurs fois, Gilbert se retourna sur sa selle pour voir l'auberge du Roman qui disparaissait derrière eux.

Les deux voyageurs avaient emprunté la même voie que le frère Chuquet. C'était la seule route dégagée qui quittait l'hôtellerie. Insensiblement, après un croisement aussi mystérieux que celui de la veille, elle ramena Gilbert et son prisonnier sur le bon chemin. Il le reconnut tout de suite. Cela s'était fait aussi miraculeusement que leur égarement d'hier. Le soldat ne comprenait pas ce qui lui était arrivé. Au bout d'un moment, il interrogea le fils d'Enguerran.

— Allons ! dit-il. Que sommes-nous venus faire dans cette auberge ?

Aymard haussa les épaules.

Lui non plus n'en savait rien.

7.

À Heurteloup, le soir même de la messe et de la découverte du sacristain, Henno Gui décida subitement d'abandonner le village. Ce renoncement surprit Floris. Mais que pouvaient-ils encore espérer après les violences du matin ?

Le curé et Mardi-Gras ligotèrent le corps de Premierfait sur leur charrette, par-dessus les paquetages de voyage qu'ils avaient rempilés. Le sacristain se laissa harnacher, râlant, encore abîmé dans les affres et une semi-inconscience. Ses mouvements brusques (il en avait souvent, par rafales) étaient désormais contraints par des lanières et de grosses couvertures. Le blessé respirait à petits coups, les yeux mi-clos et les traits de plus en plus marqués par la douleur.

Avant le départ, Henno Gui n'hésita plus à se servir dans les réserves de vivres des villageois. Il emporta avec lui trois gros cabas de provisions et une grande poche d'eau qu'il remplit au cours d'eau. Il prit aussi trois cierges parmi ceux qu'il avait confectionnés pour la messe.

Pour la première fois, il pénétra dans des maisons du village ; il en choisit trois parmi celles qui lui semblaient les plus habitées. Dans chacune d'elles, il posa et embrasa un cierge solidement fiché sur une table. Il referma ensuite les issues et les volets, sans rien toucher, ni rien déplacer. Les bougies étaient hautes et larges ; gardées à l'abri, elles scintilleraient au moins pendant trois jours et trois nuits.

De retour vers la charrette, Henno Gui n'eut pas un regard pour les statuettes qu'il avait massacrées.

Le convoi quitta le village. Ils furent bientôt rattrapés par une ombre qui se glissait entre les arbres. C'était le loup. L'animal les suivait à courte distance.

Soudain rasséréné, Floris se félicitait de ce retour prématuré à Draguan. Henno Gui arrêta son cortège devant l'arbre où ils avaient salué pour la dernière fois Premierfait, dix jours plus tôt. C'était l'ancien refuge du sacristain.

— Nous y sommes, dit-il soudain.

Il posa son sac et son bourdon contre l'écorce.

— Floris, tu vas nous attendre là-haut avec Premierfait.

— Comment ? Nous ne rentrons pas à Draguan, maître ?

Henno Gui fit non de la tête.

— L'endroit est sûr. Tu pourras veiller le blessé.

Les arbres qui entouraient celui de Premierfait étaient tous des épineux hauts et fins où il était impossible de s'agripper. L'agilité probable des villageois à prendre pied dans les airs ne pourrait arriver à bout de cette partie du bois.

— C'est très astucieux, dit Gui. Cet arbre est assez dense et il est naturellement isolé. Je m'étonne que Premierfait ait eu autant d'intuition. C'est l'endroit le plus sûr qu'on puisse trouver à quelques pas du village.

Henno Gui fit un signe au géant qui approcha la charrette. Ils défirent Premierfait et le posèrent au sol sur une couverture. Mardi-Gras se saisit ensuite de plusieurs cordes et se hissa en haut de l'arbre. Il disparut derrière les premières frondaisons d'épines.

— Qu'allez-vous faire, maître ? demanda Floris.

— Dénicher le repaire de ces barbares et leur rendre la pareille. Ils ont essayé de nous effrayer. Soit. C'est manqué. Maintenant, c'est à notre tour de leur infliger une suée.

— Pourquoi ? Et comment ?

— Je l'ignore encore. Dans une communauté d'hommes aussi fermée que la leur, le seul moyen de pénétrer leurs règles et leurs coutumes est sans doute d'y créer un désordre. Le moindre déséquilibre les obligera à se montrer tels qu'ils sont. Aussi vais-je semer le « chaos » dans cette petite tribu, où qu'elle se trouve. Devant leurs consternations, je trouverai la voie, ou la stratégie à emprunter.

— S'ils ne vous ont pas attrapé avant, murmura Floris.

— Oui... Et encore... S'ils avaient voulu nous tuer, nous serions déjà en morceaux.

— Que vais-je faire pendant ce temps avec Premierfait ? demanda le garçon.

— Tu lui donnes de l'eau. Beaucoup d'eau. J'ai rempli cette outre pour vous deux. Le pauvre homme ne va pas survivre bien longtemps à ses blessures. Mais il peut revenir à lui, brièvement. À ce moment, je veux que tu l'interroges le plus soigneusement possible : il a dû être enlevé peu après notre séparation, pourtant ses blessures sont récentes : qu'a-t-il appris pendant tout ce temps qu'il a passé avec eux ? Qu'a-t-il vu ? Comment ont-ils réagi devant lui ? Note tout, c'est important.

— Mais... s'il venait à mourir ? Qui va lui donner les derniers sacrements ?

— Ne t'inquiète pas, dit le prêtre. C'est déjà fait.

Floris repensa alors aux murmures étranges que Henno Gui professait pendant l'opération.

Le curé alla jusqu'à la charrette et défit son barda de livres.

— Tiens, dit-il en lui tendant une liasse de feuillets soigneusement roulée. C'est un exemplaire du *Livre des Songes* que certains attribuent au prophète Daniel. Cette origine est légendaire, mais l'ouvrage est de qualité. C'est un traité qui permet d'interpréter la source et le sens des rêves des hommes. Chaque thème y est inscrit par ordre alphabétique. Premierfait va sans doute délirer et parler à voix haute pendant son agonie. Note ce qu'il dit et compulse ce livre.

Mardi-Gras redescendit de l'arbre.

— La place est en bon état, maître, dit-il. Le corps peut être monté jusqu'à trois toises. Premierfait avait bien préparé son abri. Le tronc a même été creusé en profondeur et pourra abriter le blessé. Il y a des chevilles en fer encastrées dans le bois. Nous avons assez de cordage pour hisser le sacristain jusqu'en haut et assez de place pour garder toutes nos affaires.

Les trois hommes mirent une vingtaine de minutes à soulever le corps dans l'arbre. Pendant l'ascension, à chaque à-coup, il crachait des amalgames de sang et de salive.

Les trois hommes montèrent pièce par pièce tous les paquets qu'ils encastrèrent dans le tronc creusé ou suspendirent à des cordages. Sous le commandement de Henno Gui, le géant brisa sa charrette et éparpilla les fragments alentour pour ne laisser aucune trace. Avec une grosse couverture, il égalisa aussi le terrain autour des racines et effaça leurs marques de pas.

Le loup était toujours là. Il observait. La bête était assise sur sa croupe, à un demi-trait d'arbalète des humains.

— Nous allons passer la nuit ici, dit le curé.

Henno Gui et Mardi-Gras rejoignirent Floris et le blessé dans l'arbre.

De ce poste d'observation, on pouvait presque apercevoir au loin les toits d'Heurteloup. Mais quelques arbres avaient poussé trop haut. S'ils avaient été plus jeunes, le champ de vision se serait ouvert jusqu'au village et au grand marais...

— Il t'est défendu d'allumer la moindre lumière, dit le prêtre à son disciple. Reste dans cet abri. Ces provisions doivent te suffire pour une huitaine.

Floris observa les deux cabas suspendus aux chevilles. La plupart des vivres étaient crues ou faisandées.

— Sans feu, je ne pourrai rien faire cuire.

— En effet. C'est trop dangereux. As-tu de quoi noter? demanda Gui en ouvrant sa sacoche.

Floris tira de sa coule un feuillet et un stylet.

— Tu as ici assez de couvertures pour toi et pour le sacristain. Mardi-Gras et moi en prendrons le moins possible avec nous. Pour ce qui est des plaies de Premierfait, utilise ces herbes.

Henno Gui lui donna deux larges feuilles violacées.

— Tu dois moudre des fragments de ces plantes dans une petite tasse. Tu y ajoutes de l'eau que tu auras tiédie au creux de tes paumes. Dès que la mixture prendra une couleur jaunâtre, tu l'appliqueras doucement sur les endroits restés à vif. Si le blessé est toujours vivant dans trois jours, tu devras défaire tous les fils que j'ai cousus sur ses chairs. À chaque fois que tu rouvriras une cicatrice, imbibe de nouveau la plaie avec la mixture. Si tu passes ainsi le quatrième jour, tu auras sauvé Premierfait.

Pendant la nuit, le loup se rapprocha de l'arbre et vint se coucher au pied du tronc, comme il le faisait contre la porte de l'église.

Aux premières lueurs, le curé et Mardi-Gras descendirent tous les deux jusqu'aux branchages du bas. Ils ne firent aucun bruit et laissèrent Floris et Premierfait endormis. Mardi-Gras regarda sous lui : le loup avait disparu.

— Il est parti, murmura-t-il.

— Descendons.

Les deux hommes se retrouvèrent au sol. Mardi-Gras portait un large cabas de toile. Pendant la nuit, Henno Gui avait inventorié leur équipement : ils s'étaient pourvus d'une partie des provisions, de beaucoup de cordages, de feuillets et d'encre, et d'une seconde coule de curé. Le paquetage était réparti sur les épaules des deux hommes.

— Il est temps, dit Henno Gui en rattrapant les empreintes fraîches de l'animal dans la neige. Suivons-le.

Les deux hommes s'élancèrent derrière l'animal.

— Il n'y a qu'une alternative, dit Henno Gui un peu plus tard. Soit il nous conduit à sa tanière, soit il nous amène au refuge des villageois. Si nous n'arrivons pas jusqu'à eux, il nous faudra retourner sur nos pas et rechercher des traces dans les arbres autour de l'église.

— Il n'y a aucune marque d'homme, dit Mardi-Gras en observant le sol.

Les pas du loup emboîtaient d'autres empreintes de la même forme.

— La bête passe ici chaque matin, dit le curé. Nous ne risquons rien. Même s'il rejoint un refuge, un animal n'emprunte jamais le chemin des hommes. Si nous l'escortons jusqu'aux villageois, ils ne nous verront pas arriver.

Quelques minutes plus tard, Gui et Mardi-Gras rejoignirent le loup ; il était assis à quelques mètres devant eux. La bête était immobile, la tête tournée dans leur direction.

L'animal considéra les deux hommes un long moment, puis reprit calmement sa route, comme si de rien n'était. À plusieurs occasions, il se retourna pour guetter ses suiveurs et mesurer leur écart. À chaque fois que le prêtre et son compagnon se retrouvaient un peu trop distancés, le loup faisait quelques pas en arrière, comme s'il les attendait...

— Étrange animal, dit Mardi-Gras.

— Certains de nos Pères ont donné une âme à ces bêtes sauvages.

— Qui peut en douter ? murmura le géant qui n'était pas chrétien.

— D'autres, reprit Henno Gui, s'acharnent à n'y voir que des possessions ou des corps endiablés.

— Vous y croyez, vous ?

— Croire ? Croire... Pour moi, croire n'est pas une option. Le Diable est. On le sait, on le connaît. Il se manifeste assez souvent. Quand, en 1228, trois béguines demandèrent à saint Dominique si le Diable existait vraiment et s'il pouvait leur apparaître en chair et en os pour leur prouver sa réalité, c'est le saint lui-même qui s'appliqua à appeler le démon jusqu'à elles. Ce jour-là, le Diable prit l'enveloppe d'un gigantesque chat noir. Les trois femmes se pâmèrent. Je suis porté à croire à la vérité de ce geste de Dominique et à cette présence physique du démon. Mais il va de soi que le saint n'était pas un sorcier ou un agent au service du Malin pour pouvoir ainsi l'appeler à lui. Il démontra simplement ce jour-là une chose exemplaire : le Diable existe ici-bas, mais dans la seule mesure où il est autorisé par Dieu. Le Mal, qu'on le comprenne ou non, fait partie de la Création. Pour faire apparaître cet horrible chat noir, saint Dominique n'a absolument pas invoqué le Diable — comme certains superstitieux pourraient le croire —, il a invoqué le Seigneur tout-puissant. Et Dieu lui a donné cette marque éclatante de sa grandeur. Ainsi il se montrait au-dessus, supérieur au Mal. Bien sûr, les trois béguines n'y ont rien compris.

— Mais alors, ce loup ?...

— Si son comportement est celui d'un démon ou d'une âme errante, il y a une raison à cela. Aucune étrangeté ne doit nous surprendre.

Les deux hommes et le loup poursuivirent leur route pendant une vingtaine de minutes. Le chemin devenait de plus en plus abrupt. Henno Gui et Mardi-Gras entraient dans une région montueuse, encore épargnée par l'invasion des marais. Mais toujours aucune trace des villageois.

Au-dessus d'eux, le loup disparut complètement derrière un petit col. Quand les deux hommes arrivèrent à cette hauteur, ils découvrirent, à leurs pieds, une large crevasse plane, enfoncée au cœur de la forêt, entièrement déboisée. Le fond tombait à plus de trois tailles d'homme et faisait une soixantaine de mètres de diamètre. C'était un vide étonnant, encerclé en hauteur par une muraille d'arbres qui portaient leurs ombres sur la crevasse.

Prudemment, le loup obliqua vers un petit chemin qui dévalait le cratère sur son flanc intérieur. Ce passage ne pouvait laisser passer qu'un animal agile.

Henno Gui observa l'espace. Il ne perçut aucune trace de vie. La petite plaine était immaculée, aussi lisse que les eaux gelées d'un lac.

— Il n'y a rien ici, maître, constata Mardi-Gras.

— C'est étrange, murmura-t-il. Où ce loup nous conduit-il ?

Henno Gui regarda autour de lui. Rien. La forêt s'étendait à perte de vue. Ses yeux revinrent vers la bête. Elle avait paisiblement atteint le fond de la crevasse et marchait sans crainte sur le tapis de neige. Tout paraissait normal. Le loup renifla l'air. Que cherchait-il ? Les deux hommes ne le quittaient pas du regard.

Mais soudain, en un éclair, il disparut d'un coup, comme évaporé !

Les deux hommes restèrent bouche bée. Ils se regardèrent sans comprendre. Où était-il passé ? Quelques secondes plus tard, la bête réapparut à l'autre bout de la crevasse, tout aussi mystérieusement.

— Je n'ai jamais vu une chose pareille, gronda Mardi-Gras.

Henno Gui fit signe au géant de se taire. Il lui indiqua du doigt une direction qui longeait le gouffre.

Les deux hommes avancèrent prudemment. Une seconde fois, le loup disparut devant eux.

— Allons-nous-en, maître, dit Mardi-Gras de plus en plus inquiet. Il n'y a rien de bon par ici.

Henno Gui lui demanda encore de faire silence. Il s'approcha d'un arbre. Ce large tronc, comme beaucoup d'autres autour du gouffre, penchait étrangement vers le précipice. Le prêtre épousseta la neige jusqu'à l'écorce. Sans ajouter un mot, il désigna un étrange objet à son compagnon. C'était une corde. Une épaisse corde solidement nouée tout autour de l'arbre...

— Moi non plus je n'ai jamais vu une chose pareille ! dit le curé.

Sans autre commentaire, il se mit à plat ventre à l'extrémité de la crevasse.

— Regarde.

La corde dénichée par Henno Gui sur l'arbre plongeait droit à l'intérieur du trou.

— La plupart des étendues blanches que tu vois, expliqua le curé, ne constituent pas le fond du cratère. Ce sont des parcelles de branchages tissés, tendues entre elles à l'horizontale, comme des tentes. La neige qui les recouvre en ce moment les rend tout bonnement indiscernables.

Mardi-Gras se pencha et regarda à son tour avec attention. Peu à peu, à travers la pénombre, il finit par déceler l'illusion optique qui masquait le fond de la crevasse. Il repéra une huitaine de cordes plongeant elles aussi depuis d'autres points autour du cratère. Un œil non averti n'aurait jamais pu déceler un si fantastique camouflage de troglodyte.

— Même les barbares d'Ordéric n'ont pas accompli de telles prouesses, dit le prêtre.

Le loup reparut soudain dans la crevasse. Ou plutôt, il reparut *à ciel ouvert*.

— Comment tout cela tient-il ? Il n'y a aucun piquet ? demanda le géant.

— Si. J'en ai déjà repéré trois. Ils pointent sous les refuges.

Henno Gui se releva et montra de nouveau l'arbre qui servait de pilier : une cheville en fer enfoncée dans le bois tenait le premier nœud serré de la grosse corde. C'était le même genre de cheville que Mardi-Gras avait trouvé dans l'arbre de Premierfait.

— Ce n'est donc pas le sacristain qui a façonné son abri... conclut le géant.

— Non.

— Pensez-vous que Floris soit en danger ?

— L'endroit était abandonné. Si les villageois utilisaient cette cache, ils auraient débusqué Premierfait l'an dernier. Ce n'est pas cela qui m'inquiète. Ce qui m'inquiète, et m'étonne, c'est que ces gens, apparemment dépossédés de tout, arrivent à confectionner des chevilles comme celles-là, donc à fondre du métal. Où le trouvent-ils ? Et comment réussissent-ils à monter des chaleurs pour une matière si difficile à travailler ?

Comme sur l'arbre de Premierfait, la cheville était recouverte de rouille. La carène posée contre l'écorce était tenue par quatre énormes poinçons.

— Si cette cheville est là depuis des décennies, dit Henno Gui, elle est trop solidement arrimée pour que la croissance du tronc ait pu l'endommager ou nous indiquer sa date.

— Êtes-vous sûr, maître, que les habitants du village sont en ce moment terrés dans cette crevasse ?

— Nous allons le voir bientôt...

En tournant autour du cratère, les deux hommes cherchèrent un meilleur angle de vue. Ils dénichèrent, sur l'autre versant, un sentier qui serpentait et s'engouffrait dans la forêt. Henno Gui trouva des empreintes humaines sur le sol.

— Voilà pour ta question, Mardi-Gras.

Les deux hommes empruntèrent le chemin vers la forêt. Il menait, sur une pente longue et douce, jusqu'à la rive d'un petit étang. C'était un autre marais. Le plus proche du cratère. Henno Gui observa la rive, elle était toute gelée.

— Regarde, dit-il.

La couche de glace avait été méthodiquement brisée sur une dizaine de coudées. L'eau stagnante et glacée était verdâtre et purulente comme celle montrée par Premierfait pendant le voyage. De nombreuses marques de pas dénonçaient le passage des habitants à cet endroit.

— C'est sans doute ici qu'ils se ravitaillent en eau...

Le curé et le géant remontèrent vers la crevasse. Sur la route, Henno Gui trouva un large épineux, âgé et suffisamment loupeux pour leur servir de refuge. La partie supérieure donnait sur le cratère ; de l'autre côté, on apercevait une petite partie du chemin de forêt. Les branches n'étaient pas aussi larges et assurées que celles de l'arbre de Premierfait, mais une même collerette d'épines dissimulait la partie supérieure du sapin et protégeait ceux qui s'y cachaient.

En peu de temps, Mardi-Gras consolida un réseau de bois disposé à mi-hauteur. C'est là que les deux hommes s'installèrent. Ils attachèrent ensemble leurs couvertures, leurs cordes et quelques provisions.

Le prêtre éprouva ensuite l'assise des branches afin de s'assurer un meilleur poste pour épier la crevasse et le chemin. Ce dernier l'intriguait autant que les refuges.

— Il est trop large et trop fortement dessiné au milieu d'une telle forêt. Ce n'est pas naturel.

Le curé observa toute la journée. Il ne vit rien. Pas une fois les villageois — combien pouvaient-ils être ? vingt ? trente ? — ne se montrèrent. Pas un bruit. Pas une parole, non plus. Henno Gui ne quitta son poste d'observation qu'au coucher du soleil. Il avait suivi les déambulations du loup qui, en début d'après-midi, avait abandonné la crevasse pour retourner sans doute vers Heurteloup comme à son habitude.

8.

Le vicaire Chuquet avançait péniblement vers Paris. En hiver, les grandes routes étaient les plus dangereuses du royaume. Le froid et la neige retenaient les soldats et les gardes montées à l'intérieur des villes. Les troupes de brigands se trouvaient libres d'attaquer tous les convois qui avaient l'imprudence de s'aventurer seuls. Aucune voiture, si elle n'était pas fermement escortée, ne traversait cette région sans croiser au moins une ou deux bandes de routiers. Toutes les voies étaient partagées entre une quinzaine de chefs de clans et leurs équipes de séides. Personne n'échappait à cet étau. Personne, sauf un petit chariot. Ce train n'était pourtant défendu par aucune lance de gardes ; son cocher n'avait pas d'arme, ni de fanion seigneurial. Les truands le laissèrent aller sans jamais porter la main sur lui. Ils l'évitèrent même, prévenant plus loin leurs confrères de son passage. Cette charrette ne contenait qu'un coffre de bois scellé. Un mort. Un évêque.

Chuquet allait au pas. Sa route avait été jusque-là capricieuse et semée d'embûches. Il savait qu'il devait sa survie au cercueil de Haquin et à la superstition des gens de la route. En ces temps-là, un cadavre était une meilleure protection qu'une garnison de soldats. Les brigands avaient peu de foi, mais ils n'osaient jamais s'en prendre à une bière ou à son porteur. La légende des morts, des revenants, le spectre des malédictions faisaient fuir les plus téméraires.

Mais s'ils chassaient les gaignes-deniers et les coupe-gorges, ils éloignaient aussi les bonnes âmes. Ce cadavre d'évêque qui cheminait sur les grands chemins en plein hiver inquiétait le tout-venant. Son apparition dans les campagnes ou dans les villes était trop étrange pour ne pas éveiller des soupçons. On s'alarmait de ce corps qui déambulait sans tombeau. Plusieurs fois, le vicaire Chuquet vit ses demandes d'aide refusées par peur du défunt. Que le corbillard emportât un homme d'Église troublait encore plus les populations. Chuquet finit par déguiser l'identité encombrante de son maître, il le prétendit tour à tour soldat, seigneur, femme, enfant. Mais rien n'y fit. Même dans les monastères, on l'accueillait avec méfiance. Quand, entre La Peine-aux-Moines et Fréteval, il brisa l'essieu de son chariot contre une souche, le moine ne trouva personne pour lui prêter la main. Il dut réparer seul, avec ses pauvres moyens, l'axe brisé de la roue. Il fut obligé de continuer sa route à une allure plus accablante encore. Chuquet n'accomplissait plus que deux lieues par jour.

Une autre incommodité vint s'ajouter. À Draguan, les frères Méault et Abel avaient mal scellé le cercueil de l'évêque ; le froid avait ralenti la décomposition du corps de Haquin, mais il ne l'empêcha pas. Une odeur infecte se dégagea bientôt du fond de la roulotte couverte, là où le pauvre Chuquet se réfugiait chaque nuit pour se protéger du vent et de la neige. Par deux fois, il débarrassa le cercueil du chariot pour le laisser à terre, le temps de la nuit. Mais le râle des loups, attirés par la chair puante, le dissuada de continuer. Le vicaire eut une dernière idée désespérée. Il fractura le cercueil et passa une journée à le combler avec de la terre. Il arrachait celle-ci de haute lutte, à mains nues sous la neige. Cette prouesse ne lui octroya que quatre jours de répit. L'odeur putride finit par revenir, plus intolérable que jamais. Aux brigands qui mettaient en doute son étrange chargement, il ne suffisait que de s'approcher de quelques pas pour rendre crédit au vicaire. L'exhalaison fut bientôt trop insupportable pour que le convoi puisse se présenter aux auberges ou même traverser les villes. Arrivant aux portes de Dammartin, un petit village, Chuquet dut se résoudre à agir.

Le vicaire dissimula sa voiture dans un sous-bois épais et isolé, près d'un bras d'eau. Là, il défit les liens de ses trois montures et rejoignit la route du village, à pied, les chevaux tenus à la longe, abandonnant le chariot derrière lui. Il s'assura que la voiture et le cercueil de l'évêque ne pouvaient être repérés depuis la route.

À Dammartin, Chuquet se présenta à la première auberge.

— Vous voulez une chambre ? lui demanda l'hôtelier.

— Non. Je suis de passage. Je ne demande qu'un peu d'avoine pour mes chevaux.

— Vos chevaux ? Et combien diable en avez-vous, l'abbé ?

— Trois.

On s'étonna de voir un religieux cheminer ainsi avec trois bêtes et sans bagage.

— Ma voiture a été emportée par des brigands, lâcha Chuquet pour lever le doute. Où se trouve le presbytère du village ?

On lui indiqua une petite maison, à deux rues de l'église.

Au presbytère, un jeune diacre de dix-sept ans lui ouvrit la porte. La petite pièce où fut accueilli le vicaire était impeccable. Presque trop nette. Un gros chaudron était suspendu dans la cheminée, mais aucun feu n'y brûlait. Aucune cendre ne reposait au fond de l'âtre. Cette maison n'était pas habitée.

— Je suis le père Chuquet, en route pour Paris. Où est le curé de cette paroisse ?

— Le père Morin n'est pas au village, dit le garçon.

— Quand doit-il revenir ?

— Je l'ignore, mon père. Le curé... n'est venu dans nos murs qu'une seule fois, l'année dernière. Il est peu présent.

Le diacre lui expliqua que, dans le nord, la capitale et le Louvre attiraient les prêtres ambitieux, et que de nombreuses paroisses, comme celle-ci, étaient délaissées au profit des carrières parisiennes de leurs pères spirituels.

— Qui donc s'occupe du presbytère et des fidèles en son absence ? demanda Chuquet.

— Moi, dit simplement le garçon.

— Et les messes ? Tu n'es pas en mesure de conduire une messe, mon garçon. Comment faites-vous ?

— Il y a un vieux curé qui officie encore au village de Gomerfontaine, à deux lieues d'ici. Nos fidèles vont jusqu'à son église pour recevoir les sacrements et faire leurs confessions.

— Comment t'appelles-tu ?

— Augustodunensis, mon père. Mais on m'appelle Auguste.

Chuquet considéra ce jeune diacre. Ses épaules étaient encore chétives, mais son ton de voix et son regard avaient l'aplomb d'un adulte. Il prenait visiblement très au sérieux sa charge paroissiale et ne semblait nullement dépassé par la situation.

— J'ai besoin de ton aide, lui dit-il. Ce ne sera pas long. Je dois t'emprunter ce gros chaudron, une louche, beaucoup de vinaigre, une hache et une brique à feu. Aide-moi à réunir tout cela et à l'emporter dans la forêt.

— Dans la forêt, mais… ?

— Ne discute pas. Tu dois m'aider. Tu comprendras plus tard.

Auguste s'exécuta. Il rassembla le nécessaire demandé par Chuquet et ils installèrent le tout sur une petite charrette attelée au mulet du presbytère. Les deux religieux quittèrent le village sans attirer l'attention.

Le vicaire retourna dans la forêt jusqu'à sa voiture.

Il prépara tout de suite un grand feu avec des branches mortes puis installa le chaudron qu'il avait rempli avec le diacre à la rivière. Quand l'eau se mit à frémir, Chuquet déversa les trois bouteilles de grès pleines de vinaigre que le jeune garçon lui avait cédées. Celui-ci ne savait toujours pas de quoi il en retournait.

C'est alors que le vicaire ouvrit la bâche de son chariot. Auguste sentit soudain l'odeur du corps en putréfaction et vit le cercueil. D'un coup sec, Chuquet arracha le couvercle. Le garçon n'en crut pas ses yeux. Le corps de Haquin était en partie recouvert de terre, mais on décelait, en profondeur, un mystérieux mouvement, comme une respiration. C'était le fourmillement des larves. Devant cette horrible vision, le vicaire lui expliqua son histoire : la raison de son voyage, ses déboires de route et l'identité du cadavre.

— Je ne peux entrer à Paris dans de telles conditions. Je serais tout de suite lapidé, ou pire, la foule pourrait s'en prendre aux restes de l'évêque. Je n'ai pas le choix.

Il avait assisté à Passier, dans sa jeunesse, à la mise en châsse des reliques corporelles d'un saint, canonisé juste après sa mort. Ses entrailles furent vidées et on démembra son squelette en plusieurs morceaux qui furent ensuite enchâssés et envoyés aux quatre coins de la chrétienté, avec leur réputation miraculeuse. Cette étrange opération avait à ce point traumatisé le jeune Chuquet, qu'il avait gardé à l'esprit les images, les bruits et même les odeurs qui avaient accompagné cette cérémonie…

Les deux hommes renversèrent la bière dans la neige. La terre s'éparpilla et le corps apparut dans toute sa misère. La peau était roussie, déchiquetée, mangée, couverte d'un pus blanchâtre qui virait aux asticots. La vermine avait eu raison de tout. Un trou béant transperçait l'abdomen du cadavre. Les vers avaient déjà liquéfié les entrailles. Il n'était plus temps de tirer les viscères et le cœur de l'évêque, il n'y en avait plus. Les parasites s'étaient attaqués en premier au crâne fracturé de Haquin et avaient par là rejoint tout le corps. L'odeur était abominable.

Le garçon aurait pu s'échapper en courant devant un tel spectacle. Mais il renonça. Cet honneur à rendre à la dépouille d'un vieil évêque lui parut essentiel. Il approuva la décision du vicaire et se mit à son service.

Chuquet récupéra du bout des doigts, avec une mine de dégoût, les emblèmes que portait l'évêque. Il détacha la croix pectorale en argent, deux colliers précieux, et défit, non sans mal, les trois grosses bagues épiscopales de la main droite de Haquin.

Chuquet prit ensuite la hache apportée par Auguste et,

sans hésiter, il se mit à briser les membres de Haquin, visant les articulations.

Le vicaire et le diacre emportèrent les bras et les jambes, débités en morceaux, et les plongèrent dans le chaudron bouillant.

Il fallut attendre de longues minutes avant que la décoction de vinaigre agisse. La peau se détachait peu à peu des os, remontant à la surface par parcelles, avec des nœuds de muscles ou de nerfs. Régulièrement, Chuquet récoltait ces résidus visqueux avec une grande louche et les jetait dans les bois. Quand le chaudron cessa de rendre des chairs, le vicaire retourna vers les restes du cadavre. Le moine sua de nombreux coups de hache pour défaire les côtes et le thorax de Haquin. Il dégagea du pied ce qui restait de viscères, puis plongea la carcasse dans l'eau chaude.

Là encore, il fallut attendre. Auguste ranimait régulièrement le feu. Deux heures s'écoulèrent. Des dizaines de louches pleines de peaux molles et d'entrailles bouillies furent répandues dans les environs. Le corps de l'évêque semblait rendre son enveloppe sans fin. Chuquet attendit encore un peu, puis décida d'écourter la macération.

Les deux hommes soulevèrent le chaudron et le basculèrent entièrement. Le bouillon, rosé et puant, fit disparaître la neige et s'écoula jusqu'à la petite rivière. Sur la terre détrempée, les os de Haquin s'entassèrent comme une pile de bois. Certains étaient lisses, entièrement lavés, tout blancs, alors que d'autres conservaient encore des nerfs et de la chair cuite.

Les deux religieux emportèrent les fragments jusqu'au bord du cours d'eau. Là, agenouillés, en silence, le vicaire et le jeune diacre se mirent à nettoyer avec soin dans l'eau pure de la rivière, morceau après morceau, le squelette de monseigneur Haquin.

À la nuit tombée, Chuquet avait rassemblé toute l'ossature décomposée de l'évêque dans une boîte rectangulaire d'un peu moins d'un mètre de long. Elle était de bois vulgaire et servait à ranger les menues affaires de Chuquet. Le vicaire dut forcer pour faire entrer le tout.

Il reprit ensuite la route de Dammartin avec Auguste. Les religieux n'avaient pas échangé un seul mot pendant tout le rituel. Arrivés au presbytère, ils s'assirent à une table et se réchauffèrent devant le foyer, toujours en silence. Ils avaient les mains gourdes et gelées. Ils restèrent longtemps à profiter des flammes bienfaisantes, sans parler.

Chuquet annonça enfin qu'il allait reprendre la route. Avant de partir, il étreignit longuement le jeune diacre. Toute parole d'adieu eût été superflue. Chuquet préféra accomplir un geste. Il sortit de sa coule la grande croix en argent qu'il avait défaite de la poitrine de l'évêque et la tendit à Augustodunensis.

— Je te remercie, lui dit-il simplement. Je suis assuré que monseigneur Haquin, mon maître, où qu'il soit aujourd'hui, a vu ta bonté et ton courage, et te bénit pour cela. Garde cette croix en souvenir de lui.

Peu après, en dépit de la nuit épaisse, le vicaire retourna à l'auberge et reprit possession de ses chevaux. Il paya l'aubergiste et disparut.

On ne le revit jamais à Dammartin.

9.

La patience de Henno Gui fut récompensée deux jours après son arrivée près de la crevasse. Au point du jour, le prêtre découvrit enfin la toute première silhouette. C'était un jeune homme. Il quitta précipitamment le cratère, emprunta le petit chemin et passa sans ralentir au pied de l'arbre du curé. Il était seul.

Henno Gui réagit vite. Dès que le garçon fut à une distance raisonnable, il s'élança au sol avec Mardi-Gras et lui emboîta le pas. Les deux hommes le suivirent en se tenant sur les côtés du sentier.

Le garçon dévala jusqu'à la petite rive du marais.

Là, dissimulé à quelques pas, Henno Gui put l'observer à sa guise.

L'inconnu avait une quinzaine d'années. Ses membres étaient longs et gourds. Il portait sur le corps un assemblage curieux de peaux de bêtes cousues, rapiécées et retenues entre elles grâce à une multitude de ficelles nouées autour des muscles. À première vue, le garçon ne pouvait pas se défaire de cette étrange cuirasse animale. Henno Gui n'avait jamais vu, ni entendu parler d'un tel accoutrement.

Le villageois s'agenouilla devant la petite étendue d'eau. Il tenait à la main une sacoche, une seille en peau. Avec une pierre oblongue posée près de la rive, il brisa la fine couche de glace qui s'était reconstituée sur la partie déjà ouverte du marais. Henno Gui remarqua que ce garçon n'avait pas le comportement d'un enfant qui remplit distraitement son outre d'eau. Il paraissait respecter un code rituel, avec des pauses et des gestes coordonnés avec mesure. Il plongea le sac, sans craindre de se tremper les avant-bras malgré l'eau glacée. Il ressortit la sacoche pleine du liquide saumâtre et rebroussa chemin, toujours aussi pressé. Il ne passa qu'à trois coudes de Henno Gui et de Mardi-Gras toujours dissimulés sous des ramilles basses.

Le prêtre suivit le garçon jusqu'au bord de la grande crevasse.

Le soleil commençait à poindre au-dessus des arbres. Le loup de Mardi-Gras était là, un peu en retrait, plus nerveux que la veille. Quelque chose avait radicalement changé dans le grand cratère blanc.

Un va-et-vient incessant s'ordonnait maintenant entre les « toits ». Henno Gui aperçut enfin ses fidèles. Ces hommes étaient tous recouverts du même assemblage étrange de peaux que le jeune garçon, ficelé, serré au corps comme un filet. Ils avaient des cheveux longs et broussailleux et des barbes sombres qui leur mangeaient le visage. Leur mouvement permit à Henno Gui de mieux comprendre l'aménagement du cratère. Les refuges étaient dressés contre les parois de la crevasse et suivaient son arrondi. Un large cercle central était seul laissé à l'air libre. C'est à cet endroit précis que le curé vit reparaître le garçon du marais. Il posa sa sacoche pleine d'eau au milieu, dans la neige. Dès lors, chacun leur tour, les hommes et les femmes de la tribu vinrent s'humecter le front avec ce liquide marécageux. Une fois de plus, ces actes mystérieux avaient tout l'air d'un rituel religieux. Une crainte, une certaine tension présidait à cette étrange cérémonie. Henno Gui observa que les femmes étaient vêtues à la même mode que les hommes. Une seule d'entre elles portait un bliaud ordinaire, épais et ample. Mais elle était enceinte. Le curé nombra d'abord dix hommes, sept femmes et trois enfants. Vingt personnes. Il savait que selon l'arithmétique de Chuquet et la sienne propre (grâce aux huttes du village), il n'avait pas là le compte du village. Mais quatre hommes vinrent bientôt s'ajouter à la troupe. Ceux-ci se distinguaient fortement des autres. Le premier avait une taille plus haute et plus imposante. Il arborait une sorte de casque en bois massif sculpté à la forme de son crâne et une quantité de bijoux en métal et en os largement étalés sur son torse. Sa barbe était plus longue et plus ordonnée. Tous les villageois s'écartèrent sur son passage. Il était escorté par trois hommes rasés de tête et de menton et vêtus de longues toges claires très épaisses. Ils portaient chacun un sac de toile. Henno Gui estima qu'il devait s'agir d'un trio de religieux, de prêtres, qui sacrifiaient pour la tribu. Ils s'agenouillèrent près de la sacoche d'eau rapportée par le jeune garçon. Henno Gui put intercepter quelques phrases ou éclats de voix. Il ne comprit rien à leur dialecte.

Les trois hommes ouvrirent leurs sachets respectifs. Solennellement, ils en tirèrent des éclats de pierre et les déposèrent un à un dans l'outre d'eau des marais. Tout le monde les regardait avec gravité.

Henno Gui reconnut ces morceaux de pierre.

— Ils sont retournés au village, murmura-t-il. Je m'en doutais.

Dans la crevasse, les trois prêtres mystérieux étaient en train d'immerger, avec une grande pompe, tous les débris épars des statuettes rompues par le curé. Ce geste apparemment anodin révélait que les villageois y attachaient une importance capitale.

— J'ignore quelles vertus mystérieuses ils attribuent à cette eau sale et poisseuse, dit Henno Gui, mais on ne saurait nier qu'elle leur soit sacrée.

Toujours dissimulés au bord du gouffre, les deux hommes observèrent longuement cette cérémonie silencieuse.

Il fallut encore trois jours au curé pour mettre au point une stratégie. Il resta tout ce temps hors d'atteinte des villageois et continua à les surveiller depuis son arbre.

À l'aube du quatrième jour, l'opération de Henno Gui se mit en place. Chaque matin, le jeune homme du village retournait au marais pour approvisionner ses « prêtres » en eau sacrée ; Henno Gui et le géant surgirent ce jour-là sur son chemin et se ruèrent sur lui sans lui laisser le temps de réagir. Ils étouffèrent ses cris et l'emportèrent au sommet du pin.

Les deux hommes ne laissèrent aucune trace de leur crime derrière eux.

La forêt retrouva son calme de petit matin...

‡

Dans l'arbre, ils ligotèrent le garçon et le bâillonnèrent fermement. Mardi-Gras eut toutes les peines du monde à le défaire de son étrange costume de peaux couvert de ficelles. La chair du garçon était atrocement amollie et irritée de gerçures et de dartres. Le curé était maintenant sûr que les villageois ne se défaisaient pas de cette tenue de toute la saison froide. Ce devait être une coutume vestimentaire ou une contrainte à caractère religieux. Henno Gui appliqua quelques onguents sur le corps du garçon et le couvrit avec sa seconde coule et des couvertures épaisses.

Le jeune prisonnier dévisageait ses gardiens et l'emplacement de sa captivité. Il essaya d'abord de se débattre et de crier. En vain. Des gouttes de sueur coulaient sur son front. Le garçon serrait les mâchoires comme un homme sous la torture.

Henno Gui commença aussitôt son « enquête », ayant parfaitement calculé ce que cet enlèvement devait lui rapporter. Il s'efforça d'abord de réconforter son prisonnier, de le calmer. Le curé voulait saisir et apprendre au plus vite la langue, le mode d'expression utilisé par ces villageois. Ce gamin était le seul à pouvoir l'y aider, même contre son gré.

Henno Gui était réputé à Paris pour ses facilités linguistiques. Il connaissait beaucoup de langues anciennes, et s'était, à force de travail, constitué une tournure d'esprit qui lui permettait d'apprendre un nouvel idiome en un temps fulgurant. Les architectures grammaticales truffées d'influences n'avaient aucun secret pour lui.

Henno Gui formula d'abord des petits mots génériques, très simples et fort articulés. Il utilisa en premier la monosyllabe « Dieu », en partant de sa racine primitive latine, puis en remontant, petit à petit, toute l'échelle étymologique propre à ce phonème jusqu'à la version française contemporaine, en passant par les patois provençaux, incluant les dissonances romanes et espagnoles. À sa grande surprise, le garçon ne réagit à aucune de ces terminaisons. Henno Gui était un peu déçu. Il choisit alors un mot plus facile à cerner et sans doute moins soumis aux caprices de l'entendement. Il partit de la source latine *edere* : manger. Henno Gui ne fit aucun signe, aucune gestuelle qui pût permettre au jeune garçon de découvrir le sens de ce mot. Il fit de nouveau gravir à ce terme le même parcours historique. L'œil du prisonnier cilla pour la première fois lorsque Henno Gui prononça le terme en occitan. Le prêtre usa alors d'une brève mimique pour s'assurer du sens du mot. Le villageois adhéra d'un hochement de tête.

Le curé continua. Dans sa liste étymologique, il s'avéra toujours qu'un mot proche de l'interprétation occitane éveillait l'attention du garçon. À force d'exercices, celui-ci finit par comprendre où le curé voulait en venir et se laissa prendre au jeu.

Cette victoire fut de courte durée. Dès que Henno Gui essaya de coupler entre eux quelques mots simples, ou en constituant de petites phrases, il se retrouva devant une totale absence de répondant. Le jeune homme pouvait isoler des mots, mais en aucun cas il ne comprenait le sens des groupes nominaux... Les choses devinrent plus inextricables encore lorsque le prêtre s'aventura à introduire des verbes.

Bien qu'ayant un vocabulaire assez similaire, le garçon et lui ne pouvaient s'entendre. Un obstacle grammatical inattendu surgissait entre les deux hommes.

Henno Gui ne comprenait pas. Il avait bien vu les villageois communiquer entre eux, échanger des points de vue lors de la cérémonie des statuettes... Une langue existait parmi ces hommes, c'était évident. Des mots issus en ligne directe de l'occitan y étaient beaucoup utilisés : pourquoi donc leur grammaire et leur conjugaison étaient-elles si obscures ? Quelle clé de langage lui échappait ?

La croissance d'une langue demandait du temps et surtout beaucoup d'apports extérieurs, ce qui n'était pas le cas ici.

Henno Gui sentit qu'il ne pourrait rien découvrir de plus par lui-même : il lui fallait faire parler son prisonnier.

Il ôta le bâillon du garçon. Le géant était à ses côtés, le tranchant de sa machette bien en vue et prêt à s'abattre sur le villageois au moindre cri.

Le prêtre prit sa plume et ses petits feuillets quotidiens.

Après un échange de quelques mots isolés sans conséquence, le garçon finit par articuler enfin, doucement, sans en mesurer la portée, sa toute première phrase.

Le curé retranscrivit aussitôt ce qu'il venait d'entendre phonétiquement : les termes « perdre », « saçvoir », « père », et « premier » ou « prime ».

Sous haute surveillance, le gamin continua à murmurer ainsi des phrases que le curé notait avidement, essayant à chaque fois de retranscrire de son mieux tous les phonèmes qui frappaient son oreille. Cette scène dura presque toute la journée. Henno Gui ne refit museler le garçon qu'après avoir recopié cinq feuillets de notes.

Il s'isola ensuite et reprit un à un tous ses textes. Il chercha pendant la nuit.

Au petit matin, après avoir façonné théories et jumelages audacieux, après avoir éprouvé l'ensemble de ses compétences philologiques et grammaticales, il comprit enfin.

Le résultat de cette recherche dépassa de loin ses prévisions les plus folles. Ce prêtre, pourtant peu enclin à l'émerveillement, ne put retenir un sentiment d'enthousiasme devant une découverte aussi inattendue.

— Le garçon utilise un vocabulaire issu de l'occitan, dit-il à Mardi-Gras. Celui-ci est altéré dans sa prononciation et dans son partage des genres, mais son origine est incontestable. En revanche, la construction de ses phrases est, elle, soumise aux règles du latin classique !

Ce mariage contre nature de deux langues à ce point éloignées était effarant. Il était impensable que cette mutation ait pu apparaître spontanément ou qu'elle découlât d'une provenance régionale ou ancienne.

Henno Gui essaya à son tour de construire mentalement des phrases de son cru, se familiarisant peu à peu avec cette grammaire aux combinaisons insolites. Le dialecte du jeune villageois était purement démonstratif, Henno Gui ne repéra aucune notion de temps, de passé, de futur, de condition ou d'antériorité dans ses conjugaisons. Les verbes étaient simplement accompagnés à l'infinitif de termes comme « avant », « après » ou « bientôt ».

Après une importante série de ratés, le prêtre et le garçon échangèrent enfin leurs toutes premières phrases. À cet instant, ils furent tous deux en proie au même saisissement.

Satisfait, le curé se tourna vers Mardi-Gras.

— À présent, nous pouvons accomplir la suite du plan.

La veille, la disparition du garçon avait semé le trouble parmi les villageois. Les habitants envoyèrent cinq d'entre eux sur les traces du porteur d'eau. L'homme au casque de bois et aux bijoux donna le pas à cette petite expédition armée. Ils avaient poussé jusqu'à la mare sans déceler la cache de Henno Gui et du géant.

Sur la rive, le curé avait tout prévu.

Les hommes ne trouvèrent qu'un seul indice appartenant au garçon : son sac de peau. Il était vide, nonchalamment abandonné sur la neige.

Mais ce n'est pas ce qui frappa le plus leur attention. Les cinq hommes aperçurent sur la glace une immense tache de sang. Elle ressemblait aux souillures d'un sacrifice. Le bord gelé du marais était toujours ouvert, formant une sorte de bouche béante dans la glace. Les lèvres de cette bouche étaient à présent imbibées de sang. Même l'eau stagnante était rougie. L'image était frappante : on eût dit que cette « gueule » avait dévoré, déchiqueté une proie.

L'homme au casque se saisit du sac du garçon et retourna à vive allure avec ses hommes vers les campements. Leur découverte plongea toute la tribu dans une stupéfaction et un silence terrorisés. Un cri de femme laissa entendre que la mère du garçon venait d'être mise au fait de l'incroyable nouvelle. Chacun retourna au fond de sa cache. Henno Gui ne vit plus personne pendant plusieurs jours.

Après l'étude du prêtre sur le langage du garçon, Mardi-Gras se saisit des guenilles du villageois. Ces bouts de peaux disparates qui ne tenaient ensemble que par de nombreux petits cordages tressés, il les remmaillota, remplissant l'enveloppe intérieure avec de la terre molle et des feuilles séchées pour rendre une forme humaine à l'ensemble. Quand cette mise en forme fut terminée, il quitta l'abri en direction de la crevasse.

‡

Le lendemain, la tribu trouva en plein centre des refuges une reconstitution du corps du jeune porteur d'eau qui avait disparu. Tous les villageois déjà aperçus par Henno Gui s'approchèrent de cette silhouette étrange, terrifiés.

C'est à ce moment que le curé aperçut un tout nouveau personnage dans la tribu. Le vingt-cinquième. Il avançait lentement, tenant un bâton qui le dépassait de plusieurs têtes. Comme tous ses frères, il avait une barbe sombre et des cheveux longs. Son allure était plus solennelle que celle des prêtres ou de l'homme au casque. Il était vêtu d'une immense cape, tissée de jaune et de rouge délavés. Cet être avait l'air et la mise d'un sage. Henno Gui l'observa avec un sourire victorieux. Il l'attendait.

Les villageois s'écartèrent respectueusement devant le nouveau venu. L'homme s'approcha de la silhouette et la considéra longuement, en silence. Puis il se mit à scruter le ciel. Lentement, le soleil matinal montait au-dessus des crêtes de la forêt. Soudain, lorsque ses rayons plongèrent enfin dans la crevasse, le « maître de la tribu » planta dans la neige son bâton, à quelques centimètres de la dépouille du garçon. Il fit ensuite quelques pas en suivant l'ombre longiligne que projetait le bois sur la neige et, à l'endroit où celle-ci se mourait, il fit une marque dans le sol.

Henno Gui ne comprenait pas.

Le sage leva alors les bras au ciel.

— *Or da liéa !*

Il cria ces mots à trois reprises, d'une voix de rogomme, devant toute la tribu ébahie. L'écho emporta ces syllabes jusqu'à l'arbre du curé et plus loin encore. Henno Gui les perçut très distinctement.

— Une ordalie !... murmura-t-il.

Un large sourire de satisfaction se dessina sur sa face. Mardi-Gras le regardait sans comprendre.

10.

Gilbert de Lorris et Aymard du Grand-Cellier arrivèrent à Rome au cours d'une après-midi radieuse. La température un peu plus douce faisait perler la neige le long des colonnes de Corinthe et des bas-reliefs. Bien qu'il entrât pour la première fois dans cette ville, Aymard ne se montra pas impressionné par ses splendeurs ; les marbres et les mosaïques le laissèrent indifférent. Son humeur s'était encore assombrie depuis que les deux cavaliers arrivaient au terme de leur périple. Gilbert, lui, était au comble de la joie. Le voyage avait duré à peine une journée et une nuit de plus que l'aller. Il savait qu'un retour aussi précipité, mission accomplie, allait méduser ses camarades et faire de lui un héros. Le jeune soldat avait le teint fatigué, les traits tirés par la route et le froid, mais il arborait cette allure crâne, cette belle assurance qu'ont ceux qui ont accompli un exploit. Une petite barbe lui donnait de l'âge. Avec ses chausses poussiéreuses et grasses, son pardessus élimé, ses guêtres grisées comme des guenilles et ses jambes forcies par la course, il se sentait pour la première fois l'allure d'un homme.

L'ordre de mission que lui avait donné Sartorius émanait de la chancellerie du pape, Gilbert prit naturellement la direction du Latran.

Au palais, il n'eut pas à lire son ordre de mission devant l'huissier. La simple vue du sceau du pape sur l'enveloppe suffit à réveiller l'appariteur qui se rua derrière une petite porte.

Quelques secondes plus tard, un garde introduisait Gilbert et Aymard dans l'antichambre du chancelier Artémidore.

Cette grande pièce était celle qui avait vu l'humiliation d'Enguerran du Grand-Cellier. Le garde désigna aux deux hommes le bureau placé près de la porte de Son Excellence.

Gilbert et Aymard se présentèrent devant un petit homme, affairé sur sa modeste table de secrétaire. C'était Fauvel de Bazan.

Le diacre fut inquiété de voir l'ordre de mission du soldat. Il blêmit en apercevant Aymard.

— Vous avez fait bien vite, mon jeune ami, dit le secrétaire du chancelier à Gilbert.

Le soldat crut devoir laisser cette remarque sans commentaire. Il la prenait pour un compliment. Il ouvrit simplement sa sacoche et déposa la boîte confiée par Sartorius.

— Vous avez là les reçus de mon itinéraire, dit-il. Ainsi que les bons non utilisés pendant le voyage. Il reste plus de vingt ducats.

Bazan ouvrit le petit coffret et compta l'argent.

— C'est très bien, dit-il.

Fauvel n'avait encore jamais vu un chargé de mission économiser sur ses frais et rendre le surplus de numéraire à ses maîtres. Pour autant, il ne montra pas un trait de gratitude. Il reprit même d'une voix rude.

— Qui vous a ordonné d'être aussi diligent ?

La question sonnait comme un reproche.

— Vous avez près d'une quinzaine de jours d'avance sur un itinéraire d'hiver qu'on avait déjà prévu serré, dit le diacre. Nous ne vous attendions pas aussi tôt. Mesurez-vous les conséquences de votre acte ?

Toute la fierté du jeune homme s'effondra. Personne en effet ne lui avait jamais demandé de battre la campagne pour ramener Aymard. Il se souvint même d'une fourchette de semaines inscrite sur son ordre de mission.

Son exploit le faisait à présent démériter aux yeux de ses

maîtres. Le garçon se sentit perdre pied. Aymard vint à son secours.

— Avec le froid, dit-il sèchement, croyez-vous qu'il était temps de respecter un quelconque calendrier établi dans un bureau ? Ce garçon a bien fait son travail. Je suis à Rome. Dites-moi plutôt à qui je dois être présenté.

L'ascendant d'Aymard sur le diacre était énorme. L'arrogant Bazan avait soudain le regard fuyant ; il ne pensa même pas à répliquer.

— Vous savez qui je suis, n'est-ce pas ? demanda Aymard.

— Oui, dit Bazan.

— Qui m'a fait venir à Rome ? Vous ?

— Non. Notre chancelier, monseigneur Artémidore. C'est lui qui s'occupe...

— Je croyais que mon cas avait été remis dans les mains du pape et dans les siennes seules, coupa Aymard.

Gilbert sursauta. Il ignorait tout de son prisonnier.

— Oui... mais le pape l'a remis dans celles de son chancelier... et de son chancelier seul.

— Et pourtant vous savez qui je suis.

— Je suis le premier diacre de Son Excellence.

— Bien sûr... Mon père est-il toujours à Rome ?

— Je ne saurai vous répondre.

‡

L'arrivée subite du fils d'Enguerran du Grand-Cellier à Rome cueillait à froid le chancelier autant que son premier diacre. Les dispositions prises pour son arrivée ne débutaient que la semaine suivante. Il était convenu qu'Aymard devait être présenté devant l'assemblée qui avait entendu son père. En aucune façon, ce personnage sulfureux ne devait pénétrer l'enceinte de Rome. De nombreux gardes allaient être placés sur les axes principaux qui menaient à la ville, pour le devancer et le conduire en lieu sûr. Son arrivée soudaine avait anticipé cette minutieuse organisation.

Bazan atténua comme il pouvait la colère du chancelier. Artémidore ne pouvait attendre la prochaine réunion de l'assemblée pour entendre Aymard. Il lui était impossible de garder cet homme à Rome avec la discrétion requise. Le chancelier était acculé à recevoir seul ce personnage de mauvais aloi.

Bazan escorta Aymard jusqu'au palais privé de son maître, en face du Latran. Avant cela, il avait congédié le jeune Lorris. Celui-ci pensait réintégrer tout uniment sa garde, mais on le transporta à Falvella, une garnison en poste au nord de Rome dont il n'avait jamais entendu parler.

Aymard entra dans les salons d'Artémidore. Les rideaux damassés et les tapis de Chypre étaient gigantesques. D'ordinaire, le chancelier affectait d'accueillir ses hôtes dans sa chambre, à la mode des princes orientaux ou des grands barons, mais il se refusa aujourd'hui à laisser pénétrer cet homme au passé si diabolique dans la pièce où il dormait.

Le chancelier rejoignit du Grand-Cellier. Il portait une cape de peaux d'élan et de cerf, croisée d'un bandeau rouge, emblème puissant destiné à faire fuir les mauvais esprits et les diables.

— Bonjour, monseigneur, dit Aymard.

Artémidore répondit à son salut d'un mouvement de tête. Il alla s'asseoir dans un canapé.

— Sachez, monsieur, que je souhaite que mon compte soit réglé rapidement, reprit Aymard sans attendre un signe du chancelier.

Artémidore dressa les sourcils.

— Ce souhait est tout à votre honneur, dit-il. Soyez assuré qu'il sera pleinement exaucé. Pour quelle autre raison auriez-vous été appelé jusqu'à Rome ?

— Mon père a dû réclamer une audience au pape afin que je puisse me défendre, ou qu'il puisse défendre mon cas. Je me dispose à être jugé par un tribunal restreint, puis excommunié et brûlé à la sortie du parloir, ou envoyé de force aux croisades pour mourir à bon compte.

— Les croisades ? Hé ! pouffa le religieux. Pourquoi ferions-nous une chose pareille ?

— Vous avez souvent forcé vos adversaires à se croiser... pour racheter leurs fautes ou pour vous en débarrasser au-delà des mers.

— Mon ami, il y a bien longtemps que les guerres saintes ne rachètent plus personne... encore moins les âmes... Elles suspendent les dettes, enrôlent des incompétents et parfois même nettoient une mauvaise réputation, mais dans votre cas, se croiser serait un effort bien inutile.

— Alors, je vais mourir. Soit. Qu'on en termine.

— Tout doux, mon ami, tout doux. Vous êtes bien impétueux.

— N'espérez pas de moi aucune repentance. J'ignore ce que mon père vous a promis, mais, pour ma part, je ne suis pas disposé à faire oublier mes fautes. Que pourrais-je faire d'ailleurs ?

— Vous, rien. Mais votre père, lui, a su accomplir ce qui s'imposait.

— Et quoi donc ?

— Disons... vous remettre entre nos mains.

Artémidore se mit à jouer avec ses affiquets et ses doigts épais.

— Soyons clair, dit le prélat. Vous nous avez pris un peu de court en arrivant plus tôt que prévu à Rome et vous n'êtes pas ici présenté dans les formes requises. Cette petite conversation que nous avons en ce moment ne devait jamais avoir lieu, cependant...

— Je vous écoute.

— Je ne suis pas seul à être attaché à votre cas et à vous avoir fait venir ici. Il y a d'autres personnes très importantes à mes côtés. Notre ordre stipule que vous soyez présenté à notre assemblée en premier. Ainsi chacun de nous aurait pu vous interroger, poser les questions que votre personnalité lui inspire afin de vous découvrir et sans doute de mieux vous comprendre. Nous sommes assez forts à cela.

Aymard lâcha un sourire, nettement méprisant.

— Je connais, monseigneur. Lorsque j'étais aux ordres du comte de Bellême, dans son régiment de Charlier, une cour martiale avait elle aussi essayé de me comprendre et de me corriger afin de faire de moi un meilleur soldat. Ils s'y sont cassé les dents. Je vois que vous avez aussi cette suprême prétention de vouloir amender les hommes. Racheter mes fautes ? Impossible, vous l'avez dit vous-même. Mourir ? Trop facile. Me guérir ? Voilà ce que vous pensez... Je connais ce laïus. C'est une illusion détestable. Vous échouerez lamentablement.

— Je suis au fait de votre aventure avec le comte de Bellême et de votre carrière de militaire. Vous avez refusé leur sentence et vous êtes rentré chez vous. Quelques semaines plus tard, vous entriez au séminaire afin, disiez-vous alors, de secourir les pauvres du Christ. C'est bien cela ?

Aymard ne répondit pas.

— On affirme souvent que l'homme peut soigner l'homme tant qu'il s'agit de viscères ou de squelette, mais que dès que l'on touche à son âme, c'est trop peu d'une vie pour atteindre ce but... C'est là un vaste sujet. J'ignore vos compétences en la matière, mais qu'on dissocie naturellement l'enveloppe corporelle de sa sœur spirituelle, c'est une opinion que je comprends et que j'accepte tant elle est populaire parmi nos frères et répandue par les dogmes de nos Pères. La dissociation du corps et de l'esprit est un vieux trope. De vous à moi, je vous avoue que c'est malheureusement une erreur de premier ordre ; et vous n'allez pas tarder à entendre ce paradoxe. Nous ne sommes pas prétentieux, comme vous dites mon ami, nous savons au contraire très bien ce que nous faisons. « Le corps et l'esprit unis à l'âme », c'est là toute notre affaire. Et, vous verrez, le corps peut sur l'âme ce que l'esprit seul n'oserait jamais rêver pouvoir accomplir...

Aymard écouta sans sourciller.

Artémidore tira du bout des doigts une cordelette qui pendait derrière lui. Un homme apparut sur le seuil de la porte. Il était immense, bâti comme un hercule, entièrement vêtu de noir.

— Aymard du Grand-Cellier est attendu au monastère. Conduis-le.

Bazan entra à son tour dans la pièce.

— Fauvel, dit le prélat, assurez-vous qu'il quitte la ville discrètement.

Il se tourna une dernière fois vers Aymard.

— Je vous souhaite bonne chance, mon fils. Nous reprendrons cette conversation à notre prochaine rencontre. Je suis certain que vous partagerez alors mes vues sur l'âme et du corps. Le traitement qui vous attend ne saurait laisser indifférent un homme comme vous.

‡

Aymard fut installé par l'homme en noir dans une diligence aux portes et aux fenêtres soigneusement calfeutrées. Pendant deux jours et trois nuits, Aymard ne quitta pas sa voiture. On lui apporta à manger et à boire, il dut se soulager en rase campagne au seuil des portières.

Quand il fut enfin libéré, il se découvrit sur l'autre rive des États de Saint-Pierre, face à la mer Adriatique. Une brume épaisse et matinale enserrait le paysage. Un sentier de colline, accessible seulement à pied, serpentait devant lui vers le sommet. L'homme en noir l'entraîna dans ce chemin.

Peu à peu, Aymard vit apparaître au loin les longs remparts d'une forteresse. Des murailles se dessinèrent, isolées dans ce décor sauvage. Le sentier était rocailleux. Au bout d'une demi-heure, les deux hommes arrivèrent sur une route plus dégagée qui conduisait jusqu'à l'édifice. Ce n'était pas une forteresse de seigneur, comme l'avait d'abord pensé Aymard, mais un immense monastère, admirablement rénové et aussi fortifié qu'une place de garde impériale. Les façades s'étendaient sur plusieurs stades, sans portail, sans porte, sans meurtrière.

Aymard inspecta l'horizon. Il n'y avait pas de maison, pas de village, pas de port, pas un seul bateau en mer.

L'homme en noir conduisit le prisonnier jusqu'au mur oriental. Là, une petite porte cochère, presque ridicule tant elle était menue et discrète au pied de cette énorme enceinte, s'ouvrit aux seuls mots de « Merci Dieu ». Aymard entra derrière son garde.

Celui qui leur avait ouvert l'huis était déjà parti. Du Grand-Cellier n'aperçut que le dos de sa coule brune qui fuyait au fond du promenoir.

Avec son mystérieux guide, il traversa des péristyles de bois massif, des vestibules aériens, des couloirs déserts et silencieux...

À la fin, l'homme en noir s'arrêta dans une vaste salle. Toute blanche. Elle donnait sur les jardins du cloître. Le soleil l'inondait de lumière à travers de grands vitraux transparents. Les scènes de la Passion y étaient représentées grâce aux figures dessinées par des résilles de plomb, mais aucune couleur ne donnait de perspective ni de relief à cette œuvre. Le déchiffrage demandait un œil initié ou une forte concentration... mais étaient-ce bien des représentations des Évangiles ?

Une porte s'ouvrit au fond de la pièce. Deux hommes s'avancèrent vers Aymard. L'un était moine, petit, maigre, tonsuré de près. L'autre avait une mise beaucoup plus étrange. Il portait une longue tunique rouge, ceinte comme une toge romaine, au-dessus d'un gilet de couleur jaune. Il avait les pieds nus et le crâne entièrement rasé.

— Bonjour, mon fils, dit le premier moine. Je suis le père Profuturus, abbé de ce monastère. Je vous souhaite la bienvenue dans la communauté d'Albert le Grand.

Il fit un signe d'intelligence à l'homme en noir. Celui-ci, sans proférer le moindre mot, quitta la salle.

— Mon fils, bien que je sois aux commandes de cet établissement, ce n'est pas à moi de vous expliquer ce qui vous y attend. Je l'ignore autant que vous. Chaque traitement a sa propre histoire. Vous aurez la vôtre. Qu'elle soit un succès ou un échec. Laissez-moi vous présenter maître Drona, un de nos plus éminents professeurs. Il ne parle malheureusement pas le français, ni aucune langue occidentale. Il est presque impossible de communiquer avec lui en dehors de sa langue natale. Qu'importe, du reste. Vous n'aurez qu'à suivre ses indications visuelles.

— Ses indications ? À quel sujet ?

— À tous les sujets, mon fils.

L'homme à la curieuse toge pourpre posa sa main lourde sur l'épaule d'Aymard.

— Maître Drona est votre dresseur, dit l'abbé.

11.

Le lendemain de l'annonce de l'ordalie entendue par Henno Gui, chaque villageois se préparait dans la crevasse pour la cérémonie. Le ciel était couvert. Il tombait quelques flocons isolés. Les trois prêtres dressèrent un bûcher. Des porteurs inondèrent le sol avec les eaux « sacrées » des marais et remplirent une grande cuve. On la posa sur le petit monticule enflammé.

L'ordalie débutait.

— Par le feu rouge qui blanchit la pierre et noircit le bois, dit le sage à la toge rouge, par l'eau sainte qui panse la plaie rougie et qui purifie le noir du cœur, au nom de nos sept mères sacrées, je demande aux dieux de descendre parmi nous...

Tous les habitants étaient regroupés autour des prêtres, de l'homme au casque de bois et du « vénérable » qui officiait. Après l'incantation de ce dernier, ils tombèrent à genoux, tête inclinée, poings serrés contre le cœur, dans un profond silence. On attendait.

Aux premiers frémissements distincts à la surface de l'eau, le sage proclama :

— L'eau des marais est réveillée !...

Il déposa alors, avec beaucoup d'attention, deux grandes feuilles séchées dans le récipient.

Une épaisse fumée s'évapora à leur contact avec l'eau bouillante. Peu à peu, elles se scindèrent en cinq morceaux.

— Cinq dieux sont parmi nous, déclara le sage solennellement.

Les villageois courbèrent l'échine, tête contre sol, avec plus d'humilité et d'effroi que jamais.

Dans la cuve, les morceaux se métamorphosaient au gré du bouillonnement. Ils dessinaient parfois les contours d'un visage. Toute la tribu se mit à murmurer avec ferveur des prières votives et répétitives. L'homme s'empara d'une écuelle en bois et ôta délicatement de la cuve la première face divine inscrite sur le morceau de feuille. Quand il l'éleva aux yeux de tous, les prières redoublèrent. Avec beaucoup de minutie, il déposa cette « incarnation » dans la neige. Il célébrait l'acte du Transfuge. Par ces gestes, le grand prêtre scellait le passage des dieux du ciel dans le monde des hommes.

Selon la forme des fragments posés dans la neige, il identifia les dieux de la Justice, des Marais, des Étoiles, des Bois et des Âges et les nomma pour que chacun les reconnaisse.

— Par l'eau qui nous garde, demanda-t-il soudain, dieux, répondez-nous : l'âme de notre frère disparu est-elle à présent parmi les morts ?

Pour toute réponse, la cuve se mit à trembler d'un coup, dans un cri déchirant… Le sage lui-même recula de stupeur devant la violence de cette réaction. Pour tous les villageois, ce signal était clair : c'était le cri de l'esprit errant du garçon.

Il y eut un long silence de recueillement et d'effroi.

Les prêtres avaient dégagé la cuve du feu et l'avaient posée à même la neige. L'officiant prit alors une de ces cinq figures de dieux et la jeta dans le brasier. Aussitôt, une épaisse fumée noire monta en spirale vers le ciel. Toute la tribu la regarda avec concentration. Elle tournoya un moment, comme un esprit qui cherche à prendre forme, puis s'élargit soudain et prit une amplitude extraordinaire. Un dieu magnifique apparut alors au milieu des volutes grises ; il était immense, stupéfiant. Son torse, ses bras, son port robuste et ses yeux sombres se détachaient distinctement dans la brume. Les participants de l'ordalie ne purent détacher leurs yeux de cette vision fantastique. Ils étaient tous blêmes.

On attendait que le dieu immense s'exprime d'un signe, qu'il inspire sa justice.

Celui-ci ne fit pas attendre sa réponse. Il étendit un bras vers le sud. Il l'étendit si bien et si loin que son image même finit par se démanteler peu à peu dans ce long mouvement, pour ne redevenir que simple fumée... Les villageois entendirent alors des craquements sur les bords de la crevasse.

Un mouvement.

Rapide.

Ils tournèrent la tête en tout sens. Rien ne semblait bouger.

L'un d'eux cria soudain.

Toute la tribu se figea. Au cœur de la fumée du dieu, alors qu'elle se désagrégeait entre les arbres, ils virent une silhouette qui s'avançait, claire et mystérieuse.

C'était Henno Gui.

‡

Le prêtre marcha jusqu'au centre de la crevasse, devant le sage et les prêtres. Il était seul. Il tenait son bourdon en bois dans la main droite. À mesure qu'il se rapprochait, les moins téméraires fuyaient et disparaissaient dans leurs refuges.

Le curé avait observé l'ordalie depuis les hauteurs. Il l'avait démystifié comme on décrypte un mythe antique ou une légende païenne : les feuilles n'étaient que de vieux parchemins rancis dont la formule avait tourné au souffre, le cri effrayant de la cuve n'était que la réaction du chaudron brûlant posé sur la neige par les prêtres ; les visages des dieux n'étaient que des interprétations hasardeuses, tout comme la transfiguration de ce dieu géant dans l'émanation noire. Il n'avait étendu aucun bras, le vent avait simplement emporté la fumée dans son cours. Henno Gui s'était alors précipité pour profiter de cette entrée à caractère divin. L'effarement des villageois devait le protéger.

Il n'en fut rien.

L'homme au casque de bois accueillait mal cette apparition imprévue. Il se rua violemment sur le prêtre.

Celui-ci n'eut qu'à tendre la paume et son assaillant s'effondra de tout son long sur la neige.

Un autre homme voulut l'attaquer, puis un troisième. Ils reçurent le même châtiment mystérieux : à distance, ils tombaient avant d'atteindre Henno Gui. Cette force surnaturelle effraya les villageois.

— Es-tu un dieu ? lui demanda soudain le sage.

Le curé savait qu'il devait répondre vite et que sa survie dépendait peut-être de cette unique réponse.

Il pensait effrayer ces indigènes avec son apparition et ses pouvoirs mystérieux. Dans une paroisse normale du royaume, de tels actes auraient foudroyé la population et l'auraient jetée à genoux devant lui. Mais l'officiant et les prêtres restaient de marbre. Il fallait en faire plus.

— Non, répondit Henno Gui dans leur langue. Je ne suis pas un dieu. Mais je sais en revanche ce que vos idoles ont ignoré devant vous.

Il leva un bras. En haut de la crevasse, sur la crête, apparut le jeune garçon qu'il avait enlevé avec Mardi-Gras. Il dévala la pente raide, toujours habillé de la seconde robe du curé.

À ce retour d'un mort, la face du sage se lésa enfin. Henno Gui venait de contredire ses dieux.

Le curé reprit alors :

— Et je sais encore d'autres choses, beaucoup de choses que vous ignorez...

Les prêtres le regardaient, sans bouger. Plus aucune arme n'était dressée vers l'apparition. Le cœur du prêtre sautait dans sa poitrine. Il savait qu'il venait de remporter une étape. La première. Il avait réussi à gagner du temps. Et toute sa stratégie était tournée vers ce seul but : gagner du temps... se faire entendre... et écouter.

12.

Le vicaire Chuquet arriva à Paris par la porte du Grand-Pont. Il traversa le péage et le guet de la douane sans encombre. Du haut de la colline Sainte-Geneviève, il aperçut toute la cité. Ses grands-parents lui avaient compté jadis les merveilles de cette ville. Mais la capitale avait bien changé depuis. En trois rois, elle avait doublé sa population, élargi ses remparts et troqué son bois de façade contre de la pierre.

Chuquet fit de longs détours pour entrer avec sa carriole et ses trois chevaux. Les venelles étaient trop étroites. Il ne pouvait cheminer sans renverser des comptoirs, des porte-faix surchargés, écraser un demeurant-partout endormi sur le pavé, ou bloquer un faubourg.

En dépit du froid, les rues de commerce grouillaient de monde et puaient à l'envi. Le moine jugea que l'odeur du corps de Haquin n'aurait peut-être pas tant choqué les Parisiens. Par deux fois, il passa devant un gibet où se balançait un pauvre hère qui séchait sur la corde avec une mitre de papier sur le front. La règle voulait que personne ne touchât à un pendu tant que le nœud ou la nuque n'avaient pas cédé. Cette interdiction laissait pendouiller des cadavres pendant plusieurs jours, parfois des semaines. Leurs odeurs fétides se mariaient alors aux parfums des étals de fruits, à la crasse des hommes et aux eaux usées qui coulaient comme des ruisseaux.

188

Chuquet trouva difficilement le chemin de l'archevêché. Malgré sa coule et sa tonsure, les Parisiens l'égarèrent souvent, pour la seule joie d'emporter une piécette ou de bonimenter un « tonsuré ». Le respect pour les clercs n'était pas de mise dans la capitale.

Chuquet arriva tant bien que mal de la rue du Four vers le pont au Change. En bord de Seine, il aperçut l'immense bâtisse qui concentrait tout le pouvoir épiscopal du royaume, bien que Paris dépende de l'archidiocèse de Sens. Devant la porte ferrée, bardée de clous, il laissa son coche au lad des berges.

Lorsqu'il franchit les battants de fer pour emprunter la petite galerie qui conduisait au cœur de l'édifice, Chuquet crut quitter un monde pour un autre, découvrant une nouvelle cité aussi calme et soignée que la précédente était bruyante et crasse. Les rumeurs de la rue ne portaient plus.

Le vicaire aperçut les grands jardins au centre du cloître. Chaque arbuste, chaque plante était repiqué et taillé avec un art digne de l'enluminure. Chuquet comprit que ces personnages et ces bêtes d'herbes étaient disposés comme dans un symbole : une simple promenade dans ce petit éden en disait plus long sur la vie des hommes qu'un manuscrit précieux. Pas un seul flocon de neige ou de givre ne souillait les branches ou le tapis de gazon. Des jardiniers s'évertuaient chaque jour à épousseter ou à fondre patiemment toute trace de blanc, pour en conserver l'éclat printanier. Les conifères sculptés étaient d'une netteté et d'une vigueur étonnantes. Tant de verdure en plein hiver relevait du miracle.

Au-dessus du cloître, Chuquet entrevit l'immense volière de l'archevêché. Des meurtrières laissaient apparaître des pigeons de relais, forts et grassement nourris.

Chuquet tenait précieusement sous le bras la boîte remplie des reliques de Haquin. Il se garda bien d'en révéler le contenu à qui que ce soit.

Il arriva devant un office d'accueil. Un jeune dominicain attendait les solliciteurs.

— Je suis le frère Bonnet, dit ce dernier, en quoi puis-je vous être utile ?

— Je m'appelle Chuquet, vicaire de l'évêque de Draguan.

— Draguan ? Jamais entendu parler. Que voulez-vous ?

— Je viens reporter la mort...

Chuquet hésita. Il ne voulait pas user du terme de meurtre devant cet étranger.

— ... la disparition de monseigneur Haquin, notre évêque.

Bonnet nota cette arrivée sur son livret.

— ... et je souhaite aussi rencontrer un certain monseigneur Alcher de Mozat, ajouta Chuquet.

Ce nom ne fit aucun effet sur le jeune dominicain. Il lui indiqua simplement un numéro de porte sur l'aile ouest du cloître.

— Présentez-vous à Corentin Tau, au numéro 3193. C'est le maître archiviste. Il connaît tous les noms et tous les clochers du royaume, il vous remettra le dossier de votre diocèse et identifiera sans doute votre monseigneur Mozat. Ensuite, présentez-vous à l'office des registres au premier étage, afin qu'ils inscrivent le départ de votre évêque et mettent en route les modalités réglementaires. Apportez-leur le dossier épiscopal, cela leur fera gagner du temps.

Chuquet le remercia et prit la direction des Archives.

Le vicaire franchit la porte 3193. Il se retrouva dans la salle des Commentaires. Cette pièce était étrangement faite : il n'y avait que quatre bureaux pour les clercs d'écriture et des portes. Que des portes. Pas d'étagères, pas de murs vides, pas d'ornements, juste deux petites fenêtres étroites, et le reste en portes de bois verni. Chuquet en compta une douzaine. L'endroit sentait la cire à cachet et était éclairé par de longues et fines bougies de légiste.

Le maître archiviste était assis à une petite table, bombé sur des liasses ouvertes. Tau était un homme petit, les tempes grisonnantes, l'œil mordant et la physionomie plutôt confiante.

— Haquin... de Draguan ? dit-il après que Chuquet lui eut

expliqué d'où il venait. Draguan... répéta-t-il. N'est-ce pas là où, l'an dernier, trois voyageurs ont été retrouvés charcutés dans une rivière ?

Chuquet sursauta.

— Tout à fait. Vous vous en souvenez ?

— Oui... un homme et deux enfants. Horrible histoire.

Il balaya cette image sinistre d'un geste de la main.

— Que puis-je pour vous, mon ami ?

— Je viens faire établir aux registres le décès de mon maître. Le moine d'accueil m'a enjoint de me munir du dossier de ma paroisse et je souhaite aussi...

Mais Corentin Tau prit soudain une figure étrange.

Deux de ses clercs, qui travaillaient sur des parchemins mais écoutaient discrètement la conversation, relevèrent aussi la tête.

— Vous voulez le dossier de Draguan ? demanda l'archiviste. Suivez-moi.

Corentin Tau ouvrit une des portes mystérieuses de la salle des Commentaires. Pour ce faire, il sortit une énorme clé d'un trousseau suspendu à la corde de sa bure. L'issue donnait sur un petit escalier en pierre qui s'incurvait vers les sous-sols de l'archevêché. Le petit homme se mit à le dévaler d'un pas vif. Il arriva dans une salle basse où de longs rayons symétriques croulaient sous des dossiers de manuscrits. L'archiviste prit une torche déjà allumée fichée près de la rampe et se tourna vers Chuquet qui le suivait difficilement.

— Il y a un peu plus d'un an, dit-il, le Conseil de l'archevêque m'a informé de l'incident survenu à Draguan qui concernait trois meurtres, trois cadavres retrouvés dans une rivière. Comme d'habitude, il m'a réclamé le dossier attenant à ce diocèse pour établir son enquête.

Corentin Tau éleva sa torche et montra son immense bibliothèque souterraine.

— Nous sommes ici dans une des quinze salles qui conservent les archives épiscopales du royaume. Tout ce qui concerne les impôts, les affectations, les procès, les troubles divers, est conservé ici, par écrit, en tant que doubles des originaux paroissiaux.

Le moine Chuquet observa ces longs couloirs étroits et poussiéreux. Corentin avoua que ces archives n'avaient rien de secret et qu'on pouvait assez facilement les compulser, avec une autorisation de l'archevêché. Les rapports les plus récents avaient tous plusieurs années de retard sur la vie actuelle des diocèses. Il y avait donc peu de mystères étourdissants à dénicher dans ces rayons. Mais l'archiviste veillait très activement à ce que rien ne disparaisse, ni ne s'insère frauduleusement dans ses papiers.

— À la demande de mes supérieurs, je suis donc descendu ici pour récupérer le dossier de Draguan. Et là, contre toute attente, j'ai découvert que nous n'avions absolument aucune information répertoriée sur cet évêché. Rien.

Corentin poursuivit en s'engageant dans les petites allées.

— On me fit sèchement comprendre que c'était à la fois scandaleux et compromettant. Je répondis que le dossier était peut-être égaré dans d'autres rayons ou dans d'autres salles. Ce qui, notez-le, n'était jamais arrivé. Mais bon. Pendant six jours, mes commis et moi avons inspecté toutes les archives de l'archevêché. Je dit bien : toutes. Nous n'avons pas trouvé le moindre bordereau faisant mention de ce mystérieux diocèse. Comme s'il n'avait jamais existé. Je m'apprêtais à rédiger une missive embarrassée indiquant l'échec de mes recherches, quand un ordre, écrit de la main même de l'archevêque, me commanda de poursuivre ces recherches, coûte que coûte. C'était une démarche plutôt étrange, mais je m'inclinais. Cet ordre m'accordait un peu plus de temps pour comprendre ce qui avait pu se passer dans mon service. Seulement, quelque temps après, je redescendis une nouvelle fois dans cette cellule, et sur quoi tombai-je ? Sur ça !

L'archiviste s'arrêta devant un rayon, au commencement de la classification alphabétique « D ». Il leva sa torche vers l'étagère principale et l'approcha des titres alignés. Là, entre les noms Drain et Drezères, se trouvaient trois énormes dossiers, liés par de grosses lanières de cuir, indiquant tous sur leurs tranches : « DRAGUAN ».

— Imaginez ma stupeur et ma colère ! dit l'archiviste. Car celui qui a fomenté cette mauvaise plaisanterie a peut-être trouvé un moyen d'entrer à mon insu dans mes souterrains, mais il a sous-estimé mon jugement. Je connais parfaitement mes dossiers, mieux que quiconque. J'ai lu ces trois gros rapports dits « Draguan ». Tout ce qui s'y trouve appartient intégralement aux diocèses de Gressey et de Saint-Georges ! Les informations ont toutes été recopiées et grossièrement compilées pour faire accroire à des archives nouvelles. C'était une supercherie lamentable dont je me suis plaint immédiatement. On m'a répondu alors, en haut lieu, que l'essentiel était d'avoir retrouvé les dossiers et que le reste relevait d'une mauvaise farce qui ne portait pas à conséquence ! Lorsque j'ai demandé à récupérer les billets concernant les trois meurtres récents, afin de les archiver à leur tour, on m'a vaguement répondu qu'ils n'étaient plus à l'archevêché. Point final. J'ai renoncé à comprendre. Moi, vous savez, je n'enquête pas, je classe. Mon rôle s'arrête là.

— Et vous n'avez jamais entendu parler de monseigneur Haquin, l'évêque de Draguan ?

— Ce nom ne me dit rien, mais s'il fait partie de l'Église du royaume, il fait partie de mes fiches. Je dois pouvoir le retrouver. Enfin, je l'espère. Quel renseignement cherchez-vous ?

— Notre évêque était très secret. J'ignore tout de son passé et je voudrais retrouver sa famille, afin de... de lui remettre ses effets personnels.

Corentin visa la boîte de Chuquet.

— Je comprends. Je vais voir ce que je peux vous dénicher à son sujet.

Les deux hommes retournèrent dans la salle des Commentaires. Chuquet reprit.

— J'ai cependant une autre piste. Il semble qu'un certain Alcher de Mozat soit aussi en mesure de me renseigner sur Haquin. Vous connaissez cette personne ?

Corentin haussa les épaules en souriant.

— Tout le monde connaît monseigneur Mozat, mon ami ! Enfin, tous ceux qui ont un peu vécu. Mozat s'est retiré des affaires il y a six ou sept ans. Il est aujourd'hui très âgé. Vous le trouverez sans doute chez lui. Je ne crois pas qu'il ait quitté la ville.

L'archiviste nota pour Chuquet l'adresse de Mozat et lui fit un bon pour l'hôtelier de l'archevêché.

— J'imagine, à voir vos bottes encore crottées et votre vilaine tonsure, que vous n'avez pas encore trouvé de gîte à Paris. Avec ce bon, vous serez accueilli à l'hôtellerie le temps de votre séjour. Venez me voir demain en fin de journée, j'aurai sans doute du nouveau sur votre évêque.

Chuquet le remercia et sortit.

Mais, dans le couloir, le maître archiviste le rattrapa au bout de quelques pas.

— Au fait, je me demande… Vous êtes la première personne que je rencontre qui puisse enfin me renseigner sur cet étrange diocèse de Draguan. Qu'a-t-il donc de si particulier ? Que s'y passe-t-il pour qu'on dissimule ainsi son dossier et ses patentes, même à un vieil archiviste inoffensif comme moi ?

Chuquet réfléchit un instant. Il repensa, en vrac, à l'homme en noir, au meurtre de Haquin, aux lettres sans réponses de l'évêque, à la découverte du village des maudits, au triple assassinat du Montayou, à l'arrivée de l'étrange Henno Gui, aux questions, aux mille questions qui hantaient les fidèles de la paroisse… tout s'embrouillait comme dans un mauvais rêve.

— Rien, répondit le vicaire.

Il prit même une voix teintée de surprise.

— Je vous assure, Draguan est un petit diocèse sans histoire. Je ne comprends pas.

L'archiviste secoua la tête, insinuant qu'il ne comprenait pas non plus. Il retourna vers ses bureaux.

À l'étage, Chuquet fut reçu à l'office des registres. Il attesta par écrit la mort de l'évêque de Draguan. On lui demanda si une preuve pouvait être attachée à ce rapport :

il déposa les trois bagues épiscopales du diocèse qui servaient d'emblème au ministère et qui revenaient à présent au successeur de Haquin. Il n'avoua rien sur les conditions macabres de la disparition de son maître. Quand on lui demanda s'il avait le dossier de l'évêché, Chuquet renvoya simplement cette requête vers les services de Corentin Tau.

Grâce au bon de l'archiviste, l'hôtelier de l'archevêché installa le nouvel arrivant dans une chambre du troisième étage. À la bien considérer, Chuquet la trouva plus vaste et plus confortable même que celle de l'évêque à Draguan. Ce n'était pourtant qu'une cellule de dernier ordre. Sa fenêtre donnait sur la Seine et les toits de Paris. Il était encore tôt ; la ville battait son plein. Chuquet voulut reprendre la route pour s'entretenir tout de suite avec Mozat, mais la vue du matelas à sangles l'en dissuada bien vite. Combien de fois n'avait-il pas rêvé ces derniers temps de draps bassinés, lui qui gardait le cul d'ambre depuis des jours et des jours ? Il dissimula sa précieuse boîte sous le lit et s'écroula tout habillé. Le vicaire dormit d'une traite jusqu'à tard le jour suivant.

13.

Au monastère d'Albert le Grand, la purification d'Aymard du Grand-Cellier commença par un simple questionnaire écrit. Aymard crut d'abord à une plaisanterie. Le maître Drona lui demandait son nom, son âge, la qualité de ses parents, son pays de naissance, son titre, son souvenir le plus ancien, le nom du lieu où il se trouvait, les noms du roi de France et du pape, ainsi que le sujet de son dernier rêve.

Le fils d'Enguerran répondit rapidement à ces dix questions. Il laissa seule la dernière case vide à propos des rêves : « Je ne rêve jamais », dit-il. Le maître haussa les épaules quand l'homme en noir, qui ne les quittait jamais, lui rendit cette réponse dans sa langue étrange.

Aymard fut alors conduit vers les souterrains dans une cellule étroite, creusée à même la colline. On le défit entièrement de ses vêtements et on l'attacha à une planche de bois verticale, devant une bassine creusée elle aussi dans la roche. Le réservoir était vide.

Il était seul avec le maître et le garde en noir. Autour de lui, il ne vit aucun fouet, aucune lame, aucune tenaille.

La porte de la cellule s'ouvrit peu après pour laisser entrer un moine tirant une chaise derrière lui. Le nouveau venu ne regarda même pas Aymard. Il s'installa à quelques pas, totalement indifférent. Il tenait un petit livre entre les mains. Il échangea un coup d'œil avec Drona puis ouvrit son recueil et se mit à lire à haute voix les premières lignes.

196

Ses pages étaient remplies de textes hérétiques, d'injures religieuses, de blasphèmes, de récits maléfiques... Lentement, d'une voix posée, presque mélodieuse, le moine débitait de véritables horreurs. Aymard ne put s'empêcher de sourire. Il reconnut dans cette anthologie certains passages fameux qu'il avait fait réciter solennellement lors de ses cérémonies secrètes ou de son mariage avec la Vierge. Dans certaines communautés obscures, les textes du Mal étaient aussi prisés que les feuillets apocryphes de la Bible.

— Piètre torture, se dit le fils d'Enguerran.

Le maître fit un signe au garde ; celui-ci se dirigea vers la porte et laissa entrer trois nouveaux moines. Ils portaient à bout de bras un énorme bac rempli d'un liquide noirâtre.

Aymard était immobilisé sur la planche par de grosses courroies. Il ne put s'opposer à ce qu'un des moines lui élargît la bouche et lui bloquât la mâchoire avec un mors qu'il serra derrière sa nuque. L'homme lui glissa un long tube en boyaux jusqu'au fond du gosier. À partir de là, les tourmenteurs se tinrent prêts à lui administrer, directement dans l'estomac, le jus étrange contenu dans la bassine.

C'était une potion vomitive. Son effet était instantané. Dès que la première lampée coula dans le ventre d'Aymard, il fut pris d'horribles contractions et se mit à régurgiter violemment sa bile et ses tripes. À chaque vomissement, la planche qui le soutenait basculait légèrement en avant pour le laisser se vider dans le bassin en pierre.

Le moine, toujours indifférent sur sa petite chaise, poursuivait sa lecture.

Ce traitement, ce lavement, Aymard allait l'endurer pendant huit jours.

Il fut forcé d'avaler des litres et des litres de potion vomitive. Chaque matin, le bassin en pierre était nettoyé des vomissures de la veille. Chaque jour, les relents et les renvois se faisaient plus douloureux...

Le supplicié manquait parfois de se noyer. Mais Drona ne faiblissait jamais la cadence. On basculait complètement la planche : Aymard, tête en bas, se vidait sans effort.

Pendant cette épreuve, on ne lui donna ni à manger ni à boire. Il subit huit heures par jour cette purge insupportable. Lorsqu'il perdait connaissance, on le réveillait avec des spiritueux et le supplice reprenait aussitôt.

Le moine lisait calmement son recueil. Quand il terminait son anthologie, il reprenait, imperturbable, aux premières pages.

Lorsque la journée de torture s'achevait, Aymard était dessanglé et jeté dans un cachot noir. Il sombrait dans un sommeil sans fin, épuisé, malgré les courbatures et les crampes qui lui criblaient l'abdomen. Dès son réveil, on le ramenait à la planche et à la potion.

La physionomie du prisonnier se métamorphosa. L'homme devint maigre à faire peur. Il était pâle, ses ongles se décalcifiaient, il perdait ses cheveux par grosses poignées, sa glotte et sa langue étaient atrophiées, sèches comme des fruits rongés par du sable.

Pendant ses heures de calvaire, il lui arrivait parfois de perdre la vue, l'ouïe, ou la sensation d'équilibre et d'espace. La coulée atroce du jus bilieux n'était plus son unique motif de souffrance. La planche devint elle aussi insupportable. C'est elle qui le tirait de ses rares moments d'inconscience. À chaque bascule, Aymard sentait tout son sang lui affluer dans le crâne, ses muscles craquer, son squelette se tasser comme un pantin de bois...

Au fur et à mesure du supplice, le torturé développa de nouveaux degrés de conscience. Des sens inconnus entraient en action, tous indépendants : il y avait d'abord celui qui suivait la potion corrosive tomber dans l'estomac, celui qui percevait les variations du flux sanguin, celui qui ressentait le mouvement des entrailles et des os, celui qui écoutait attentivement les pulsations du cœur, celui enfin qui, totalement affranchi, passait de l'un à l'autre sans effort, comme un témoin privilégié, étrangement extérieur à sa propre souffrance. Chose importante pour la purification, c'est ce dernier qui entendait distinctement les chapitres prononcés en boucle par le moine lecteur. Aymard ne pouvait plus s'empêcher de les entendre, pas plus qu'il ne pouvait empêcher la potion de lui enflammer les entrailles ou ses os de crisser à chaque renversement. Cette voix régulière et chantante le déchirait à présent autant que ses ablutions brûlantes. Il n'entendait plus les mots du moine en tant que tels : il voyait les images, il entendait les sons, il sentait les odeurs, il visualisait les lieux et les personnages évoqués à chaque phrase…

Au dernier jour du traitement vomitique, on le jeta dans une nouvelle cellule couverte de paille. Là, il put reprendre quelques forces. Pour un temps.

Il reçut son premier repas. Un moine, entièrement vêtu de blanc, lui offrit une à une des petites hosties imbibées d'eau bénite. Le prisonnier les ingurgita avec une joie prodigieuse, elles apaisaient l'incendie qui lui rongeait les entrailles… Pour chaque hostie offerte, le moine récitait à voix haute un psaume sur la miséricorde, le pardon ou la grandeur du Seigneur.

Trois jours plus tard, Aymard fut de nouveau confronté au questionnaire écrit de Drona. Faible, hagard, il ne put répondre qu'aux quatre premières questions. Il avait beau chercher, les noms du roi et du pape ne lui revenaient pas. Et quelle date était-on aujourd'hui ? Il ne savait plus…

Le lendemain, Aymard fut amené dans une nouvelle grotte, un peu plus spacieuse que la précédente. Là, il fut entièrement rasé, de la tête aux pieds. On lui lia les poignets et on le suspendit de tout son long, les bras en l'air, à une corde solidement nouée dans la muraille. Ses pieds touchaient le sol, mais il ne pouvait se déplacer, ni s'avachir. Il se laissa pendre lamentablement, trop faible pour réagir ou se tenir droit.

Le moine lecteur réapparut, avec sa chaise et son livre. Aymard ne le vit pas s'installer. Mais dès qu'il entendit sa voix et les premiers mots du recueil, il eut comme un violent haut-le-cœur. Instinctif.

La seconde phase du supplice débutait.

Dans un sifflement terrible, Aymard sentit une morsure lui déchirer les chairs du dos : une large lanière de cuir venait de le fouetter. Il hurla. Des moines passèrent sur sa peau blême des lames brûlantes couvertes de cire. Les coups pleuvaient. Le moine continuait de lire. Au fin fond de l'esprit du supplicié, tout se bousculait : il ne savait plus s'il criait pour la flagellation ou pour les phrases du moine qui lui rappelaient sa torture précédente.

Quand on détacha Aymard, deux heures plus tard, il était couvert de sang.

Il fut rejeté dans sa cellule. Le soir, le moine blanc vint de nouveau lui réciter des psaumes et le nourrir d'hosties bénites.

Aymard resta dans cette cellule pendant trois jours, seul. Le temps que ses plaies cicatrisent.

Puis le supplice du fouet et des couteaux reprit.

Quelques jours plus tard, Aymard fut de nouveau confronté au questionnaire de Drona. Cette fois, il ne répondit à aucune des questions. Il ne savait plus rien. Ni qui il était, ni quand, ni où il se trouvait... Il laissa toutes les cases vides.

Le dernier jour de purification eut lieu dans la grande cellule. C'était un mois après son arrivée au monastère. Aymard fut comme d'habitude suspendu par les bras, entièrement dénudé. Drona, l'homme en noir, le lecteur et trois moines étaient présents. Le prisonnier aperçut cependant un homme nouveau qu'il ne réussit pas tout de suite à identifier. C'était le père Profuturus.

Tous les ustensiles de torture des dernières semaines étaient étalés devant le supplicié : le bac de potion vomitive, les lames blanches, le fouet, la cire chaude, les pinces et les crochets, les planches à broyer.

Aymard avait l'air absent. Son regard était vague et lointain. Il fredonnait un psaume. Dans la nuit et le silence de ses cachots, il avait découvert qu'il lui suffisait désormais de se réciter en dedans les quelques psaumes que le moine aux hosties lui répétait chaque jour à l'heure du repas pour que la joie de l'eau fraîche et de l'hostie bénite fondant dans sa bouche réapparaisse. C'était son unique moyen d'adoucir son mal.

Dans la grotte, le moine lecteur retrouva sa place habituelle. Il ouvrit son petit livre. Instinctivement, dès qu'il le vit se préparer, Aymard frissonna. On le tourna face contre mur. Derrière lui, il entendit les moines qui se saisissaient des lames et des pinces.

— *Satan, le Tentateur,*
Veille comme un père
Sur mon âme encombrée...

... Aymard sentit, d'un coup, tous les supplices le saisir en même temps : le fouet, la lame profonde, la cire brûlante et le liquide épais coulant sur ses plaies ouvertes...

Il hurla, sans s'arrêter, sans plus aucune maîtrise. Il se cambrait de douleur... ses artères se gonflaient... les tendons de son cou saillaient à tout rompre... Il criait et s'entendait crier ; il souffrait et se voyait souffrir... La douleur était fulgurante. Elle dura le temps de la première page du moine.

Soudain, celui-ci referma son recueil et se tut. Aymard était à bout de souffle. Il avait des convulsions de pendu ; il sentait son sang chaud couler le long de son dos...

Le père Profuturus s'approcha. Il lui releva la tête lentement, en le tenant par le menton. Aymard frissonnait. Il avait les yeux embués de douleur.

— Qu'as-tu appris ? lui lança l'abbé d'une voix sévère.

Du Grand-Cellier était hagard. Il n'entendait pas... à peine...

Profuturus le secoua, cette fois sans ménagement.

— Allons, parle ! Qu'as-tu appris ?

Aymard écarquilla faiblement les yeux. Il ne comprenait pas ce que lui demandait l'abbé.

Celui-ci soupira, un peu déçu. Aymard était toujours suspendu par les poignets. L'abbé le fit pivoter sur lui-même.

— Regarde.

Aymard du Grand-Cellier fut soudain frappé et réveillé comme après un cauchemar. Derrière lui, il vit que pas un des moines n'avait bougé, pas un outil n'avait servi au supplice, pas une goutte de sang ne coulait dans son dos.

— Alors ? reprit Profuturus. Répond. Qu'as-tu appris ?

Aymard respirait péniblement. Sa tête semblait prête à exploser. Il était pourtant sûr d'avoir senti sa chair se faire déchirer par les couteaux... Il avait perçu le froid des armes des bourreaux lui glisser sous la peau.

— Qu'as-tu appris ? insista l'abbé.

Apprendre ? Comprendre ?... Peut-être... Seul le texte l'avait fait souffrir... même pas... c'était l'Idée... L'idée du texte... le Mal caché derrière le texte... C'était son corps seul qui avait décidé de souffrir... seul... sans s'en remettre à l'esprit...

Dans sa mémoire confuse, Aymard revit soudain un visage... une figure... le chancelier Artémidore.

— Le corps peut sur l'âme ce que l'esprit seul n'oserait jamais rêver pouvoir accomplir.

☩

Peu après, on lui accorda une chambre et on pansa ses plaies. Aymard resta longtemps dans un état irréel, comme extérieur à lui-même. Amnésique. Drona lui fit revêtir un nouvel habit : c'était une longue toge blanche de catéchumène.

— Votre ancienne personnalité va vous revenir peu à peu, lui dit Profuturus lors de leur premier entretien. Nous l'avons simplement effacée, pour un temps. Lorsqu'elle vous reviendra, elle sera purifiée, clarifiée par votre expérience. Votre passé vous apparaîtra alors sous une nouvelle lumière. La bonne.

Aymard demanda s'il était arrivé au bout de ses épreuves...

— Bientôt, dit l'abbé. Mais je sais que vous êtes prêt à présent. Vous vous plierez à tout avec joie. Nous sommes là pour votre bien.

Aymard fut remis entre les mains de trois moines qui, comme lui, portaient de longues robes de lin immaculées. Ils avaient des visages lumineux et angéliques. Aymard se sentit environné d'affection et de bonté. Il était souriant, serein, heureux. Les trois moines le félicitèrent pour sa purification. Ils prièrent ensemble, lui donnèrent des hosties, louèrent le Seigneur. Aymard était dans un état de grâce. Il essayait de leur rendre tout l'amour qu'il pouvait. Les trois hommes se montrèrent profondément émus de ses efforts.

Ensuite, ils le castrèrent.

14.

Au fin fond du diocèse de Draguan, le jeune Floris de Meung était toujours niché en haut de son arbre à veiller sur le corps de Premierfait. Après le départ de Henno Gui et de Mardi-Gras, le disciple appliqua rigoureusement les consignes de son maître. Il ne mit pas un pied au sol, s'occupait des compresses, se gardait au chaud sous ses couvertures, et mangeait et buvait en se rationnant. Le sacristain était blotti dans la cavité creusée dans le bois. En dépit des onguents prescrits par Henno Gui, ses plaies ne cicatrisaient pas. Les deux feuilles médicinales seraient bientôt épuisées et le blessé ne quittait pas sa semi-conscience délirante.

Floris écouta avec attention les sons et les mots qu'il prononçait dans son agonie. L'homme vagissait sans cesse, mais rien de clair ne sortait de sa bouche. Le *Livre des Songes* confié au garçon ne lui était d'aucun secours. Floris parcourut toutefois cet étrange ouvrage censé donner la clef des rêves. Il rechercha les apparitions féeriques... Son expérience dans les bois continuait de le hanter... les silhouettes vaporeuses et bleutées... silencieuses... À sa grande surprise, cette expérience qu'il croyait unique et personnelle était bien répertoriée dans le manuel de Daniel. Floris se précipita sur le commentaire : « Les figures douces et féminines sont toujours des avertissements. Elles viennent alerter celui qui s'égare. Des malheurs sont à prévoir... »

— Des avertissements ? se répéta Floris sans comprendre.

À plusieurs reprises, pendant ses journées solitaires et froides, il inspecta depuis son repaire les alentours pour voir si ses dryades ne daigneraient pas reparaître. Mais en vain.

Selon Henno Gui, Premierfait devait être guéri au bout de quatre jours. Le cinquième, au matin, le sacristain mourut. Le disciple était embarrassé. Aucune nouvelle de Mardi-Gras, ni de Henno Gui. Il ne lui restait que trois jours de vivres devant lui. Que faire du cadavre ? Ouvert comme il l'était à l'entrejambe, celui-ci se mit à sentir rapidement.

Le deuxième jour, il n'y tint plus. Il défit les liens qui retenaient le sacristain et le laissa choir de tout son long. Floris n'avait jamais vu personne autour de son arbre. Aucun danger. La forêt était silencieuse et déserte. Il descendit pour la première fois, emportant une des cordes qui servaient à suspendre les affaires du curé. Le jeune garçon n'avait pas le matériel pour creuser une tombe. La terre était trop froide et trop dure. Il transporta le cadavre sur son dos jusqu'aux nombreux étangs qui émaillaient la région. Là, il brisa l'épaisse cotte de glace qui recouvrait un marais. Puis, avec la corde, il arrima le sacristain à une grosse pierre et jeta le tout dans les eaux. Premierfait disparut sous la nappe saumâtre. Floris attacha ensuite deux branches de bois en forme de croix et les déposa sur l'eau. La croix se mit à flotter au-dessus du point où s'était enfoncé le mort. Avec la glace, elle était contrainte de rester à cet endroit, comme un crucifix planté dans la terre au-dessus d'un caveau.

Floris retourna dans l'arbre. Il réunit toutes les affaires personnelles de Premierfait dans un ballot. Le soir tombait. Il s'endormit dans le tronc creux encore imprégné d'odeurs.

Il fut réveillé par le bruit d'une bête escaladant l'arbre. Le garçon retint son souffle. Dans une clarté de demi-lune, il aperçut soudain la face de Mardi-Gras. Le géant était de retour.

Il raconta ses derniers temps avec le curé. Il parla de la crevasse, de l'ordalie, de l'entrée spectaculaire de Henno Gui, de sa participation à la simulation du prêtre grâce à son art de la fronde. Dissimulé au-dessus de la crevasse,

Mardi-Gras avait frappé de plein fouet tous ceux qui s'approchaient du curé, dès qu'il les pointait de sa paume...

— Il est avec eux maintenant. Il m'a ordonné avant l'ordalie de te rejoindre dès que le garçon que nous avions enlevé retournerait dans les refuges.

— Et maintenant ? Que devons-nous faire ?

— Attendre, dit Mardi-Gras. Nous devons l'attendre...

☦

Les villageois étaient revenus à Heurteloup au lendemain de l'ordalie. Seul Henno Gui resta encore deux jours au campement, surveillé par les trois prêtres. On ne lui donna ni à boire ni à manger, d'abord persuadé d'avoir affaire à un esprit. Détrompés par son insistance, ils le ramenèrent au village après l'avoir abondamment aspergé de cette étrange eau du marais.

Sept nouvelles petites statues de femmes enceintes avaient déjà remplacé celles brisées par Henno Gui. Plusieurs fois, le curé voulut les observer de près, étudier les dissemblances ou les nouveaux détails qui y seraient gravés : mais toute approche était fermement refoulée. Les villageois, même les plus timides, les plus effacés, se réveillaient soudain pour faire reculer l'intrus.

Malgré cela, son apparition, le retour du garçon, le fait qu'il ne montre aucune peur et qu'il ait des pouvoirs mystérieux avaient eu les résultats escomptés. La personnalité du prêtre dépassait l'entendement de ces hommes. Il était entouré d'une aura de secret. Henno Gui entendit un matin un villageois murmurer qu'il pouvait être un messager, une sorte de lien entre eux et les dieux du ciel. Cette remarque fit sourire le prêtre : c'était exactement la définition qu'il se donnait du devoir d'un curé.

Les seules personnes qui montrèrent un peu d'hospitalité furent le garçon qu'il avait enlevé et sa mère. Le garçon se nommait Odilon ; sa mère, Mabel. Le jeune prisonnier avait maintes fois conté le récit de sa captivité. Que Henno Gui ne lui ait fait aucun mal et qu'il ait même soigné ces tâches brunes et douloureuses qui lui couvraient la peau, cela avait beaucoup impressionné la population. Surtout la mère. Elle habitait avec son fils dans une petite hutte à l'entrée du village, seule porte qui n'était pas constamment fermée au curé.

Cette femme était veuve depuis peu.

☦

Le soir de son retour au village, Henno Gui fut conduit dans la hutte du « sage », assis sur le plat d'une demi-bûche, placé en contrebas face à cinq villageois qui l'observaient. Il y avait les trois prêtres, le sage et l'homme au casque de bois. Le curé avait réussi à isoler le nom des deux derniers. Le sage s'appelait Seth, l'autre, Tobie.

La pièce était assez large. Le sol était recouvert de terre battue claire et sèche. Des étagères rudimentaires dressées le long des murs soutenaient des bouteilles en grès, des bocaux d'herbes sèches et des tonneaux de bois. Henno Gui supposa qu'ils étaient pleins de cette eau glauque des marais que les villageois estimaient tant.

Dans un coin, le prêtre reconnut une planche de bois similaire à celles qu'il avait découvertes dans le cimetière enneigé. Il aperçut aussi le grand bâton qui avait servi la veille de l'ordalie à instituer le lieu du feu, ainsi que la toge jaune et rouge de Seth.

L'accusé considéra ses cinq « édiles ». Pour la première fois, il prit conscience que les villageois qui siégeaient devant lui étaient jeunes. À bien y regarder, il était difficile de leur donner plus de trente ans. Même Seth. Sa longue barbe et son apparence imposante avaient d'abord trompé le curé. Il avait cru reconnaître une espèce de patriarche ou de chef de village que l'âge avait rendu sage et respecté. Plus âgé que les autres, il l'était sans doute. Mais plus âgé que

Henno Gui, c'était moins sûr. Ses yeux, son front et le haut de ses pommettes trahissaient encore sa jeunesse.

« Il n'y a donc aucun vieillard dans ce village ? » se dit Henno Gui en repensant à tous les visages qu'il avait déjà croisés depuis son arrivée.

— Que viens-tu faire chez nous ?

Seth avait posé la première question. Henno Gui savait en entrant dans cette hutte qu'il devrait subir deux interrogatoires. Le premier, conduit par Seth ; le second, par Tobie. Une délibération aurait lieu par la suite avec tous les habitants du village. Un jugement serait tiré des avis de chacun.

— Que viens-tu faire ici ? répéta Seth.

— J'ai été envoyé.

— Par qui ?

— Par quelqu'un qui vous veut du bien.

Ce trait surprit l'assemblée.

— Qui est-il ? Qui est celui qui t'a envoyé ?

— Vous ne le connaissez pas. Mais lui, il vous connaît.

Dans sa jeunesse, Henno Gui avait souvent été confronté au professeur Gace Brulé, un dominicain retors qui passait au crible tous ses élèves de rhétorique. Ses interrogatoires étaient de véritables tortures mentales. Combien de nuances, de sous-entendus, de circonvolutions fallait-il pour satisfaire le maître et venir à bout de ses pièges ! « Des réponses compliquées avec des mots simples », c'était la règle d'or. Faire que l'interrogateur se pose toujours plus de questions que celui qu'il interroge.

— Ce bien dont tu parles, dit alors Seth, qu'est-ce que c'est ?

— La vérité.

— Une vérité ? Laquelle ?

Le curé ne répondit pas tout de suite. Il savait que pour toute religion, le doute est un luxe de civilisés. Un petit groupe comme celui-ci, privé de tout depuis cinquante ans, pouvait très bien s'être bâti un mode de pensée et de croyance parfaitement clos où tout y était expliqué et où tout se tenait avec une cohérence incontestable. Henno Gui ne pouvait prendre le risque d'offenser une vérité pour une autre.

— Je l'ignore pour l'instant, préféra-t-il répondre. Celle que nous allons découvrir ensemble. C'est pour cela que j'ai été choisi et envoyé parmi vous.

Les juges ne savaient quel sens donner à ces réponses. Il y eut encore un long silence. Les ruminations de ces cinq sauvages étaient toutes une chance supplémentaire pour le curé. À partir du moment où il cessait d'être dangereux pour devenir un objet de curiosité, il était sauf. Provisoirement, en tout cas.

L'interrogatoire se poursuivit. On le questionna sur ses vêtements, son alimentation. On lui demanda s'il dormait comme eux, s'il respirait comme eux, s'il était fait de sang et d'os comme eux. On lui demanda qui, selon lui, était venu en premier du Soleil ou de la Lune, quelle était la profondeur des marais, comment il expliquait le chaud et le froid, combien de temps il pouvait résister sans manger, etc.

Tant que l'interrogatoire tournait autour de ces thèmes, Henno Gui se savait en relative sécurité. Il craignait davantage les questions plus directes.

— Tu n'es pas venu ici tout seul, dit Seth. Les deux autres, ont-ils été comme toi envoyés ?

— Oui.

— Où sont-ils maintenant ?

— Ils reviendront…

Une inquiétude passa dans les yeux des prêtres.

— … dès que vous aurez compris que je ne suis pas un danger pour vous, conclut-il.

‡

Le second interrogatoire eut lieu dans la hutte de Tobie.

Les cinq mêmes juges furent réunis devant Henno Gui.

L'atmosphère était plus tendue et plus menaçante que chez Seth. Les murs étaient recouverts d'armes en bois et en fer. Des bijoux — des trophées ? — faits de squelettes d'animaux se découpaient dans la pénombre. C'était une hutte de guerrier et de chasseur.

Henno Gui était assis sur un rondin.

Tobie ouvrit la séance en pointant sa longue épée droit sur le front du curé.

— Peux-tu mourir ?

— Oui et non, répondit Henno Gui.

Les hommes se troublèrent.

— Une part en moi est périssable, reprit le curé. L'autre est immortelle. C'est pourquoi je réponds oui et non.

— Une part ? Laquelle ?

Tobie appuya légèrement le bout de sa lame contre le crâne du curé.

— Celle-là ?

Il baissa son épée et visa l'épaule droite.

— Celle-là ?

Il braqua la place du cœur…

— Ici ?

… puis celle du foie.

— Ou là ?

Malgré le ton menaçant, Henno Gui resta impassible.

— Tu ne peux ni la voir ni la toucher, répondit-il. Elle est invisible et impalpable.

— Invisible et impalpable… mais elle existe ?

— Oui.

— Où ?

— Quelque part en moi.

Tobie fronça les sourcils.

— Si tel est le cas, je n'ai qu'à te transpercer de part en part et je finirai bien par l'atteindre…

— Là encore tu te trompes.

— Si je ne peux la prendre, c'est qu'elle n'existe pas.

— Cela dépend. Ces mots que tu prononces en ce moment par exemple existent-ils ? D'où viennent-ils ?

Henno Gui montra la bouche du villageois avec sa main.

— De là ?

Il désigna ses poumons.

— Ou de là ? Et lorsque tu te parles en toi-même et que tu entends ta voix résonner, d'où vient-elle ? Qui l'articule ?... Tu l'ignores ? Moi aussi. Cette partie inconnue est en nous tous, nous le savons et pourtant nous ne pouvons ni la toucher ni la situer.

Tobie était un villageois à l'esprit fruste. Il n'aimait pas ce genre de nuances d'esprit. Il engagea l'interrogatoire sur un autre terrain. Les pouvoirs de Henno Gui.

Pouvait-il allumer un feu à distance, voir la nuit, respirer sous l'eau, tordre une lame de fer avec ses doigts, se rendre invisible, prédire l'avenir, comprendre les animaux ?

— Peux-tu parler aux dieux ?

— À tous, non. À un en particulier, oui.

Un frisson parcourut l'assemblée. Même Tobie fut confondu par cette réponse.

Il affirma cependant qu'il ne croyait Henno Gui que sur un point : le fait d'avoir été «envoyé». Il voyait dans ce prêtre une sorte d'expérience, de tentation imposée aux villageois par leurs dieux. Henno Gui était un être diabolique. C'était au jugement des villageois de le révéler.

— Tu n'es qu'une illusion, lui dit-il. Tu as pris une forme semblable à la nôtre pour mieux nous tromper. Mais l'Esprit repose en toi. Il se cache derrière ton image. C'est comme ces étranges habits que tu portes. Ils suggèrent lamentablement la silhouette du Père, mais...

Henno Gui sauta immédiatement sur l'occasion.

— Le Père ? Qui est le Père ?

Tobie prit cette question pour une insulte. Il souleva brutalement son arme, prêt à l'abattre sur le curé. C'est la voix de Seth qui l'en empêcha.

— Arrête. Expliquons-lui qui est le Père. Il ne doit pas l'ignorer. Le Père est celui qui a prédit le Grand Incendie et qui a compris la puissance des marais.

— L'un de vous le connaît ? ajouta Henno Gui. L'un de vous l'a déjà vu ?

— Le Père appartient au Premier Âge, dit Seth. Personne aujourd'hui ne peut plus l'avoir connu.

— A-t-il laissé des traces ? Des objets ?

— On raconte que le Livre Sacré lui a été dicté après la Rupture, répondit le sage.

— Un Livre ?

Henno Gui sourit. Il percevait une première lueur ; il y avait désormais un Livre à découvrir...

‡

La délibération sur son sort devait avoir lieu à la nouvelle lune. Toute la population du village se réunit ce jour-là, à l'exception des enfants. Henno Gui apprit ainsi la distinction des âges et des sexes. Tant qu'elles n'avaient pas enfanté, les filles n'étaient pas considérées comme des femmes. C'était le cas de la petite Sasha, la villageoise de treize ans qui était enceinte et que Henno Gui avait repérée car elle ne portait pas les linges traditionnels du village. Pour les garçons, ils devaient passer un rite d'initiation pour pouvoir s'affirmer en tant qu'hommes. C'était le cas d'Odilon. Il savait que son heure de passage avait été décrétée par les prêtres. Il attendait avec impatience la fin de l'hiver pour pouvoir relever les épreuves sacrées. D'ici là, il restait avec les enfants et ne participait pas à l'assemblée de la délibération sur le curé.

Les habitants du village se scindèrent en trois camps distincts : le premier, mené par Tobie, considérait Henno Gui comme un danger, un démon à peau d'homme dont il fallait se défaire au plus vite.

Le deuxième groupe suivait les avis de Seth : il fallait étudier davantage le phénomène avant de décider de son sort. L'être disait avoir été envoyé pour leur bien.

— Voyons ce qu'il entend par là. Au premier signe de maléfice, nous l'abattrons.

Le troisième groupe, le plus restreint, émettait à voix basse l'idée que cet homme était peut-être une sorte de Sauveur. Un envoyé miraculeux venu leur révéler le reste des Mystères... Cette vue était mal acceptée mais, jointe à celle de Seth, elle dépassa les partisans de Tobie. Il fut donc

statué qu'on laisserait Henno Gui libre de ses mouvements...
mais que s'il montrait un seul signe de sa nature diabolique,
il serait immédiatement sacrifié.

‡

Dès le résultat de cette délibération rendu, Henno Gui
décida de faire revenir ses deux compagnons. Sans attendre
d'avis, il alla les chercher et les imposa aux villageois
d'Heurteloup.

Le curé n'avait seulement pas prévu leurs réactions devant
la figure de mésel de Mardi-Gras. Le peu d'assurance que
certains commençaient à montrer devant Henno Gui
s'évanouit aussitôt.

Pour ne pas profaner l'une de leurs anciennes maisons, le
curé et ses deux compagnons installèrent un campement à la
sortie du village, non loin de la maison de Mabel et d'Odilon.

Floris expliqua à son maître la fin du sacristain. Henno
Gui dévoila ses découvertes et, surtout, ses nouvelles
dispositions.

— Mon approche sur ce village a complètement changé,
dit-il. Tout ce à quoi je m'attendais s'est révélé faux. Je
pensais découvrir des anciens fidèles un peu perdus qui
auraient, au fil du temps, assorti à leur façon un reste de foi
chrétienne et des nouvelles superstitions... Je pensais que
ma tâche se résumerait à une affaire de confiance puis à un
retour progressif aux vérités de l'Église. J'ai eu tort. Ces gens
parlent une langue à l'origine obscure, leur communauté est
affranchie de toutes les coutumes anciennes courantes dans
cette région ; elle a bâti une croyance, des mythes et une
vision du temps et du monde qui m'échappent encore mais
qui paraissent parfaitement édifiés. Aussi, je suis certain de
ne rien pouvoir faire pour eux en matière de foi. Il me
faut d'abord découvrir ce qui s'est passé ici, depuis 1233.
L'intention n'est plus d'apprivoiser ces mécréants, c'est à
nous de nous laisser apprivoiser et d'attendre...

15.

Pour trouver Alcher de Mozat à Paris, Chuquet suivit les indications écrites de l'archiviste Corentin Tau. L'homme habitait dans un modeste palais au fond de l'impasse Jehan-Boute-Dieu, entre la Cité des étudiants et le quartier des Quinauds. Sa porte était frappée à la corniche d'un écusson de France.

Chuquet n'eut aucune peine à obtenir une entrevue. Alcher de Mozat avait quatre-vingt-dix ans révolus. Personne ne le visitait plus. Les quelques messagers qui s'aventuraient jusque chez lui ne venaient que pour annoncer l'agonie ou la fin d'un ami ou d'un membre de la famille.

Pour l'entretien, Chuquet fut conduit dans le petit salon du vieillard. Il s'était rasé et tonsuré de près et avait emprunté une bure neuve à l'archevêché.

Mozat était assis sur un fauteuil à bascule, le buste ployé, à deux pas d'une immense cheminée. Les flammes moiraient légèrement sa peau grise comme un gisant de pierre. Il grelottait sans cesse en dépit de ses pelisses fourrées. Hermann, le secrétaire particulier, avoua à Chuquet que son maître ne passerait sans doute pas l'hiver.

Le visiteur mit Alcher de Mozat au fait de sa mission et du décès de son maître et évêque, monseigneur Haquin.

Mozat entendait mal et parlait d'une voix à peine percep-tible. Il se répétait souvent... Ses souvenirs ne cheminaient que par suite d'images instantanées, de scènes fixes. Il connaissait Haquin depuis sa tendre jeunesse, mais de leur vie en commun, de leur amitié, il ne restait que des éclairs inanimés, sans date et sans mobile. Il se revoyait avec lui sur une terrasse en Espagne, dans une bibliothèque d'Amsterdam, dans des sentiers entourant une abbaye du Morvan...

— Je me souviens aussi de sa jeune sœur... dit-il. Une fille adorable. Charmante.

Sur le caractère, la carrière cléricale de Haquin, il ne révéla rien. Il évoqua un engagement dans les troupes de l'empereur Frédéric ; mais le secrétaire Hermann fit observer à Chuquet que Mozat était en train de confondre un de ses propres souvenirs avec ceux de Haquin.

— Romée de Haquin, murmura alors le vieil homme après un long silence.

Chuquet sursauta. C'était la première fois qu'il entendait le prénom de son maître. Romée ! Romée de Haquin...

La suite fut de plus en plus confuse : Mozat parla du Liban, de la Grèce, d'une ambassade secrète à Grenade, d'une cour avec Guillaume d'Auxerre, du mariage de Haquin avec une nièce d'un prince anglais... c'était absurde. Quand Chuquet lui cita Draguan, ce nom n'évoqua rien au vieillard.

Cette entrevue était inutile. L'embarras du vicaire était évident. Parler de l'assassinat de l'évêque n'eût rien changé à l'attitude de Mozat. Il chercha un moyen, un dernier moyen...

Les lettres !

Chuquet se tourna vers le secrétaire.

— Je sais que votre maître a écrit à monseigneur. Avez-vous conservé leur correspondance ?

Hermann revint peu après avec une grosse malle pleine de feuillets. C'étaient toutes les dépêches reçues et conservées par Alcher de Mozat au cours de sa carrière. Il y avait des dizaines de paquets de lettres ficelées et réunies par expéditeur. Chuquet et Hermann fouillèrent ensemble cette malle à la recherche des lettres de Haquin. Le vicaire de Draguan fut ébahi par la qualité des gens qui s'adressaient à Alcher

de Mozat. Tous les grands noms de la diplomatie euro-
péenne passaient entre ses mains. Il vit trois courriers
envoyés par Thibault V, roi de Navarre, et Charles d'Anjou,
le frère du roi saint. Mais il ne s'y attarda pas. Sur un avers
d'enveloppe, il reconnut bientôt l'écriture de son maître. La
liasse était assez importante. Il y avait plus d'une quarantaine
de lettres, classées par ordre chronologique. Le moine n'en
crut pas ses yeux : la première lettre remontait à l'an 1218 !
Soixante-six ans plus tôt !

— Puis-je les conserver ? demanda-t-il. Puis-je les emporter
avec moi pour les étudier ?

Alcher regardait ce tas de papiers d'une mine un peu
renfrognée, perplexe.

— Vous ne me croyez pas... dit-il. Prenez donc...
prenez-les toutes... Vous verrez que je vous ai dit la vérité...
prenez tout... Je suis vieux, mais je sais encore ce que je
dis...

Hermann ne s'opposa pas au don de son maître.

Chuquet quitta la maison de Mozat comblé et pensif, sa
liasse sous le bras.

‡

À l'archevêché, il trouva clouée sur la porte de sa cellule
une note écrite de la main de Corentin Tau. L'archiviste
lui indiquait ce qu'il avait trouvé sur l'évêque Haquin. Le
parcours de l'évêque était, selon lui, normalement docu-
menté et de peu d'intérêt.

Chuquet entra dans sa chambre et parcourut cette petite
note.

Haquin était né en 1206, à Troyes. Il était le sixième
garçon de Pont de Haquin, qui fut un temps connétable du
roi Louis VIII. Il a été ordonné diacre à Paris en 1223. On le
retrouve ensuite à Orléans, à Toulouse, et à Utrecht pour
ses études. Il occupe différents postes dans le sud de la
France et en Espagne, soit en tant qu'aide prieur, soit en

tant qu'archidiacre. À partir de 1231, sa trace disparaît complètement des registres français pour ne réapparaître qu'en 1247 sous la dignité d'évêque. Il demande alors un poste près de La Roche-aux-Moines. Étonnamment, il change régulièrement d'affectation pendant plus de huit ans. Et ce, toujours à sa demande. Comme il s'agissait de postes modestes et isolés, ils lui furent facilement accordés. Haquin travailla près de Taillebourg, au Muret, près d'Auch et même à Saint-Waste. Il s'installa enfin au diocèse de Draguan en 1255 et n'en bougea plus. Son caractère était jugé assez instable par l'archevêché, mais son orthodoxie n'avait jamais été mise en cause. Haquin était un évêque sans histoire.

L'archiviste ajoutait dans sa note que le manque d'informations de 1231 à 1247 n'avait rien d'alarmant, ni de mystérieux. C'était même très fréquent lorsque des religieux du continent partaient exercer leur culte en Angleterre ou en Irlande. Ces deux pays conservaient peu de registres scripturaires et n'avaient aucune organisation centralisée de leur Église. L'Inquisition elle-même n'avait jamais réussi à s'implanter en Angleterre et perdait souvent la trace de ses membres ou de ses suspects. Le fait que Haquin réapparaisse avec le titre d'évêque n'avait rien d'exceptionnel non plus : la nomenclature irlandaise était distincte de celle de l'Église romaine, mais elle était reconnue par le pape. Au bout de quinze ans, il était tout à fait plausible qu'un prêtre puisse avoir atteint cette haute distinction et ait décidé de retourner en France.

Corentin se félicitait de trouver enfin des éléments raisonnables touchant à ce diocèse de Draguan. Il souhaitait à Chuquet bonne chance pour la suite, renouvelait ses condoléances et se déclarait toujours à sa disposition.

Chuquet reposa la note de l'archiviste. Il défit aussitôt les lettres de Mozat. Les années de chaque missive étaient inscrites à la mine de plomb en bas de la première page. L'écriture de la première lettre était propre, fine, assurément enfantine. Haquin avait alors treize ans. Chuquet passa dessus sans la lire. Piqué de curiosité, il feuilleta le gros paquet et négligea une quinzaine de lettres avant de tomber sur une missive datée de 1232. C'était au début de la période mystérieuse de la vie de Haquin. L'époque « irlandaise » de l'archiviste. Chuquet parcourut brièvement la lettre. L'écriture était devenue nerveuse et serrée.

Il se pencha sur l'enveloppe : il découvrit le cachet de Haquin (il le connaissait bien pour l'avoir utilisé plusieurs fois), mais à la place des montures habituelles de l'évêché de Draguan — un cerf et une vierge — il trouva, cette fois, un aigle au pied d'une croix. C'étaient les armes du pape Grégoire IX ! Chuquet regarda la signature et le talon. Cette lettre était envoyée de Rome.

— Rome ?

16.

La confrérie dirigée par Profuturus avait pris possession de son monastère sur l'Adriatique huit ans plus tôt. Les moines avaient entièrement rénové cette ancienne abbaye cédée par la chambre du pape, et l'avaient fortifiée. Ils bâtirent trois nouvelles chapelles et des souterrains tentaculaires. Les dix-sept membres officiels de l'ordre s'étaient répartis en trois groupes pour la conduite d'un office perpétuel et ininterrompu, ce qui était rare en Occident. Selon leur règle, une messe régulière devait être récitée en permanence au monastère.

De son propre chef, Aymard du Grand-Cellier décida d'assister et de servir toutes les liturgies du monastère. Celles de jour comme celles de nuit. Il passait de l'une à l'autre sans répit, servant ici comme chantre, là comme diacre, ici comme prieur, là comme bedeau. Ce n'était pas une épreuve imposée par sa purification, mais une de ses conséquences. Aymard avait un besoin physique de se sentir environné des textes sacrés et d'être en état de prière. Il ne dormait que deux heures par nuit, couché derrière la sacristie afin de ne rien manquer des chants et des hymnes même pendant son sommeil.

Il avait peu à peu retrouvé son passé. Il pouvait désormais répondre sans faillir au questionnaire écrit de maître Drona. Il se rappelait son nom, son arrivée au monastère et, surtout,

tout le mal qu'on lui avait extirpé du corps. Aymard n'était pas devenu un autre homme, c'était une autre conscience. Il sentait qu'elle lui était entrée de force, par la sueur, par le sang, par chaque pore de sa chair suppliciée.

Malgré cela, on continua de le mettre à l'épreuve. Le père Profuturus et Drona achevaient patiemment leurs travaux de sape et de purge. Ils le soumirent aux tentations. Un jour, ils laissèrent les portes du monastère grandes ouvertes, Aymard ne s'en soucia pas. On laissa traîner de l'argent, des armes, des nourritures appétissantes non consacrées… en vain. Aymard s'obstina derrière les prie-Dieu.

Une fois de plus, on pourrait accroire que le fils d'Enguerran avait changé, qu'il était devenu un nouvel homme, méconnaissable. Ce n'était ni le cas ni l'intention de ses dresseurs.

Un matin, ceux-ci lui adjoignirent un moine conduit spécialement au monastère. L'homme était convivial et sympathique, mais, pendant la messe, il laissait volontairement échapper des réflexions douteuses ou peu dignes d'un homme de foi. À chaque blasphème, même superficiel, Aymard ressentait des nausées ; mais il ne répondait pas aux atteintes de son voisin. Le moine resta plusieurs jours près de lui, à attiser le feu. Aymard s'efforçait de ne pas entendre ses sacrilèges et de se concentrer sur ses prières. Le moine insistait, toujours plus égrillard, toujours plus sulfureux.

Un soir, Aymard perdit tout empire sur lui-même. Il se jeta avec une violence inouïe sur un chandelier en bronze posé dans l'église et l'éleva haut dans les airs pour le fracasser sur le crâne du moine. Ses yeux étaient injectés de sang. Il fallut cinq hommes pour le contenir.

À l'écart, le père Profuturus observait la scène.

Il était ravi. Les instincts d'Aymard n'étaient pas morts. Le fond même de son être était resté intact : violent, haineux, colérique, incontrôlable, débordant… Seul le chemin qu'empruntaient ses pulsions, ses accès de violence, avait changé de nature.

La purification de Drona était une parfaite réussite.

17.

À Heurteloup, Henno Gui n'était pas le seul à poursuivre une enquête. Floris de Meung travaillait aussi à ses
propres recherches. Sans en avertir son maître, ni
Mardi-Gras, il se mit à recenser chaque habitant du village,
y compris les partisans du clan de Tobie qui restaient
muchés dans leurs huttes pour ne pas être aperçus par les
trois « démons »...

Le garçon se glissait entre les maisons, restait dissimulé
derrière les bois ou près des marais, attendait les sorties de
nuit. En quelques jours, il fut au fait des vingt-cinq âmes du
village. Aucune ne lui avait échappé.

Ce résultat le déçut.

Floris cherchait les filles des bois. Celles qui le visitaient
depuis son arrivée dans la région... Celles dont il ignorait
encore la nature réelle ou fantomatique...

Si elles existaient en chair et en os, et qu'elles n'étaient
pas au village, où pouvaient-elles se cacher ?

‡

De son côté, le géant Mardi-Gras reprit ses travaux sur la
petite église. Les villageois avaient une peur terrible de cet

homme à la taille démesurée. Ils l'évitaient comme un monstre.

Il n'en tint pas compte. Il s'appliquait à remonter sans faillir ce que le temps et ces sauvages avaient abattu. Son adresse et sa force physique accomplissaient des miracles.

Un des villageois l'observa pendant plusieurs jours, à distance. Il s'appelait Agricole. C'était un homme d'une vingtaine d'années, la barbe hirsute et claire, portant la tenue de peaux ordinaire aux membres de son village. Il travaillait lui aussi le bois pendant les bonnes saisons. Les prouesses du géant et sa maîtrise de la charpente le subjuguaient ; il se proposa enfin de lui prêter main-forte.

Mardi-Gras parlait peu. Il ignorait tout de la structure du latin. Les deux hommes œuvrèrent pourtant ensemble à la réfection de l'église.

Un code visuel et gestuel s'établit entre eux.

Agricole s'étonna de la relation que nouait Mardi-Gras avec le loup. Ce dernier réapparaissait régulièrement. Le villageois expliqua à Mardi-Gras, grâce à l'intermédiaire de Floris qui commençait à saisir l'idiome d'Heurteloup, l'importance et le respect que vouaient les villageois à ces animaux mi-chien mi-loup qui se cachaient dans la forêt.

— Ils vivent en meutes, dit-il. Ils sont nombreux du côté du Rocher qui leur sert de tanière, mais nous ne les voyons jamais. Seul le mâle dominant s'autorise à nous approcher. Ce sont des bêtes mystérieuses. Nous sommes liés à elles. Il se raconte que c'est grâce à ces loups que nos ancêtres ont été épargnés par les flammes et qu'ils se sont un temps réfugiés avec nos pères.

— Comment ? demanda Floris. Vous avez des preuves de cela ?

— Bien sûr, dit Agricole. Les prêtres ont toutes les preuves.

‡

À l'extérieur du village, Henno Gui, flanqué du jeune Odilon, retourna à la crevasse-refuge des villageois. Il voulait étudier plus avant cet endroit mystérieusement aménagé en pleine forêt.

Sur place, il gratta d'abord les parois verticales, arrachant de grosses mottes de terre et les malaxant longuement entre ses doigts. Il recommença à plusieurs endroits, faisant de même au centre du cratère en déblayant sous la neige.

Son visage prit un air étonné.

— Ce trou n'a pas été creusé à même le sol. Il y avait de l'eau ici avant. C'était un étang.

Henno Gui fit le tour de la place et se dirigea vers le chemin qui descendait au petit marais. C'était sur ce sentier que le curé et le géant s'étaient rués sur Odilon. Il débutait au niveau le plus bas de la crevasse. Le curé étudia attentivement la tranchée qui avait été ouverte pour laisser passer les villageois.

— Cette trouée n'est pas plus naturelle que l'assèchement de ce petit lac, ajouta-t-il. On a vidé intentionnellement cet étang. Ce chemin conserve encore l'ancien trajet de l'écoulement des eaux. Cela explique sa largeur et sa taille démesurée pour une sente de forêt. Il y a des hommes derrière tout ça. Beaucoup d'hommes.

Henno Gui se tourna vers le garçon.

— Sais-tu qui a fait ces travaux ?

Odilon lui répondit que cette supposition lui semblait folle. Ce refuge existait depuis toujours. Personne ne l'avait construit. De mémoire de villageois, il avait toujours été là pour eux.

Le curé s'approcha des parois horizontales qui masquaient le fond des refuges. C'étaient bien des branchages habilement tressés. Mais des branchages vivants. Depuis le temps, ils avaient repris racine et continué à se consolider.

— Et ces toits, ces grosses cordes qui les soutiennent ? demanda Gui en montrant les grandes structures.

— C'est la même chose, dit Odilon. Je n'ai jamais entendu

dire que nos ancêtres avaient bâti ces campements. Ils les ont trouvés, c'est tout.

Henno Gui remonta alors vers le bord de la crevasse. Il montra du doigt les chevilles encastrées dans les arbres pour tenir les nœuds.

— Ce n'est donc pas vous qui avez enfoncé ces accroches ?

— Non.

— Et les armes ? Les armes en fer que j'ai vues dans la hutte de Tobie, d'où viennent-elles ?

— Je l'ignore, dit Odilon. Nous les avons reçues de nos pères, qui les tenaient de leurs pères... Elles sont comme le bois des forêts ou la pluie du ciel : les hommes peuvent les utiliser, mais il leur est impossible de les créer. C'est la nature qui fait cela...

Le prêtre regarda cet immense ensemble de cordages et de ramures qui s'étalait sous ses pieds. Depuis combien de temps était-il là ? Quels ingénieux architectes avaient pensé et conçu une telle merveille ? Et que faisait-il dans cette forêt obscure, à une heure de marche d'un petit hameau aussi inoffensif que celui d'Heurteloup ?

— C'est aussi ici que l'on garde la « pierre de foudre », ajouta Odilon.

— La pierre de foudre ? Quelle pierre de foudre ?

Henno Gui connaissait cette expression. Elle remontait aux Grecs : c'est ainsi qu'ils désignaient vulgairement les météores.

Le curé caressa l'idée qu'un aérolithe pouvait être à l'origine de cet énorme cratère, mais il secoua la tête. Trop improbable.

— Montre-la-moi, dit-il à Odilon.

L'objet était arrondi, assez volumineux, intégralement recouvert de couches de mousse et de champignons lignifiés. Il était entreposé sous une petite tente, juste derrière celle qu'utilisait Seth dans la crevasse. Henno Gui mit un genou à terre...

— C'est remarquable, lâcha-t-il.

Il dégagea une première couche de sédiments pourris. Odilon fit quelques pas en arrière.

— Vous ne pouvez pas... Si l'on apprend que...

Mais Henno Gui continua. Ses doigts écorchèrent bientôt une substance poreuse, humide...

C'était du bois.

— Un coffre, dit Henno Gui. Ses angles ont été racornis par le temps et le cube a pris cette forme arrondie. Cela n'a rien d'une pierre, ni d'un météore !

Malgré le manque de visibilité, le prêtre identifia du bout des doigts la fente du couvercle. D'un coup sec, il le fit voler en miettes. Une odeur de remugle s'éleva du fond.

Avec les années, l'eau avait réussi à pénétrer les parois mitées. Le coffre était pratiquement vide : un petit tas noiraud gisait lamentablement dans la partie secondaire.

— Une ancienne pile de feuillets, commenta Henno Gui.

Il glissa deux doigts au cœur de ce résidu foncé et visqueux ; ils pénétrèrent comme dans une motte de glaise. D'un coup vif, il renversa la partie supérieure. Au milieu, un maigre fragment, conservé intact par le poids et l'amas des autres feuilles, était encore lisible. Il était jaunâtre et amolli... la peau du parchemin avait considérablement rétréci. Malgré cela, des dessins à main levée se laissaient encore deviner sur cette page sans âge. Henno Gui sortit de la hutte pour mieux voir sa découverte.

C'était un croquis. Un très vieux croquis. Le prêtre le retourna dans tous les sens pour en saisir la signification. Il finit par admettre que ce devait être une esquisse militaire. Un dessin de cuirasse ou d'armure. Henno Gui reconnut les détails d'une cotte, un heaume, un brassard et des jambarts esquissés. Mais les lignes et les formes de ces protections de combat était étranges, farfelues même : cette cotte avait des arêtes et des courbes impensables pour l'exercice difficile de la guerre. On aurait plutôt dit une armure d'apparat, un mélange de costume et de symbole qui pouvait servir pour une parade. Près des dessins, quelques mots étaient écrits, des cotes d'échelle ou des dimensions. L'écriture était nerveuse, fine, à peine déliée...

Le prêtre glissa le croquis dans sa coule.

— Ne dit rien de ceci au village, commanda-t-il à Odilon. Il sera toujours l'heure d'en parler... dès que je pourrai l'expliquer. Il me faut encore du temps.

18.

Le moine Chuquet dut attendre le lendemain de son entrevue avec Alcher de Mozat pour pouvoir rencontrer une nouvelle fois l'archiviste. Corentin Tau le reçut dans un cabinet particulier mitoyen de la salle des Commentaires. Il y régnait un soin méticuleux. Pas de feuillets volants, pas de dossiers entrebâillés. C'est ici qu'il compulsait les affaires sensibles et qu'il s'enfermait la nuit pour travailler.

— Avez-vous reçu ma note ? demanda-t-il.

— Oui, dit Chuquet. Je vous remercie.

Il raconta son entretien difficile avec Mozat.

— Je m'en doutais, dit l'archiviste. Les souvenirs des vieillards sont rarement valables. On ne peut jamais s'y fier.

Mais Chuquet revint sur les informations de l'archiviste et son intuition que les années non documentées de la vie de Haquin étaient dues à un long séjour anglais ou irlandais.

— C'est en effet la raison la plus probable, dit Corentin Tau. Dès que nos ministres sont inscrits aux registres de l'archevêché de Paris ou de Rome, nous perdons rarement leur trace. Le continent est couvert par un réseau étroit de monastères et d'abbayes. Entre les clunisiens, les cisterciens et les franciscains, nous profitons d'une chaîne de renseignements quasiment infaillible. Mais cette chaîne ne compte pas sur les îles anglo-irlandaises. Ce qui arrive à votre évêque est très courant. Le fait qu'il ait retrouvé à son retour plusieurs diocèses prouve bien qu'on n'avait rien à lui reprocher.

— Quelles sont les autres possibilités qui peuvent justifier une pareille absence d'informations sur un religieux ?

— Il y en a plusieurs. La renonciation à la foi. Un changement d'identité. Ou un mariage secret. Mais dans ces cas, Haquin n'aurait jamais rejoint la communauté crédité d'un titre épiscopal !

L'archiviste réfléchit un moment encore.

— Il y a aussi l'érémitisme, dit-il. Si votre maître s'est enfermé dans une grotte pour prier pendant quinze ans, sans avoir cru devoir avertir ses autorités, il est évident que rien ne peut nous être transmis de cette période. Ce phénomène n'est pas si exceptionnel. Mais d'ordinaire, ces reclus, après autant d'années d'isolement, ne reviennent jamais à la vie des paroisses.

— Et Rome ?

— Comment ça, Rome ?

— Monseigneur Mozat m'a laissé entendre que l'évêque Haquin pouvait avoir passé du temps au Latran. Sous Grégoire IX.

Chuquet ne voulait pas encore parler de sa lettre. Il attendait les réactions de l'archiviste.

Corentin Tau secoua la tête.

— Décidément, ce bon Mozat perd complètement la mémoire ! Sous Grégoire IX ? Comment a-t-il pu oublier la haine que vouait ce pape à la France depuis Philippe Auguste ? Il a pourtant vécu personnellement cette guerre diplomatique. Jamais Grégoire n'aurait toléré un Français parmi ses gens. C'est absurde.

Alors, sans répondre, Chuquet ouvrit sa coule et tira la lettre de Haquin datée de 1232 portant le sceau et les armes de Rome.

L'archiviste la parcourut avec une mine stupéfaite.

— Où avez-vous trouvé cela ?

— Monseigneur Mozat me l'a confiée.

— Vous êtes sûr que c'est l'écriture de votre maître ?

— Assuré.

— Très intéressant...

— Comment l'expliquez-vous ?

— Mal. Je me l'explique mal. Avez-vous lu toute la lettre ?

— Oui. Elle est anodine. Il n'y révèle rien de son travail, ni de la raison de sa présence auprès du pape.

L'archiviste fit alors disparaître, sans ménagement, ce document dans un de ses casiers à secret.

— Mais... protesta Chuquet.

— Je garde ce papier pour l'instant, l'interrompit Corentin Tau. Nous vous le rendrons plus tard.

Le regard de l'archiviste était devenu étincelant, plus friand...

— Mozat vous a-t-il remis d'autres lettres de ce genre ? demanda-t-il.

Le vicaire fit non de la tête.

— Il ne m'a donné que cet exemplaire. J'ignore s'il en possède d'autres.

Le moine ne voulait assurément pas voir disparaître de la même façon les seules traces qu'il gardait du passé de son maître. Du moins, tant qu'il ne les avait pas lui-même entièrement déchiffrées.

L'archiviste passa au crible toutes les suppositions relatives à cette mystérieuse présence romaine du religieux français.

— Une seule m'apparaît comme plausible, dit-il. Le guet. L'espionnage. Un Français à la cour de Grégoire est par définition trop improbable pour passer autrement inaperçu.

— Mon maître aurait été un espion ?

— Oui. Mais ce qui importe n'est pas de démontrer ce qu'il faisait à Rome, mais pour qui il le faisait. Était-ce un observateur français qui rapportait secrètement des informations sur la cour du pape, ou un traître qui se vendait à Rome pour nuire à la couronne de Philippe ?

Il y eut un long silence.

— Votre diocèse de Draguan ne peut pas être aussi anodin que vous me l'avez laissé entendre, ajouta l'archiviste en arborant un nouveau sourire. On y massacre des innocents de passage, ses véritables dossiers restent introuvables et nous voilà en présence d'un évêque au passé compromettant. Je pensais devoir oublier l'incident de Draguan, mais je me trompais. Que comptez-vous faire ?

— Je l'ignore, dit Chuquet.

— Pour ma part, je vous invite à poursuivre votre voyage, dit Corentin Tau. Nous savons que sa famille a vécu dans la ville de Troyes. Rendez-vous-y et allez parler à ses descendants. Enquêtez. De mon côté, je peux vous aider.

Mais Chuquet était méfiant...

— Pourquoi feriez-vous cela ? demanda-t-il.

— Parce que nous avons maintenant des intérêts communs. Nous souhaitons tous les deux comprendre ce qui s'est passé. Vous, en mémoire de votre maître, moi, pour percer à jour cette affaire de Draguan que ma hiérarchie croit devoir me cacher. Nous pouvons croiser nos découvertes et avancer ainsi plus rapidement vers la vérité. Sans l'aide de personne.

— En ce qui me regarde, je vous ai apporté cette lettre, dit Chuquet en désignant le cabinet à secret. Vous m'êtes déjà redevable, mais qui me dit que vous allez m'aider ?

Corentin Tau se redressa dans sa petite chaise, sa figure montrant qu'il entendait bien la suspicion du vicaire.

— Je peux vous permettre de joindre la ville de Troyes sans effort. Vous adjoindre un homme de confiance pour vous protéger, et vous donner de l'argent. Ce n'est déjà pas si mal. Ensuite, dès que j'aurai de nouvelles informations, je vous les ferai parvenir. Après cela, me croirez-vous ?

Le lendemain, un homme de l'archevêché se présenta dans la cellule de Chuquet. Il avait un boursicot d'argent et se proposait de lui faciliter le passage des péages à la sortie de Paris. Les portes de la capitale étaient beaucoup plus surveillées dans ce sens. L'homme lui apporta aussi des vêtements laïques pour plus de sûreté.

Ils quittèrent ensemble l'enceinte du bord de Seine. Le vicaire abandonna derrière lui sa carriole et ses chevaux.

Les deux hommes disparurent dans Paris.

19.

À quinze ans, Henno Gui avait été le seul séminariste à découvrir l'intimité sulfureuse qui liait un vieil abbé à l'un de ses élèves. Pour cela, il n'eut besoin ni de surprendre leurs ébats ni de prêter l'oreille aux rumeurs chuchotées entre les rangs du réfectoire : il compulsa ses « notes ».

À cette époque, le jeune Gui avait déjà cette manie d'écrire dans un *diarum* tous les détails de sa vie et de ceux qui l'entouraient. Ce procédé, organisé par colonnes, par cases et par numéros de renvoi, lui permettait de présager sans erreur du retour d'un oiseau migrateur, du positionnement d'une étoile, comme de l'agenda d'un de ses professeurs ou des habitudes d'un abbé. Avec le temps, sa masse d'annotations devenait si efficace que, par un simple recoupement, il pouvait mettre en lumière des attitudes, des fraudes et même des secrets jalousement gardés. En usant simplement des emplois du temps et des comportements de la communauté. Il ne dévoilait jamais ses résultats. La vérité l'intéressait moins que la logique et le cheminement de ses intuitions. Ses *diarum* étaient tous détruits dès qu'ils devenaient compromettants. Il utilisait une méthode chimique tirée d'une petite planche arabe : il plongeait ses feuillets dans de l'eau chaude puis appliquait un jus d'épices fongicides qui dissolvait lentement l'encre liquide et la séparait de la pâte de peau. Le séminariste récupérait ainsi des feuilles neuves et jetait l'encre souillée. Ses secrets finissaient décomposés dans cette vieille formule du savant Ibnz-Uda.

Sa manie d'ordonner ses observations par écrit ne l'avait jamais quitté. Il eut toujours à s'en féliciter. Cette fois encore, à Heurteloup, au bout de quelques jours d'examens discrets, Henno Gui décela grâce à son « agenda » toute une vie cachée, une logique interne qui ne se dévoilait pas de prime saut.

L'organisation du village semblait chaotique. Ces hommes et ces femmes sauvages inspiraient peu l'ordre, ni une conscience policée. Et pourtant. Avec le temps, le village reprenait sa vie courante. Henno Gui détecta les couples, les familles, les liens d'amitié, les clans... ici, l'argent n'existait pas, tout se marchandait à base de troc ou d'emprunt ; une telle autarcie autorisait des sentiments de confiance et d'honnêteté qui n'appartenaient plus depuis longtemps aux civilisations évoluées ; le travail était une cause commune, partagée et toujours accomplie. Il découvrit ainsi une hiérarchie du temps et de l'effort aussi stricte que celle d'un monastère clunisien. Chacun était assigné à des tâches et à des horaires très précis et invariables. Tout se réalisait dans une ordonnance tacite et sans accroc : l'entretien des statues, le ravitaillement, le nettoyage, la garde, le peaussier, le culte, etc. Les sentiments mystiques ou religieux n'étaient pas absents non plus de cet organigramme : des prières gestuelles étaient accomplies à heures fixes, des entretiens avec les prêtres étaient régulièrement organisés. Après quelques pages d'observations, Henno Gui pouvait déjà deviner l'activité ou l'emplacement de presque tous les villageois selon le jour et l'heure.

À chaque fois que Henno Gui désirait interroger Mabel ou Odilon, il devait le faire dans des créneaux horaires qui échappaient à leurs devoirs collectifs, ou pendant la nuit. C'est lors de ces longues veillées que Henno Gui apprit, de la bouche de Mabel, les premiers rudiments de la pensée de ce village mystérieux.

Pour eux, il n'y avait pas d'histoire, pas de passé. Le Temps commençait avec une énorme boule de feu qui ravageait et massacrait l'ancien monde et les enfants des dieux. Un déluge de flammes ramenait subitement l'univers à l'an Un.

Leurs ancêtres avaient subi ce cataclysme et n'avaient survécu que par la grâce des marais. C'est leurs eaux qui avaient miraculeusement limité la progression du Grand Incendie et avaient préservé ainsi ce bout de terre du cataclysme.

— Le Grand Incendie a décimé nos aïeux, lui dit Mabel. À cette époque, parmi les femmes, il n'en réchappa que sept. Nous sommes les descendants de ces sept femmes. Ce sont nos Mères.

— Au-dessus de vos tombes, demanda Henno Gui, j'ai observé des rangées de traits gravés dans le bois. Que signifient-elles ?

Mabel haussa les épaules.

— Comment le saurions-nous ? Ce sont les prêtres qui les inscrivent. Eux seuls en connaissent le sens et la valeur.

— Et vous n'avez aucune idée… ?

Mabel et son fils dirent que non. Le curé se rappela alors que cette femme était veuve depuis peu.

— À quel âge est mort votre mari ?

— Âge ?… Je l'ignore…

— La plupart des hommes que je vois ici sont à peu près de la même génération… votre mari était du même âge que Seth et Tobie ?

— Oh ! non… protesta Mabel. Non… il était plus vieux… beaucoup plus vieux.

Consciencieusement, Henno Gui notait ces informations dans son petit agenda.

‡

Mardi-Gras réveilla son maître en pleine nuit. Des cris terribles résonnaient dans tout le village.

— La petite Sasha est en train d'accoucher, dit le géant.

Le curé se précipita. Tous les villageois s'étaient réunis près de la rive du grand marais. Henno Gui se glissa dans le groupe. Au centre, près de l'eau, il distingua la silhouette de la jeune fille enceinte, allongée à moitié nue à même la neige et entourée par les trois prêtres. Elle se tordait et criait de douleur. Les villageois allaient régulièrement au marais avec une petite bassine puis revenaient asperger le front et l'entrejambe de la fille avec l'eau glacée. Henno Gui eut un sursaut d'effroi. Il attrapa le bras d'Odilon qui se trouvait à côté de lui.

— S'il continue à faire cela, dit-il, cette fille va mourir avant que l'enfant n'ait poussé son premier cri.

— C'est une coutume sacrée, répondit le garçon. En d'autres saisons, les accouchements se font complètement immergés dans les marais, ainsi l'enfant naît au milieu de l'eau sainte et vient à la vie propre et purifié. En hiver, nous savons que c'est impossible, aussi les prêtres aspergent-ils la mère et le nouveau-né pour respecter la cérémonie.

— Mais la mère ne peut pas survivre, insista le prêtre.

— Souvent, elles s'éteignent glacées le jour d'après, ou leur ventre refuse de se refermer après l'accouchement. Ce n'est pas nous qui choisissons. Si les dieux avaient voulu qu'il en soit autrement, ils auraient laissé le fruit dans les entrailles de sa mère jusqu'au retour des beaux jours.

‡

Le lendemain, le curé assista, avec tout le village, à l'enterrement de la jeune Sasha qui avait succombé, son enfant encore blotti dans le ventre. La cérémonie avait lieu dans le petit cimetière déjà visité par Henno Gui.

L'assemblée était sereine. La mort de la fille avait quelque chose de grave, mais elle n'incitait pas à la peine et au désespoir que la perte d'un être cher déploie chez les chrétiens. Près des prêtres, Henno Gui repéra un mystérieux objet recouvert d'un voile rouge et jaune, assez proche des coloris de la tunique de Seth.

La fille était complètement nue. Pas d'habit, pas de linceul. Cette nudité crue, le ventre encore rond, choqua Henno Gui et ses deux compagnons. Les villageois semblaient n'y voir aucune indécence. Les hommes avaient creusé une fosse selon la tradition, afin que le cadavre puisse être enseveli debout.

Un détail troubla le prêtre : Seth plaça entre les paupières de la morte deux petites tiges de bois pour qu'elle garde les yeux ouverts, même sous terre.

Henno Gui interrogea Odilon sur cet usage. Le garçon répondit que c'était une coutume ancienne, une précaution indispensable pour le jour du retour des morts.

— Quand son âme reviendra au monde, dit le garçon, et qu'elle revêtira son corps, elle le retrouvera prêt, les yeux déjà grands ouverts.

Un large sourire se peignit sur le visage de Henno Gui. Il lui avait fallu plus de quinze jours pour débusquer enfin, dans ce village, le tout premier indice, la toute première racine incontestablement issue du christianisme.

La « résurrection des corps » !

Le prêtre ne l'espérait plus.

20.

Dans les rues de Paris, Chuquet était toujours au botte à botte avec le garde mis à sa disposition par l'archiviste Corentin Tau. Les deux hommes avaient pénétré les quartiers les plus malfamés de la ville. La tenue laïque du moine les laissait passer sans danger. La « prêtraille » était mal reçue dans ces parages.

Le garde de l'archiviste expliqua au vicaire qu'il cherchait un convoi fluvial pour le redescendre en toute sécurité jusqu'à Troyes. En cette saison, il n'y avait plus que des contrebandiers pour s'aventurer encore sur la Seine. L'homme connaissait une auberge où les informations s'échangeaient facilement. Chuquet fut surpris de voir qu'un homme au service de l'archevêché était à ce point à son aise dans un univers aussi douteux.

Il lui accorda malgré tout sa confiance. Au reste, l'idée d'un trajet sur eau était excellente. Elle lui épargnait du temps et des efforts insurmontables après son long voyage depuis Draguan.

— Il nous faut trouver une embarcation sûre. Cela peut nous prendre plusieurs jours, dit le garde.

— Pourquoi l'archevêque n'affrète-t-il pas lui-même un petit bateau pour notre service ?

— Parce qu'il n'est pas au courant. Votre affaire se borne pour l'instant au maître archiviste et à moi-même.

Les deux hommes s'installèrent dans un petit taudis

nommé l'auberge du Faucon-Blanc. Ils prirent une chambrée commune. Le garde s'assura de la clenche du verrou.

— Dans ce quartier, nous trouverons les mauvais diables dont nous avons besoin.

Chuquet refusa de se défaire de sa mystérieuse boîte en bois.

— C'est imprudent de se balader ainsi avec un objet auquel on semble tenir, lui dit le garde.

Pour toute réponse, Chuquet ouvrit sa boîte et lui en montra le contenu...

La population du coin était aussi surprenante que la faune d'un roman profane. On trouvait des faux aveugles, des dresseurs de panthères installés dans les combles avec leurs bêtes, des vieux marins qui s'enrichissaient d'un trafic importé des mers du Sud, des maquereaux visant leurs articles, des receleurs lombards qui appointaient leurs réseaux pour le printemps prochain, etc. Ces quartiers tranchaient avec le reste de la capitale par quelques traits incontournables : plus de boutiques, plus de mendiants au carrefour, plus de ribaudes à la crinière rousse, plus de soldats en patrouille... Ce monde était lui aussi frappé et concentré sur lui-même à cause de l'hiver. Le grand concours de truands à Paris n'était jamais aussi fort qu'à cette époque de l'année.

On informa bientôt le garde qu'une barge à fond plat allait quitter Noyant pour Aisne. Ce voyage sur la Seine passait forcément en face de Troyes. Le marinier en question rentrait à vide et cherchait un peu de cargaison clandestine pour couvrir les frais de son voyage.

— C'est une bonne occasion, dit le garde. Un bateau vide est toujours moins dangereux. Nous éviterons de tomber dans une rafle d'inspection de la Garde des Eaux. Le bateau qui nous intéresse s'appelle *La Phénicie*. Nous quitterons la ville dès ce soir pour Noyant. J'ai un sauf-conduit pour les agents de la porte du Grand-Pont. Sans lui, vous seriez fouillé et ils appelleraient tout de suite le sergent massier.

— Pourquoi ?

— Parce qu'il y a deux choses que le maître des

marchands ne veut pas voir sortir de Paris : de l'argent et des cadavres. Les reliques de votre évêque nous mettraient dans un sacré pétrin.

Chuquet avait glissé les lettres d'Alcher de Mozat dans son justaucorps. Si le garde connaissait le contenu de la boîte, il ignorait encore l'existence de ces courriers.

Les deux hommes retournèrent à l'auberge du Faucon-Blanc. Dans la salle commune, au rez-de-chaussée, Chuquet aperçut un religieux paisiblement installé au milieu d'une bande de malfrats.

— Je croyais que les moines étaient mal vus par ici, dit le vicaire.

— Oui, mais pas celui-là. Malgré son froc de moine, c'est un truand redoutable. Je le connais bien. Attendez-moi, il peut nous être utile.

Le garde entra au cœur de la troupe. Le religieux parut heureux de le voir. Les deux hommes échangèrent quelques mots à voix basse. Ils montèrent ensuite à l'étage vers la chambre de Chuquet et du garde.

Le vicaire resta seul dans la salle de l'auberge. Les regards qu'il croisait l'intimidaient et il redoutait que quelqu'un vienne l'interroger sur sa mine et son air désœuvré. Il préféra s'en retourner dans les rues et faire semblant de flâner.

Mais, seul entre la rue des Manteaux-Blancs et la rue Brise-Miche, il se crut encore en danger. Il empoignait sa boîte plus que jamais.

Chuquet fit deux fois le tour du pâté de maisons. Mais, revenant à quelques pas de la façade de l'auberge, il fut le témoin d'une scène étrange. À sa grande surprise, il reconnut deux des clercs qu'il avait aperçus dans la salle des Commentaires de Corentin Tau. Ils étaient postés avec un troisième larron à un angle de maison, devant le Faucon-Blanc. Chuquet les vit indiquer du doigt l'auberge et glisser une enveloppe dans la poche de leur compagnon. C'était un homme des rues, mal fagoté, crasseux comme ses semblables. Il entra précipitamment au Faucon-Blanc. Les clercs l'attendirent. Cela dura moins de cinq minutes.

Chuquet ne quitta pas sa place. Il ne savait comment réagir. Ces personnages étaient-ils ici sur ordre de l'archiviste ?

Le loqueteux ressortit de l'auberge. Il fit un signe d'intelligence aux deux hommes. Ils échangèrent quelques mots, puis s'éloignèrent de la place. Les clercs se montraient subitement très nerveux. Chacun finit par s'éclipser suivant un chemin différent.

Cette mystérieuse saynète n'était pas pour rassurer le vicaire. Sans doute le cherchaient-ils… Mais qu'avaient-ils de nouveau à lui transmettre ? Et comment savaient-ils qu'il était là ? Il hésita un peu avant de reprendre le chemin du Faucon Blanc.

La salle commune était toujours bondée. Pas de trace du garde ni du faux moine. Sans s'attarder, Chuquet monta à l'étage. La porte de sa chambrée n'était pas poussée au loquet. Le vicaire entra. Devant lui, le garde et le faux moine étaient étendus morts sur le plancher, sauvagement égorgés.

Le sac de voyage du garde était éventré. On avait emporté la bourse donnée par Corentin Tau. L'assassin avait aussi arraché les doublures de la coule du religieux. Il cherchait quelque chose…

Chuquet ne réfléchit pas davantage. Il prit le sac, dévala l'escalier et s'enfuit dans le dédale des rues, sans se retourner.

La situation se compliquait. Il n'avait plus d'argent ou juste ce qui lui restait de son départ de Draguan. Il n'avait plus de sauf-conduit. Il n'avait plus de garde. Il ne pouvait même pas retourner à l'archevêché ; l'archiviste avait peut-être commandité lui-même ce terrible meurtre… S'il s'était renseigné auprès du secrétaire de Mozat et avait appris que toutes les lettres étaient maintenant en sa possession ? S'il avait voulu les récupérer coûte que coûte ?

Chuquet devait quitter Paris au plus tôt. En remontant le réseau de connaissances qu'il avait croisées avec son garde pendant ces dernières journées, il essaya de débrouiller un moyen de sortir de la ville sans être vu des soldats de péage.

Le tour qu'on lui prodigua lui coûta cher. Chuquet dut dessertir deux grosses pierres du second collier qu'il avait défait sur le cadavre de Haquin et qu'il avait gardé pour le rendre à sa famille.

On l'aiguilla sur un passeur de bois. Celui-ci renvoyait à son fournisseur de province de longs troncs d'arbres qu'un bâtisseur de la Cité lui refusait pour cause de pourrissement. Le moine put se glisser entre les espaces creux de ce chargement.

Tapi comme un vulgaire délinquant, c'est ainsi que le vicaire de Draguan sortit de la capitale quelques heures plus tard et échappa au contrôle de la traite des douanes.

‡

Il arriva le lendemain à Noyant. Là, il trouva avec soulagement sur le quai l'embarcation dite *La Phénicie* qui attendait, comme prévu par les indicateurs du garde. C'était la seule barge qui n'était pas couverte pour l'hiver.

Pour s'entretenir avec le propriétaire, Chuquet choisit de reprendre son allure d'ecclésiastique. Il ne se sentait pas l'audace de se faire passer pour un contrebandier.

— Où va-t-on ? demanda le marin d'un ton bourru quand le moine se fut présenté.

L'homme se nommait François Courtepoing mais aimait à se faire appeler le « Phénicien ». Il n'avait rien du profil des marins antiques, mais il se vantait d'être aussi bon monnayeur que ces marchands d'hier.

— Je dois me rendre à Troyes. Rapidement, dit Chuquet.

— Cela peut se faire. Je réponds de l'arrivée, pas du temps que cela prendra. Vous êtes curé ?

— Vicaire.

— C'est mieux, ça, non ? Je veux dire... dans la hiérarchie de l'Église ?

Chuquet hocha la tête.

— Je ne suis pas contre l'idée d'emporter un religieux, ça protège la marchandise, confia le marin. Ça m'est arrivé une fois avec un abbé : j'ai fait de très bonnes affaires ensuite.

Mais là je rentre à vide, ou presque. Vous serez donc considéré comme un passager normal. Vous êtes riche ?

— Je peux payer.

— Vous êtes en fuite ?

— Pourquoi le serais-je ?

— Je connais mon monde, dit le marchand. Cela vous fera quinze écus.

Chuquet sursauta. Son trésor de Draguan ne représentait plus que dix petits écus.

— Je ne les ai pas, avoua-t-il sèchement. Sept, je n'irai pas plus loin.

Le Phénicien le regarda d'un air malicieux : il aimait à négocier.

— Sept écus et quoi d'autre ?

— Je n'ai rien de plus à vous offrir.

— Cela se discute...

Courtepoing visa la petite croix de bois qui pendait sur le torse de Chuquet.

— J'accepte vos sept écus mais je réclame trois absolutions universelles pour moi et mes enfants. Qu'en dites-vous ?

— On n'achète pas le pardon du ciel.

— Ah oui ? Et depuis quand ? Ne nous demande-t-on pas d'accomplir l'aumône à la sortie des églises, mon père ? Ceux qui s'y soustraient reçoivent rarement la bénédiction de leur curé. Si ce n'est pas du négoce habile, cela y ressemble. À sept écus le voyage, j'en perds huit sur mon tarif. Croyez-moi, je n'ai jamais autant donné au tronc. Je ne vous achète pas, le vicaire : je contribue à vos œuvres en nature. De quoi vous plaignez-vous ? Vous vivez bien avec l'argent des fidèles. Comptez mes huit écus dans vos frais de voyage.

Chuquet ne se sentait pas la force de condamner les indulgences religieuses...

— J'accepte, lâcha-t-il un peu amer.

— Et vous bénirez en plus mon navire ?

— J'accepte.

— Alors, payez-moi.

Chuquet compta ses pièces. Le Phénicien les empocha aussi sec. Le moine voulut se précipiter sur le bateau, mais le maître l'arrêta une nouvelle fois.

— Halte-là ! Maintenant, causons de la marchandise.

— Quelle marchandise ?

Courtepoing montra du doigt la boîte en bois de Chuquet.

— Qu'est-ce qu'on emporte là, le curé ?

Le vicaire sursauta. Ses mains se crispèrent sur le coffre.

— Les taxes sont légiférées par ici, ajouta le marinier. Si vous n'avez que des chiffons, je vous laisse tranquille ; mais si vous emportez quelques biens coûteux dont ma traversée doit répondre, il faut payer.

— Ce que j'emporte ne vous regarde pas.

— Si vous le dites, je vous crois. Mais dans ce cas, vous, vous montez à bord, mais la caisse, elle, reste à Noyant. Même les contrebandiers ne rechignent pas à m'ouvrir leur fret. Ce qu'un voleur fait honnêtement, un homme de Dieu s'y refuserait ?

Chuquet était piégé, et il redoutait la réaction du batelier. La superstition allait sans doute lui barrer de nouveau la route. Le moine expliqua minutieusement son cas : il retournait voir la famille de son maître qui vivait à Troyes. Il devait rapporter les reliques de l'évêque trépassé.

— Quel genre de reliques ? demanda Courtepoing soupçonneux.

Alors Chuquet ouvrit la boîte. Le batelier siffla d'un air sidéré.

— Ah ! Alors là, cela change tout, mon père. On n'embarque pas un squelette aussi facilement. Permettez, j'ai assez peu de veine comme cela sans en plus m'encombrer d'un mort !

Chuquet sentit que l'affaire tournait court. Mais sur le même ton effarouché, omettant toute ponctuation d'une phrase à l'autre, le Phénicien ajouta aussitôt :

— Cela fera dix écus de plus. Pas de discussion ou je vous rends à la terre vous et vos absolutions universelles !

Chuquet était acculé. Il défit, en cachette, une nouvelle pierre du collier de l'évêque.

Avec cela, le batelier en avait largement pour son compte. Il se montra dès lors très coopérant et assura son passager d'un prompt départ. Chuquet embarqua.

La barge faisait trente-cinq pieds de long et élevait deux misaines mal boutées. Une guérite couverte permettait à trois hommes de se tenir à l'abri pendant la traversée. L'espace restant était entièrement assigné aux chargements de saison et à la stalle du cheval de trait. Car pour remonter le fleuve par temps calme ou courant contraire, Courtepoing utilisait une grosse bête de somme qui longeait la rive en le remorquant.

Chuquet attendit une heure. Personne n'approcha de la barge. Il vit seulement, peu avant le départ, un soldat monté sur un cheval de campagne interpeller de loin le batelier Courtepoing. Ils échangèrent quelques phrases rapides et le garde s'éloigna sans prêter attention à Chuquet.

— Que vous a-t-il demandé ? s'enquit celui-ci.

— C'est un soldat de la garde du fleuve. Comme d'habitude, il voulait savoir ce que j'emportais sur *La Phénicie*. C'est la loi.

— Vous lui avez parlé de moi ?

— J'ai parlé d'un curé qui s'en retourne à Troyes pour affaire de famille.

— Et la boîte ? Qu'avez-vous dit ?

Le marin regarda Chuquet.

— Je lui ai dit ce qu'il avait besoin de savoir. Ni plus ni moins. Je connais mon monde.

Là-dessus, il inspecta les vents qu'il jugea satisfaisants, fit monter son cheval sur le bateau, défit les amarres, et *La Phénicie* se mit en route, de son train d'escargot.

Le temps était gris. Une brume légère ne quittait pas l'onde du fleuve. Pendant que Courtepoing plaçait son cheval comme il faut pour équilibrer la gîte, Chuquet s'adossa à un bastingage, sa boîte d'ossements posée sur les genoux. Pour la première fois depuis longtemps, il se sentait en sécurité.

Il avait toujours sur lui le paquet de lettres que lui avait remis Alcher de Mozat. Abrité du froid et du vent par un garde-corps renforcé de planches, le moine se mit, à l'insu du marin, à défaire les nœuds de chanvre qui entouraient les feuillets et reprit la lecture qu'il avait ébauchée à l'archevêché de Paris.

Il déplia une nouvelle missive, datée de 1226 ; Romée de Haquin avait alors vingt ans. Elle avait été envoyée d'Erfurt, sur les terres de l'empereur. Son style un peu impersonnel, à la fois courtois et sans saveur, se répéta dans les lettres qui suivirent de 1227 à 1230 ; rien ne changeait, sauf le lieu d'expédition : Aubsgourg, Tienne, Albi, Garance, Poternes. Le cœur des lettres se résumait toujours à des commentaires ou des détails truculents sur les gens et les paysages traversés par le jeune homme.

Le premier choc, la première vraie curiosité, et, surtout, le premier « nom » apparut dans une lettre de 1230. Haquin se trouvait en Espagne dans un village proche de Grenade et des territoires encore tenus par les infidèles. Il y commentait sa rencontre inopinée avec un personnage mystérieux appelé Malaparte. Arthème de Malaparte. Dans ce récit, une phrase intrigua fort le vicaire : « Mon très cher frère Alcher, écrivait Haquin, grâce soit rendue à cet homme que la providence a placé sur ma route ; par lui, me voilà un être nouveau dans cette vie, enfin les yeux ouverts. » Le vicaire relut plusieurs fois cette dernière phrase.

Le feuillet qui suivait chronologiquement était celui qui était resté entre les mains de l'archiviste à Paris. C'était la première lettre romaine.

Si cette dernière ne divulguait rien des raisons de la présence de Haquin dans la cité des papes, la dépêche suivante, datée de 1231, était beaucoup plus explicite. Haquin avait suivi Malaparte. Chuquet comprit que son maître s'était mis au service de cet étrange compagnon. Malaparte avait été convoqué à Rome par le pape Grégoire IX. Un collège restreint était constitué à l'initiative du souverain pontife pour délibérer, officiellement, sur les polémiques engendrées dans tout l'Occident par l'arrivée des nouvelles traductions des œuvres d'Aristote. Nombre des préceptes de ce philosophe allaient ouvertement contre le canon chrétien. Un collège de trois savants — dont Malaparte — réuni par le pape devait cette année-là étudier et rendre enfin la position définitive de Rome sur le sujet.

Aristote ? Chuquet arrêta soudain sa lecture. En quinze ans de service auprès de Haquin, il ne l'avait entendu prononcer ce nom qu'une seule et unique fois. C'était peu après sa propre arrivée à Draguan, alors qu'il n'était que sous-diacre. L'évêque traitait souvent avec lui de points d'école, pour l'éprouver. Ce jour-là, Haquin et Chuquet avaient parlé du salut.

— En venant parmi les hommes, dit Haquin, le Christ nous a ouvert la voie. C'est à son exemple que nous devons aujourd'hui nos seules chances de salut.

L'évêque avait concentré sa démonstration sur les actes et les enseignements du Sauveur. Depuis Jésus, le salut était à la portée de tous. Sans distinction aucune. Il suffisait de s'en remettre à son message et de suivre le chemin qu'il avait tracé…

Ce raisonnement étayé n'empêcha pas Chuquet de poser une question simple et pleine de bon sens :

— Qu'en est-il des hommes qui ont vécu avant le Christ ? Si nous sommes sauvés depuis l'Incarnation du Fils, ces penseurs, ces savants, ces hommes pieux de l'Antiquité, sont-ils tous damnés ? Sont-ils omis du salut éternel pour l'unique péché de n'avoir pas connu le Christ et d'être nés trop tôt ?

Ce trait d'esprit ne démonta pas l'évêque. Haquin répondit calmement par un tour classique, alors fameux et couru de tous : les grands penseurs antérieurs au Christ étaient des chrétiens sans le savoir.

— Sans le savoir ?

Haquin résuma sommairement l'histoire des Pères de l'Église qui charpentèrent la pensée chrétienne. Ils étaient tous de formation hellénique. Après leur conversion à Jésus, ils s'appliquèrent à « reformuler » les grands systèmes philosophiques grecs selon une terminologie de chrétiens, éclairés par leur foi nouvelle et enrichis de l'expérience du Christ. Ce labeur, qui nécessita des générations d'études, fut une épreuve intellectuelle sans égal. Les assimilations, souvent improbables, ne manquèrent pas de révéler des « erreurs » chez les philosophes antiques comme des « lacunes graves » dans le dogme chrétien en plein essor. L'œuvre de saint Augustin, par exemple, se constitua sur la christianisation de la pensée de Platon. Entre les lignes, entre les Idées, au détour d'un doute de Socrate, le grand évêque d'Hippone retrouvait les valeurs, les choix et les messages édictés farouchement par l'Église. De la même façon, beaucoup d'auteurs antiques se retrouvèrent chrétiens sans avoir jamais connu le Fils. Ceux qui résistaient à tout rapprochement étaient simplement mis à l'Index, considérés comme inexacts ou hérétiques.

— C'est du reste une époque très intéressante que nous vivons en ce moment, ajouta Haquin. L'Église s'est longtemps contentée de sa victoire exceptionnelle sur le platonisme, sans se soucier du premier de ses adversaires : l'école d'Aristote, le disciple même de Platon.

— Aristote ? Celui de la *Logique* ?

— Tu fais bien de nommer la *Logique*, dit Haquin. Cet ouvrage est resté pendant longtemps l'unique pièce qui nous soit conservée d'Aristote. Toutes ses autres œuvres avaient disparu.

— J'ai entendu cela, dit Chuquet.

— Oui, mais ce n'est plus valable aujourd'hui. Nous avons retrouvé ses écrits. Quand les musulmans ont été chassés des terres d'Espagne, ils ont abandonné derrière eux leurs bibliothèques. Parmi elles se trouvait un corpus d'Aristote qui avait été traduit en arabe du grec original, treize siècles plus tôt ! Il fut tout ce temps conservé dans les archives de Babylone et de Suze, à l'insu de tous. C'est par ce détour étonnant que cette pensée nous est reparue aujourd'hui aussi neuve, originale et inattendue qu'une philosophie tombée du ciel !

— Depuis lors, continua Haquin, nous essayons de faire avec Aristote ce qu'Augustin et les Pères ont fait avec Platon. Malheureusement, la pensée d'Aristote est autrement plus complexe et plus éloignée de nous que celle de son aîné. Elle est presque en tous points opposée aux fondamentaux de notre foi.

— Alors pourquoi s'en soucier ? demanda Chuquet. Faisons comme avec les autres penseurs antiques non retenus par nos Pères : ignorons-la. Nous pouvons déclarer qu'Aristote est un hérétique, et vivre sans lui comme nous l'avons déjà fait. N'a-t-on pas écarté des textes de l'évangéliste Jean ?

— En effet, en effet… dit Haquin. Mais l'œuvre d'Aristote a cet avantage sur saint Jean qu'elle fascine plus les savants que les théologiens. Platon considérait qu'il était impossible aux hommes de connaître la « Vérité » ; pour lui, elle appartient à une autre réalité dont nous ne pouvons rien concevoir pendant cette vie terrestre, si ce n'est les apparences. Aristote, lui, se disait libre de pouvoir tout étudier et tout comprendre. Si la Vérité se cachait derrière les choses et les vivants, il était convaincu que l'homme avait en lui les atouts et les droits pour pénétrer ces mystères. Aussi, lorsque tu glisses un tel discours dans l'oreille d'un savant, comme on le fait aujourd'hui, il n'est plus pensable de vouloir l'en déloger.

— Et vous êtes opposé à Aristote ?

— Je ne suis pas contre le fait d'étudier quelques maladies ou des propriétés végétales pour aider à la médecine, mais que dire de ceux qui, partant de là, s'autorisent toutes les expériences ? La Vie est une création du Seigneur, une émanation de Sa volonté. Chercher à en pénétrer les mystères, c'est entrer dans les secrets de Dieu et par là l'outrager. Par exemple, que dire de ceux qui travaillent aujourd'hui à fragmenter le prisme de la lumière pour en connaître les propriétés ? La lumière ! A-t-on oublié que c'était le troisième acte de la création de Dieu ? Le premier d'entre tous dont il est dit de sa voix : « Cela est bien » ? Comment croire, comme certains le disent, que la lumière ne serait là que pour nous éclairer quand nous marchons, alors qu'elle est un geste essentiellement voulu par Dieu ? Que dire de ceux qui étudient les mécanismes de la procréation ? Brûle-t-on les alchimistes et les sorciers pour mieux nous laisser entraîner à leurs mêmes tentations ?

C'était la seule fois que Haquin et Chuquet parlèrent du salut en général et d'Aristote en particulier.

Sur le bateau de Courtepoing, le vicaire reprit les feuillets de son maître. Une lettre de 1232 avertit Mozat de l'échec désastreux de la commission. Les trois sages avaient conclu leurs enquêtes en faveur des aristotéliciens. Ils découvrirent alors qu'ils étaient allés sans le savoir contre la volonté secrète du pape qui souhaitait seulement utiliser le prestige de ce cénacle pour étouffer de manière plus éclatante les prétentions des Nouveaux Docteurs et condamner définitivement Aristote. Son arme politique se retournant contre lui, Grégoire IX avait dissous la commission et congédié les trois hommes, sans ménagement.

Dans sa lettre du 3 février 1232, Romée de Haquin réprouvait en de longues digressions la décision du pape et commentait ce « recul de la pensée ». Cette position tranchée étonna Chuquet. Haquin se révélait dans ces lignes un fervent défenseur de l'esprit de méthode et de la « vérité à portée de l'étude » propre à Aristote. Un tel discours était à l'opposé de celui que l'évêque lui avait tenu trente ans plus tard à Draguan.

Le vicaire crut entendre des cris. Quelqu'un lançait des appels depuis la rive du fleuve en direction de *La Phénicie*.

— Courtepoing !

Le batelier rapprocha son embarcation de la rive. Un jeune homme, assez mal froqué, se présenta à lui sous le nom de Denis Lenfant.

— C'est d'Artois qui m'envoie.

— D'Artois ? Le soldat de la garde ? demanda Courtepoing.

— Oui, de Noyant.

Le jeune homme entra d'un bond dans le bateau en portant un gros cabas.

— Je descends avec vous, dit-il. J'ai une affaire à régler vers Aisne, tu me déposeras.

Le marinier accepta. Aucune taxe ne fut mentionnée entre les deux hommes. Denis Lenfant était envoyé par la garde... un service de cet ordre ne se monnayait pas.

Le nouveau venu aperçut Chuquet, accroupi à la proue de la barge. Dès l'arrivée du garçon, le moine avait caché sa boîte et son paquet de lettres.

— Bonjour, mon père, dit-il en voyant la coule du religieux. Vous êtes ?

— Chuquet... Frère Chuquet.

Lenfant le salua.

— Enchanté, frère Chuquet...

21.

À Heurteloup, Henno Gui observait toujours grâce à son agenda la vie quotidienne de ses « paroissiens ». Au fil des jours, il découvrit que les trois prêtres, ainsi que Seth et Tobie, disparaissaient de la communauté chaque semaine pendant plusieurs heures, sans laisser de trace.

Observant que chaque personnage entrait à ce moment dans sa hutte pour n'en reparaître que bien plus tard, le curé se posta près de celle de Seth, à l'heure dite. Il fit le tour de la maison. Aucune issue ne donnait par-derrière dans la forêt.

Discrètement, il revint sur ses pas et entrouvrit la porte du sage. Sans que cela le surprenne le moins du monde, la hutte était vide.

Au pied d'une grande peau de cerf tendue le long d'un mur, le curé remarqua une parcelle de terre battue granuleuse et humide. Il inspecta la tenture. Elle recouvrait une paroi légère : du mastic mêlé de terre et d'herbes sèches. La plaque rendait un son clair. Sans effort, il l'empoigna et déplaça ce double fond factice, découvrant une petite ouverture béante qui piquait d'aplomb vers un souterrain.

Le curé s'y engagea sans hésiter. Au fond, le sol était boueux.

— Ces galeries sont anciennes, se dit-il. La montée des marais les embourbe peu à peu ; elles finiront complètement inondées.

La vue du curé s'adaptait lentement à la pénombre. Des petites trouées apportaient un peu d'air et de lumière diffuse, bleuie par la neige en surface. Un vent coulis vint glacer le cou du prêtre.

Cette architecture souterraine l'étonna. Il existait en Occident beaucoup de réseaux secrets, que ce soit sous des grandes abbayes, dans des forteresses ou entre des citadelles d'une même lignée. Ils servaient toujours de structures de défense ou de coursives de fuite habilement étudiées. Pour quelle raison avait-on dû, à Heurteloup, creuser un tel système ? Pour se défendre contre qui ? Ce village n'avait jamais possédé plus de cinquante habitants... Il était sans richesse... De telles fondations aussi pénibles à construire étaient injustifiables.

Henno Gui poussa plus loin son exploration du souterrain. L'air était toujours frais, signe qu'il était bien aéré, donc parfaitement étudié.

Dans ce dédale, Henno Gui aperçut un halo de lumière qui frémissait au loin. Il s'approcha. Devant lui, en contrebas, il découvrit une petite salle en dôme. Au centre de cette grotte se tenaient les trois prêtres, Seth et Tobie, debout, en cercle. Ils entouraient un rocher dressé au milieu de la pièce. Dessus, Henno Gui reconnut le fameux drap jaune et rouge qu'il avait vu à l'enterrement de Sasha. Il était aujourd'hui déployé. Le curé aperçut un gros tas de feuilles soigneusement empilé.

Le dôme était inondé de lumière, grâce à des torches à résine. La fumée noirâtre qui s'accumulait sous le dôme s'échappait vers d'autres galeries.

De son poste d'observation, Henno Gui était trop en vue. Il rebroussa chemin et remonta une longue pente douce en suivant un filet d'air. Il se retrouva devant une paroi de la même facture que celle trouvée dans la hutte de Seth. Le curé n'entendit rien de suspect derrière et la poussa.

Il entra à l'intérieur d'une nouvelle maisonnée. Il y faisait sombre. Toutes les ouvertures étaient barricadées. Le seul rai de lumière provenait de l'entaille traditionnelle du toit.

Henno Gui se dirigea vers la découpure d'une porte ; elle

céda sous ses coups de paume. Il reparut au grand jour dans un vaste nuage de poussière. Il était hors du village. Devant une petite hutte, celle-là même qu'il avait croisée en premier avec Floris et Mardi-Gras lors de leur arrivée. La hutte abandonnée.

Henno Gui resta longtemps à méditer à cet endroit. Ces galeries souterraines étaient beaucoup plus longues et profondes qu'il ne l'imaginait...

‡

La nuit suivante, Henno Gui et ses deux compagnons quittèrent discrètement le village.

Le prêtre retrouva malgré l'obscurité l'issue qui menait de la hutte aux souterrains. Il n'alluma sa torche lumineuse qu'après que tous furent entrés dans les galeries. Floris et Mardi-Gras suivaient leur maître, ébahis par sa découverte.

Henno Gui retourna au dôme. Il ranima les flambeaux résineux des prêtres.

— Personne ne peut déceler cette lumière ? s'inquiéta Floris.

— Nous sommes entrés sous la forêt, dit le curé, loin derrière le village.

Il montra les parois. Des nervures de racines prouvaient qu'ils étaient sous une terre couverte d'arbres.

La pierre de taille et le tissu coloré étaient toujours à la même place, au milieu de la pièce. Délicatement, Henno Gui défit le drap rouge et jaune et découvrit un petit coffre en bois sans serrure. Il l'ouvrit.

— Ce coffret a eu plus de chance que celui de la crevasse, dit le curé. Il est resté protégé des agressions du temps.

Le curé approcha sa lumière des feuillets supérieurs contenus dans la boîte dépliée.

— Ce manuscrit est rarement compulsé, dit-il. Les pages sont à peine écornées et le paquet est encore compact.

Délicatement, Henno Gui tourna quelques feuilles. La calligraphie était haute, pleine de déliés. C'était une écriture différente de celle trouvée sur le croquis de la pierre de foudre dans la crevasse. Chaque page était entièrement remplie, comme dans les études de scriptorium où le papier était rationné. Le prêtre lut quelques lignes à voix basse.

— C'est étonnant... très étonnant, lâcha-t-il.

Il sauta des passages, tourna des blocs entiers, revint en arrière.

— Il y a là des notes de latin. Des notes confuses. Comme celles de quelqu'un en train d'apprendre cette langue.

Henno Gui changea de feuillet.

— Là, ce sont des traductions très approximatives... le *Timée* de Platon, un extrait du premier chapitre des *Métamorphoses* d'Ovide. Des écrits cosmologiques... la naissance du monde, l'éther, le chaos, l'arrivée de l'homme... C'est très mal traduit et assez contradictoire.

L'homme qui avait écrit ces lignes ne maîtrisait pas le latin, il mélangeait souvent des mots et des tournures occitans pour achever plus facilement ses phrases.

— Là, reprit Henno Gui devant un autre passage, c'est une liste d'effets de moine. Son nombre de chemises, ses cottes, ses torchons, ses coules, ses ceintures de corde...

— Et là, ce sont des psaumes, je crois... dit-il plus loin.

Le reste du paquet était fait de feuilles encore vierges. Certaines commençaient à se décomposer et à se couvrir d'une pellicule soufrée.

— À qui appartiennent ces textes ? Qui les a écrits ? demanda Floris. Cosme, le dernier curé ?

— C'est possible.

— Ou quelqu'un d'autre, venu plus tard...

— ... qui aurait profité de l'isolement du village et de la crédulité de ses hommes.

— Pour quoi faire ? demanda le disciple.

Henno Gui hésita. Il ne s'était pas encore ouvert de ses premiers soupçons à ses deux compagnons.

— ... pour se faire passer pour un prophète, par exemple... ou même pour un Dieu ?

— Un Dieu ?

— Les conditions sont ici parfaites pour une telle mystification. Et depuis très longtemps.

— Dans ce cas, pourquoi y a-t-il si peu de traces de ce personnage ? À part ces textes...

— Les faits d'un tel individu, s'ils existent, peuvent remonter à plus d'une quarantaine d'années. J'y ai déjà songé. À cette époque, le Sud était infesté par les armées du pape et du roi. Ces brigades incendiaient tout sur leur passage, tout ce qui ne relevait pas de la Croix romaine. Le campement que j'ai étudié dans la crevasse l'autre jour pourrait très bien avoir été un retranchement militaire. Qui, à part des soldats, assécherait un étang pour se faire un poste ? Qui laisserait derrière soi des croquis d'armure ? Si notre faux prophète a bien vécu ici, il est probable que, bien qu'il se soit cru à l'abri dans ce village oublié de tous — ne pensait-on pas alors que les habitants avaient péri de la peste ? —, il se soit retrouvé en butte à ces croisés. Avec une armée puissante à quelques lieux du village, ce Grand Incendie légendaire auquel croient les villageois m'a soudain tout l'air d'une rafle punitive...

— Mais une telle action, s'exclama Floris, devrait être inscrite quelque part dans les annales du pape ou du roi !

— Tout ceci a trait à une période dont les débordements n'ont pas tous été endossés.

— Et cet homme diabolique, qui serait-il ? Cosme ? Je croyais qu'il était mort de la peste. Un inconnu ?

— L'évêque Haquin aussi est un suspect plausible, dit Henno Gui.

— Haquin ?

— Pourquoi non ? Il est au diocèse depuis longtemps. Son assassinat peu après la redécouverte du village est étrange. S'il y a un lien, nous ne tarderons pas à le découvrir. Dans notre hypothèse, l'homme qui a investi l'esprit de ces villageois devait être puissant et charismatique. Comme tous les faux prophètes, il aura fait table rase de toutes les croyances antérieures. Les nouveaux dieux aiment à se faire passer pour les premiers. Cette volonté expliquerait l'absence de traces ou d'avatars chrétiens dans ce village, et la crainte, sans doute mystique, qui les a forcés à ne jamais quitter leur terre et ses environs.

Henno Gui regarda le paquet de feuilles.

— Il faudrait pouvoir tout lire avec attention. L'auteur de ces lignes doit forcément se trahir quelque part.

22.

La suite du voyage fluvial de Chuquet se déroula sous des neiges ininterrompues. Le pic d'hiver tant redouté depuis le début de la saison s'abattait finalement sur les campagnes françaises. Le moine, Courtepoing et Denis Lenfant restèrent blottis jour et nuit dans la petite guérite de *La Phénicie*. Le cheval du batelier avançait sur la rive, tirant difficilement la barge vide.

Avant son arrivée à Troyes, Chuquet dut tenir ses promesses et pourvoir Courtepoing de ses trois absolutions universelles, ainsi qu'au passager imprévu qui profita de l'occasion. Les confessions de Lenfant révélèrent un homme sans scrupules, s'étant souvent parjuré par goût du profit, et œuvrant à tout-va pour n'importe quelle cause ou n'importe quel chef. Le bon Chuquet écoutait et pardonnait tout, un peu comme un automate, pensant que ses indulgences vendues à bon prix n'avaient aucune valeur aux yeux du ciel. Ces longues journées sur l'eau se montrèrent finalement plus pénibles encore que son voyage solitaire avec le cercueil de Haquin.

Dès l'arrivée de Lenfant sur le bateau, Chuquet s'inquiéta que cet homme ait été envoyé par le Garde des Eaux. Quand cet inconnu l'interrogeait sur son passé ou sur les raisons de son voyage, le moine inventait une vie et des objectifs hors de tout contexte. Qui que soit véritablement Denis Lenfant, ce qu'il apprenait de Chuquet ne lui serait jamais d'aucun prix. Rien ne prouvait du reste que ce passager soit un espion, mais le vicaire avait gardé de ces derniers temps un tour d'esprit qui le rendait méfiant de tout, et de tous.

Il débarqua enfin dans une rade près du bourg de Troyes. Le batelier continuait sa course en aval jusqu'à Aisne. Lenfant resta sur *La Phénicie* avec Courtepoing. Chuquet était content de se débarrasser de cet individu.

La neige tombait toujours. Dans les rues étroites de Troyes, Chuquet frappa à plusieurs portes à la recherche d'un indice sur l'hôtel ou le château de la famille Haquin. Il fut souvent rabroué : personne ne connaissait ou ne se rappelait ce nom. Seul un bedeau, perdu dans l'évêché déserté de la ville, lui indiqua le couvent des Sœurs de Marthe, à la sortie nord de la cité. Chuquet pourrait y interroger la mère supérieure Dana, qui avait connu les Haquin. Selon le bedeau, cette famille s'était éteinte depuis longtemps, ou avait quitté la région.

Le couvent des moniales était installé dans un ancien fort rudement bâti et imprenable. Il montrait des ressauts et des redans étranges pour une communauté de religieuses.

— Que cherchez-vous, mon père ?

L'abbesse Dana était une vieille dame au visage dur, noble, mais pas de France. Elle avait un léger accent italien.

— J'étais le vicaire de monseigneur Romée de Haquin à l'évêché de Draguan, dit Chuquet. Je suis venu remettre les effets de mon maître à sa famille.

— Romée de Haquin est mort ?

Chuquet inclina la tête.

— Que Dieu ait son âme, murmura l'abbesse.

— Quelqu'un d'ici m'a dit que ses proches ne résidaient plus à Troyes ?

— En effet. Cette lignée a trop compté de religieux. Elle n'a plus aujourd'hui de descendance.

— Mais… il n'y a plus de château, plus d'affaire, aucun légataire officiel des Haquin ?

— Tout ce qui appartenait à cette famille a été offert à ce couvent, mon père.

— Vous avez connu mon maître ?

— Oui. Mais je ne vous dirai rien sur son compte sans l'autorisation d'Esclarmonde.

— Qui est cette femme ?

— La sœur de Romée, dit l'abbesse. Elle est encore parmi nous, ici.

Chuquet reçut cette révélation comme un coup de fouet. La sœur de Haquin ! Le vicaire repensa à cette petite fille dont lui avait parlé le vieil Alcher de Mozat.

— Puis-je la rencontrer ? demanda-t-il fébrilement.

— J'en doute. Sœur Esclarmonde fait partie des recluses. Elle ne voit plus personne. Elle ne quitte jamais sa cellule. Je veux bien hasarder une demande, vu les circonstances, mais je ne vous garantis rien. Nous sommes demain jeudi, nous commencerons nos prières de la Passion. Revenez lundi prochain.

Chuquet ne voulait en aucune façon patienter aussi longtemps.

— Ma sœur, dit-il fermement, j'ai emporté avec moi la dépouille de monseigneur Haquin.

Pour la première fois, le visage de cire de l'abbesse s'altéra. Elle marqua un temps de réflexion.

— Je lui dois une sépulture, dit Chuquet. Je ne peux plus attendre.

La femme lui accorda de revenir le lendemain.

Chuquet se mit en quête d'une auberge. Le couvent des Sœurs de Marthe était interdit aux hommes et le moine ne souhaitait pas se présenter à l'hôtellerie de l'évêché. Il préférait se fondre dans l'anonymat des voyageurs. Il trouva un gîte à l'auberge du Bec. Chuquet paya sa chambre avec ses tout derniers écus et monta rapidement se coucher. Du haut de l'escalier qui menait aux chambrées, il entendit entrer un nouvel arrivant dans l'auberge. Il ne pouvait pas le voir, mais il le reconnut aussitôt à sa voix. C'était Denis Lenfant.

23.

À Rome, Fauvel de Bazan était installé derrière son bureau, dans l'immense antichambre d'Artémidore au palais du Latran. Sur le banc en bois attendait le père Profuturus.

— Le chancelier ne va pas tarder à vous recevoir, lui dit le diacre avec bienveillance.

L'abbé hocha la tête.

Au même moment, trois franciscains et un dominicain un peu grassouillet apparurent au fond de la salle. Les trois religieux en robe de cordeliers étaient les mêmes qu'avait croisés à deux reprises Enguerran du Grand-Cellier, d'abord dans cette même salle au Latran, puis au château où il avait rencontré Artémidore et son assemblée. Ils avaient toujours cette mine sévère et autoritaire. Le diacre les regarda approcher avec une crainte mal contenue.

— Cet homme, dit le premier franciscain en désignant le dominicain qui les accompagnait, s'est présenté à nous hier soir.

— Je suis le père Merle, de la légation de France à Rome, dit le dominicain.

L'homme était petit, l'œil pétillant et le front chauve avant l'âge.

— Il a des messages de Paris, ajouta le cordelier, et certaines questions dont nous pensons qu'elles concernent plus la chancellerie que notre service.

— De quoi s'agit-il ? demanda Bazan.

— J'ai des informations à rapporter pour l'archiviste de Paris, dit Merle... au sujet d'un certain Romée de Haquin, ancien évêque de Draguan qui aurait séjourné à Rome sous Grégoire IX...

Malgré son endurance à la politique, Bazan ne put se contenir et lâcha sa plume sur son bureau.

— Attendez là, dit-il.

Il disparut derrière la porte du chancelier.

— Je crois que vous êtes entre de bonnes mains, reprit le grand franciscain.

Les trois religieux abandonnèrent leur hôte et quittèrent l'antichambre de la chancellerie.

Profuturus dut patienter encore avant de s'entretenir avec Artémidore. Le père Merle fut introduit de toute urgence dans son bureau.

— Qu'est-ce que c'est que cette histoire ! lança Artémidore furieux à son secrétaire dès que le visiteur les quitta. Je croyais que l'affaire du dossier de Draguan à Paris avait été définitivement résolue !

— Je le croyais aussi, Excellence.

— De quel droit cet archiviste relance-t-il des enquêtes ? Comment ont-ils appris la mort de l'évêque ? Depuis quand le suspectent-ils d'avoir résidé à Rome ? Et comment ce dominicain romain est-il déjà au courant ?

— Les Français, comme les Anglais, sont friands de ces instruments de courrier venus d'Orient. Ils communiquent vite. Même en hiver.

— Instruisez Jorge Aja. C'est à lui de régler ce problème !

Le chancelier cogna du poing sur la table.

— Par le corps-Dieu, comme je déteste que l'on vienne dépoussiérer sous mon nez des histoires d'un autre âge !

Bazan resta prudent devant la colère de son maître, il acquiesça en faisant une simple révérence.

☦

Le père Profuturus entra peu après dans le bureau du chancelier.

— Eh bien, mon père, dit Artémidore toujours avec humeur, où en sommes-nous ?

— Tout se déroule à merveille, Excellence.

— Aymard du Grand-Cellier ? Il a survécu ?

— Parfaitement.

— Comment est-il ?

— Il a déjà retrouvé ses esprits... et la foi.

— Bien. La mémoire ?

— Il a repris conscience de lui-même et de ce qu'il lui est arrivé. Pour l'instant, il est encore très docile.

— Pourquoi « pour l'instant » ? Vous avez des doutes ?

— C'est un caractère trempé, Excellence. Capable de tout. J'ignore si nous pourrons le garder indéfiniment dans des dispositions aussi favorables. Si nous voulons l'utiliser, il faut faire vite. Il a un instinct d'indépendance très sûr. La soumission à l'autorité n'est pas son fort.

— L'avez-vous mis à l'épreuve ?

— Plusieurs fois. Toujours avec succès.

— En quoi peut-il nous être utile ?

— Dans le bien comme dans le mal, il est capable de tout. Bien préparé, cet homme ferait une arme redoutable.

— Lui avez-vous parlé ?

— Pas encore. J'attendais vos ordres, Excellence.

— Vous êtes seul juge pour cela, Profuturus. Expliquez-lui ce que nous faisons. Donnez-lui une mission.

— Qui doit l'encadrer ?

— Laissez Merci-Dieu avec lui. C'est une bonne sûreté.

— Le sujet a parlé plusieurs fois d'un certain jeune garçon qui l'aurait accompagné jusqu'à Rome.

— Oui. Pourquoi ?

— Il est convaincu que c'est à lui qu'il doit sa renaissance.

— Gilbert de Lorris.

— Ce garçon incarne pour lui l'instrument qui l'a conduit à sa nouvelle vie et...

— S'il doit vous servir, interrompit Artémidore, n'hésitez pas ; il est à vous.

Profuturus fit un signe de remerciement.

— Que pense Drona d'Aymard ? reprit le chancelier.

L'abbé hésita.

— Il est partagé, Excellence. Pour lui, il ignore encore si nous avons créé notre meilleur élément ou notre pire ennemi. Ce mécréant a retrouvé la foi d'une manière extraordinaire. Il pourrait un jour se retourner contre nous.

— Il faudrait pour cela que nous lui en donnions l'occasion. Cela n'arrivera pas. Faites au mieux, Profuturus.

— Oui, Excellence...

24.

Le lendemain de son arrivée à Troyes, Chuquet quitta l'auberge du Bec pour le couvent, à l'aube. Il fit attention de n'être ni suivi ni repéré. L'apparition subite de Lenfant lui confirma ses soupçons. Il voulait terminer rapidement son affaire dans ce bourg et reprendre la route. Mais la neige tombait toujours aussi dru. Elle compromettait son retour à Draguan.

Le vicaire attendit deux longues heures près du bureau de la mère supérieure, avec son coffret et son paquet de lettres.

L'abbesse ne parut pas. Ce fut Mélanie, une servante de la ville au service des moniales, qui l'accompagna, sans un mot, dans une partie du couvent ordinairement interdite aux visiteurs. Les allées étaient entièrement vides. Toutes les nonnes étaient aux prières. Chuquet fut conduit derrière l'abside d'une petite abbaye. Un escalier en pierre plongeait à pic sous le monument. Mélanie lui fit signe de descendre.

— Ne me donnerez-vous pas une torche ? demanda Chuquet.

— Non. La sœur recluse n'est plus en mesure de supporter la lumière. Elle n'est pas sortie de sa cellule depuis sept ans.

— La trouverai-je facilement ?

— En bas, mon père, je crois bien qu'il n'y a plus qu'elle.

La jeune servante abandonna le vicaire. Chuquet hésita un peu, avançant à tâtons vers la nuit.

— Esclarmonde... pensa-t-il. Drôle de nom pour une recluse...

Le moine longeait les murs en collant une épaule contre les parois. Un peu perdu et déjà soucieux de ne plus pouvoir retrouver son chemin, il finit par appeler à voix haute.

— Je suis le frère Chuquet, ma sœur... où...

— Ici.

Ce murmure résonna comme dans une caverne. La femme était juste à côté du moine. Cette soudaine proximité le terrifia, il n'osa plus faire un pas. Chuquet serrait si fort le coffre de Haquin que les angles de bois lui entraient dans les côtes.

— Je vous écoute, mon fils, dit la voix.

— J'ai... j'étais au service de votre frère, monseigneur Haquin... il nous a quittés et...

Chuquet hésita. C'était la première fois qu'il allait devoir raconter l'assassinat de son maître. Il n'avait rien dit à l'archiviste, rien au registre, rien à Mozat, rien au garde. Mais cette fois, il ne pouvait plus se désister. Il raconta en peu de mots les conditions terribles du meurtre de l'évêque.

Après un long silence, la bouche fantomatique de la recluse reprit :

— L'abbesse Dana m'a dit que vous aviez rapporté la dépouille de mon frère. Où se trouve-t-elle ?

Elle avait prononcé cette phrase d'une voix claire, comme si le récit de Chuquet ne l'avait pas atteinte.

— Elle est avec moi, répondit Chuquet. En ce moment.

Il y eut de nouveau un long silence. L'obscurité était complète. Le vicaire avait beau ciller et chercher de toutes parts, son regard ne décelait aucune forme, aucune ombre diffuse...

— Approchez, dit la voix, et donnez-moi ce que vous portez.

Malgré l'écho, Chuquet savait que la recluse se trouvait à moins de trois pas, sur sa droite. Il avança doucement avant de buter contre un pied en bois.

— Je suppose que vous n'emportez que des reliques, devina Esclarmonde. Posez-les sur ce tabouret.

Chuquet s'exécuta. Il fit ensuite un pas en arrière.

Les quelques minutes qui suivirent furent les plus pénibles de son long périple. Il entendit, dans le silence froid du souterrain, Esclarmonde ouvrir le coffret, saisir les os de son frère, les toucher l'un après l'autre... les embrasser ? les bénir ?... Chuquet ne perçut aucun sanglot, aucun souffle, il les devinait pourtant. Selon le vicaire, Esclarmonde n'avait pas vu, ni reçu de nouvelles de Romée de Haquin de Draguan depuis au moins trente ans...

Chuquet n'osa pas proférer le premier mot. Il entendit enfin le couvercle de la boîte se rabattre. Sœur Esclarmonde reprit :

— Mon frère nous a laissé quelques indications quant à ses souhaits funéraires. L'abbesse Dana vous rendra ses papiers. Vous lui direz qu'à l'occasion de l'enterrement de l'évêque, je sortirai de ma retraite. Pour le temps de la veillée et de la messe uniquement. Cet entretien m'est à présent pénible, mon fils. Laissez-moi...

Chuquet n'osa pas insister. Il salua malgré le noir et commença à remonter derrière lui.

— Je vous remercie, ajouta soudain l'étrange voix. Je vois dans vos yeux que vous êtes un homme bon et que vous aimiez mon frère.

Le vicaire frissonna et précipita sa sortie. Il en oublia le squelette de son maître derrière lui.

25.

À son retour à Rome, le soldat Gilbert de Lorris avait été séparé d'Aymard du Grand-Cellier. Sans qu'il puisse se présenter à la garde du Latran, on l'avait conduit le jour même à la caserne de Falvella, à la périphérie de Rome. Là, il fut méticuleusement interrogé par deux soldats et deux religieux, au sujet de sa mission et sur ce qu'il avait appris du fils d'Enguerran. Ce n'était pas un compte rendu ordinaire, mais un véritable interrogatoire. Gilbert pesa chacune de ses réponses. Il dépeignit le caractère complexe d'Aymard, son incorrection, son refus de bénir le cortège au village de Méry et le crachat qu'il jeta sur le cercueil du mort, les précautions imposées par sa propre mère, l'épisode étrange de l'Auberge du Roman, la robustesse physique enfin, les silences et les regards inquiétants. Ses examinateurs le tourmentèrent avec de nombreux sous-entendus sur son passé auxquels le garçon ne pouvait répondre.

Enfin, au bout de trois jours, Gilbert fut rendu à des activités militaires mais sans pouvoir quitter la caserne.

Il resta plusieurs semaines dans cette garnison. Étrange garnison du reste ; il s'y trouvait trop de moines à son goût. Il fut promu rapidement, mais à titre politique : ce qui était toujours mal vu des vrais soldats. On l'empêcha de revoir la moindre personne appartenant à son ancienne affectation. Un soldat du Latran fut un jour annoncé avec un courrier.

Gilbert de Lorris fut aussitôt écarté pour la journée de la caserne.

Il était vacant. Aucun ordre de mission ne le concernait jamais.

Au bout de six semaines enfin, un prélat entra à la caserne avec un carrosse aux armes du pape. On convoqua Gilbert. Le visiteur apportait un ordre de la chancellerie.

— Vais-je retourner à Rome ? demanda Gilbert. Ma mission est terminée depuis plus d'un mois, pourquoi n'ai-je pas encore réintégré ma garde du Latran ?

Le prélat regarda le soldat avec un air grave.

— Ta mission n'est pas terminée. Tu pars avec moi, aujourd'hui, et tu retournes auprès d'Aymard du Grand-Cellier. Prépare tes affaires.

Le prélat qui passait par la caserne de Falvella était l'abbé Profuturus.

✝

Peu à peu, Aymard s'insérait sans heurts dans la vie du monastère. Il partageait la maigre pitance des moines et participait aux travaux communs. Il jouissait de l'existence simple des religieux, du silence et de la communion de prières, tout comme hier, il savourait le blasphème et les orgies. Il implorait souvent le ciel de le garder dans cette virginité d'âme.

Deux jours après son retour de Rome au monastère, le père Profuturus convoqua Aymard.

— Maintenant que ta purification est accomplie, que veux-tu faire ?

— Servir mon Église, dit l'ancien abbé du Seuil.

— C'est bien. Mais encore faut-il savoir comment...

Sans rien ajouter, l'abbé l'entraîna vers une aile du monastère qu'il n'avait jamais visitée. Un imposant corps de logis haut et sans fenêtres clôturait la façade orientale de l'enceinte. Le garde qui accompagnait si souvent Aymard, l'« homme en noir », les attendait devant la petite porte en fer du bâtiment.

Ils entrèrent.

Aymard découvrit alors une immense salle, longue d'un stade, sans aucune section. Une foule de moines laborantins s'affairaient sur des dizaines d'établis, séparés par des petites cloisons en bois. Aymard n'avait encore jamais rencontré un seul de ces personnages. Ils vivaient cachés, en marge du reste de la communauté.

À l'entrée, deux grandes fresques accueillaient les visiteurs : la première représentait la Médecine incarnée dans un symbole grec, le seconde représentait la Médecine incarnée par le Christ.

— C'est ici que nous travaillons, dit Profuturus. Ne pose pas de questions. Je t'expliquerai en chemin.

L'abbé entraîna du Grand-Cellier à travers les postes des moines.

Le premier qu'ils rencontrèrent avait devant lui une multitude de dessins à encre, d'eaux-fortes, d'enluminures et de tableaux. Penché sur une miniature, le religieux utilisait un large verre poli qui lui servait de loupe.

— Voici notre frère Astarguan, qui étudie les œuvres picturales des hérétiques qui tombent entre nos mains. En dehors de leur aspect purement blasphématoire, certaines œuvres véhiculent des messages, des codes, des chiffres secrets que leurs communautés s'envoient sous le couvert d'une commande d'ornement d'église.

Aymard regarda le tableau dressé au-dessus du moine : c'était un magnifique Christ en croix. Astarguan avait légèrement gratté la croûte de peinture au niveau du torse du Seigneur crucifié. À la place de la plaie saignante infligée par les gardes romains à Jésus, à la droite du cœur, se trouvait à présent un horrible vagin. Un nom était inscrit au milieu de ces lèvres rougies.

Profuturus le poussa vers un autre plan de travail.

— Ici, nous sommes avec le frère Fritz, ancien médecin des Hospitaliers.

Frère Fritz avait près de lui un homme à moitié nu, assis sur un tabouret, l'air un peu hagard.

— Il étudie la nature des pestiférés, dit l'abbé. Surtout ceux qui échappent à la maladie. Nous avons remarqué que les hommes qui survivent à une peste sont miraculeusement immunisés contre les atteintes suivantes.

— Est-ce la Grâce ? demanda Aymard.

— Peut-être. Peut-être pas… Fritz essaie de comprendre. En tout cas, ces êtres nous sont de la première utilité. Dans les régions infestées et désertées par les populations à cause du mal, des troupes de crocheteurs n'hésitent pas à venir piller nos églises et nos cadavres. Dès que nous le pouvons, nous envoyons ces hommes prémunis contre la maladie pour protéger et garder nos biens jusqu'à la fin de l'épidémie.

— Là, reprit un peu plus loin Profuturus, frère Théron étudie les propriétés de la lumière et de l'eau. L'arc-en-ciel est son sujet de recherche privilégié. Comme tu le sais, il est écrit dans la Bible que Dieu a fait l'arc-en-ciel pour marquer la fin du Déluge de Noé. Théron est en train de démontrer que cet effet d'évaporation lumineuse a en fait servi au Créateur pour éliminer l'excédent d'eau qui recouvrait encore le monde…

Le poste suivant était couvert de bêtes mortes, empaillées ou disséquées à vif. Un vieux moine, la colonne ployée par l'âge, salua l'arrivée de l'abbé et des deux hommes.

— Arthuis de Beaune est l'un de nos plus anciens et de nos plus éminents savants. Sa renommée est de nos jours aussi peu contestée en Occident que celle d'un sage antique. Il explore les mystères naturels depuis quarante ans. C'est lui qui a démontré par l'expérience que la salamandre ne craignait pas le feu ou que la chair du paon était incorruptible. C'est à lui aussi que nous devons la célèbre expérience du scorpion, qui fut son premier coup de maître au début de sa carrière. Il a observé pour la première fois qu'un scorpion encerclé par une ligne de feu ne choisissait ni de fuir ni de se laisser dévorer par les flammes. Après un temps étrange de « réflexion », il finit par se harponner lui-même avec la griffe de sa queue et s'empoisonne à mort. Que de questions soulève cette surprenante volonté de la part d'une bête. Est-ce Conscience ? Est-ce Pensée ? Âme peut-être ? C'est en tout cas à Arthuis de Beaune que nous devons ces interrogations passionnantes. Et bien d'autres encore.

Profuturus poursuivit sa visite de la grande salle. Le frère Jouve travaillait à l'équilibre des trois humeurs de l'homme ; l'Anglais Guillaume Candish étudiait les armes à feu découvertes en Orient et en Asie. Il montra un exemplaire de ce qu'il appelait le « canon portatif ». Ce long tube d'acier et de bois, à peine plus long qu'un tiers de lance, était étudié pour cracher du feu et de la bille de plomb à des distances incroyables. Aymard fut ébahi devant cette force de feu capable de décapiter un homme sans l'approcher ni le toucher. L'« homme en noir » épaula une de ces armes pour en mimer l'usage.

Le reste du parcours de Profuturus était tout aussi époustouflant. Ce monastère était, malgré son apparence de lieu de prières, plus dangereux qu'une officine de chercheurs payés par les opposants de Rome.

— Nous restons très secrets sur nos activités, dit Profuturus lorsque les trois hommes eurent rejoint son bureau, car, malgré notre foi irréprochable, peu d'autorités ecclésiastiques accepteraient de nous reconnaître.

— Pour qui travaillez-vous ?

— Pour un collège d'hommes puissants. Le même qui t'a choisi et que tu vas peut-être rejoindre bientôt.

« Nous vivons une époque très délicate pour notre Église, reprit l'abbé. Ces dernières années, beaucoup de sectes hérétiques ont été éradiquées dans le sang. C'est une bonne chose, les croisades armées en Occident n'ont pas été inutiles, mais nous savons maintenant qu'elles ne suffiront pas. La pensée des infidèles continue d'infecter le monde. Les hérétiques ne sont rien. Leur science et leurs connaissances sont maintenant plus pernicieuses que leurs soldats. Ici, nous sommes une sorte de laboratoire d'idées. Nous étudions les phénomènes qui vont pour ou contre notre dogme et qui peuvent être utilisés à tout moment par nos adversaires. Tout cela en secret. Les raisonnements et la foi de nos théologiens ne suffisent plus pour défendre l'Église. Il faut aujourd'hui un savoir similaire à celui de nos ennemis pour démonter leurs attaques qui usent de la science pour mieux rompre la cohérence de nos Textes. L'hérésie n'est plus une affaire d'illuminés qui emportent à leur suite des populations crédules et impressionnables : c'est une affaire de savants, de penseurs qui décident de démontrer ou même de nier Dieu plutôt que d'y croire.

— Je ne vois pas en quoi je puis vous aider dans ce combat, dit Aymard. Je n'ai aucune connaissance dans ces domaines de l'esprit.

— Mais nous ne nous contentons pas de travailler en « laboratoire ».

Profuturus fit un signe à l'homme en noir. Celui-ci ouvrit la porte du bureau de l'abbé et fit entrer un nouveau moine.

— Aymard, je te présente Drago de Czanad.

Le nouveau venu salua Profuturus.

— Drago revient d'Ariège, dit-il. Explique ta dernière mission à notre ami.

— Deux villages près de Survines se disputaient les reliques d'un saint du pays qui venait d'être canonisé. Ce genre de querelle n'est pas rare, sauf que cette fois, chaque village se disait détenteur du squelette intégral de l'élu et le déclarait comme étant l'original.

— C'est un dilemme qui s'est déjà produit au VIe siècle avec les reliques de notre très saint Benoît de Nurcie, ajouta Profuturus. Deux puissants monastères revendiquaient la possession du corps de Benoît : le Mont-Cassin et Fleuris-sur-Loire. Mais ces deux pôles étaient très éloignés l'un de l'autre ; le premier était en Italie, le second en France. L'Église a donc pu laisser subsister ce conflit jusqu'au morcellement complet des reliques et à la fin de la querelle. Le cas qui a occupé Drago est plus complexe : les deux villages étaient mitoyens.

— La légitimité d'une relique repose sur les miracles

qu'elle accomplit sur les fidèles, dit Drago. J'ai donc pris le parti d'un des deux camps, celui qui était le plus favorable à la cause du pape, et j'ai simulé un miracle gigantesque avec son cadavre afin d'édifier la population et d'écraser toute dispute quant à l'authenticité du corps du saint.

— Ces affaires d'Église peuvent vous paraître puériles, dit l'abbé, mais ce genre de conflit est souvent à l'origine de soulèvements populaires dangereux, toujours pilotés par des politiques qui veulent bafouer l'autorité de Rome... Même dans des villages d'Ariège, pour un saint sans importance, nous devons penser à tout.

— Demain, je repars pour le bourg de Gennanno, sur le Mont-Rat, dans les terres de Spolète, dit Drago de Czanad. Nous devons assurer là-bas la restauration complète d'une église.

— C'est une affaire plus simple, commenta Aymard.

— Détrompe-toi, répondit Profuturus. Gennanno est en majeure partie attaché à l'empereur, notre adversaire. Contre Rome. Ils sont liés à des communautés qui fustigent l'Église à cause de sa prétendue fortune non conforme aux Écritures. Nous voulons néanmoins reconstruire le lieu de culte vétuste qui demeure à Gennanno. Pour cela, il nous est impossible de convoyer la forte somme d'argent nécessaire à l'évêque du Mont-Rat pour les travaux. Ce serait mettre de la myrrhe sur leurs contestations ridicules sur la richesse de Rome.

Drago poursuivit.

— Je vais donc organiser une apparition miraculeuse. La Vierge va se montrer aux habitants et les enjoindre de retrouver le parti du pape. Pour les encourager, elle leur indiquera un site secret où un coffre rempli d'or a été enterré dans le passé. Les habitants devront user de ce butin pour rebâtir leur église en signe de leur ralliement et de leur foi entière.

Il y eut un long silence après cette révélation.

— La politique de l'Église passe aussi par là, mon fils, conclut laconiquement Profuturus. Je souhaite que tu te joignes aux efforts de Drago. Ce sera ta première mission et ton premier geste de remerciement envers ceux qui ont choisi de t'offrir une seconde chance. Pour cela, tu seras accompagné de Merci-Dieu...

Il désigna l'« homme en noir ». C'était la première fois qu'Aymard entendait le nom de ce personnage énigmatique.

— ... et d'un jeune homme de ta connaissance qui est déjà tout acquis au simulacre de Gennanno, acheva Profuturus.

L'homme en noir entrouvrit la porte du bureau.

Derrière, Aymard du Grand-Cellier découvrit le jeune Gilbert de Lorris.

26.

Après sa rencontre avec sœur Esclarmonde, l'abbesse Dana autorisa Chuquet à entrer dans la remise où étaient entreposés les effets de la famille Haquin.

— La donation des Haquin à notre couvent a eu lieu il y a huit ans, dit-elle. Nous avons vendu la plupart des objets précieux pour les transformer en œuvres. Vous trouverez des cartons d'écrits et quelques souvenirs familiaux. Romée de Haquin avait plusieurs frères. Tout est réuni pêle-mêle. Vous devrez chercher avec minutie. Dans cette remise, il y a aussi des dons d'autres familles. Ne vous trompez pas.

Chuquet ne dénicha que des papiers sans valeur ou difficilement identifiables. Rien ne se référait directement au sort de Romée de Haquin. C'étaient des actes familiaux sans importance. Le seul feuillet qui intéressa un peu le vicaire fut une déclaration de vœux commune aux cinq frères Haquin. Chacun cédait ses biens familiaux au dernier vivant. Tous avaient embrassé une carrière religieuse, mais leurs biens de Troyes, dissociés de leurs possessions de paroisse, devaient rester dans le giron familial. Un *addendum* ajoutait quelques volontés postérieures à cet acte : Simon, l'aîné, souhaitait que ses bijoux en or soient refondus pour faire un crucifix, offert à la communauté de Bagneux ; Félix payait l'office d'une messe annuelle pour les trente années qui suivraient le trépas de sa mère ; Adam stipulait pour sa part, en 1242, qu'il renonçait à toute part d'héritage. De

Romée, Chuquet ne relut qu'une inscription : « Je renonce comme mon frère Adam à toute donation et à toute participation notariale. Je ne demande qu'une faveur à ceux qui me survivront : que l'on prie pour moi, qu'on n'inscrive point mon nom au-dessus de ma tombe, qu'on y grave à la place le cinquième vers sacré de notre Paster Noster :

DIMITTE NOBIS DEBITA NOSTRA »

C'était tout. Chuquet regarda de nouveau la date de ce petit codicille écrit par son maître : 1248. Haquin avait alors quitté Rome et achevé la période obscure de son existence pour retrouver de petits évêchés.

Le soir venu, l'abbesse Dana fit déposer les reliques de Haquin dans la salle de réception du couvent où des bougies de veillée furent installées autour du coffrage qui servirait de cercueil. Cette pièce était faite pour accueillir les hôtesses des congrégations jumelles. C'était la seule qui était à peu près décorée et qui échappait à l'austérité du monastère. Une longue table en chêne était entourée par neuf chaises joliment œuvrées. Chuquet y passa plusieurs heures à reconstituer l'ossature de son maître étalée sur la table. Cet acte macabre lui rappela le travail du professeur Amelin avec les trois cadavres du Montayou à Draguan. À son tour, il essayait de rendre une apparence humaine à un squelette démembré. Ses puissants coups de hache avaient profondément défait les articulations et les structures ; le travail était difficile, Chuquet s'y connaissait peu en anatomie. Dana lui avait cédé quelques draps bénis pour servir de linceul et couvrir le corps.

‡

Pour la cérémonie funéraire de l'évêque, tout fut apprêté comme pour un enterrement ordinaire ; on ne tint pas compte de l'état morcelé du cadavre, ni de sa mort antérieure de plusieurs semaines.

Le samedi, au coucher du soleil, comme convenu, sœur Esclarmonde sortit de sa cellule. Elle était couverte de la tête aux pieds d'un long drap de crêpe épais qui la protégeait de la lumière et dissimulait ses traits. Esclarmonde alla jusqu'à la salle de réception où trônait le cercueil de son frère. La recluse se pliait à la traditionnelle nuit de veille du défunt. Chuquet se retrouva seul avec elle et l'abbesse Dana.

La nuit se déroula dans un profond silence. Les trois religieux prièrent sans cesse. La messe était prévue pour le petit jour. Le lendemain, peu avant l'aube, Esclarmonde, un chapelet dans chaque main, suspendit ses oraisons et prit soudain la parole.

Chuquet fut décontenancé par le discours obscur de cette femme. La sœur de Haquin se mit à parler de la rédemption de son frère, de la fin du monde qui approchait et qui lui serait épargnée, de l'échec de sa mission, de l'espoir qu'il fallait malgré tout conserver… Le vicaire ne comprenait rien à ses allusions. Et le mot d'Apocalypse qui lui revint souvent à la bouche le choquait.

— Mon frère savait tout cela, dit-elle, il savait que le jour était proche…

L'évêque de Haquin n'avait jamais abordé ce sujet en présence de Chuquet, ce dernier en était certain. Cette insinuation d'Esclarmonde lui parut sans fondement. Le thème de la fin du monde était chéri par le peuple et les semeurs de mauvaises nouvelles, pourtant Haquin n'en avait jamais parlé en chaire…

Fallait-il tenir compte des divagations d'une recluse ? Esclarmonde affirma ouvertement que des savants avaient identifié les temps de la Révélation, de l'Apocalypse, et que Haquin connaissait cette date… que tout était prêt.

Elle récita frénétiquement des passages de saint Jean : les

mille ans d'attente avant le retour du Christ, le réveil de la Bête, la descente de la Jérusalem céleste, la pesée des âmes...

Chuquet repensa aux histoires qu'on racontait sur l'an mille et sur l'an 1033, millénaire de la Passion, où aucun signe de Fin des Temps n'était venu corroborer les prédictions des évangélistes et la survenue de l'Apocalypse.

Esclarmonde parut deviner les pensées et les doutes de Chuquet.

— Il n'est dit nulle part que les mille années de patience avant l'Apocalypse doivent se compter à partir de la naissance du Christ ou de sa résurrection... La Nouvelle Jérusalem attendue dans les Évangiles pour les derniers jours, c'est la réussite de l'Église... la réussite de l'Église ! Comptez par vous-même...

Compter ? L'Église ? L'Église ne datait pas de Jésus, ni de la Passion bien sûr... Mais à quand dater la naissance de la religion chrétienne ?... Le pouvait-on ? C'était absurde...

Chuquet n'y comprenait rien... Et Haquin ? Le vicaire repensa seulement au petit matin du meurtre à Draguan. Il revit ces étranges enluminures johanniques qui jonchaient le bureau de son maître... toutes ces images apocalyptiques...

La messe eut lieu dans la grande chapelle du couvent des Sœurs de Marthe. Elle fut célébrée par le prêtre Jehan, un prieur de Troyes.

Chuquet fut contrarié en apprenant que des hommes de la ville avaient été mis au courant de l'office et devaient s'occuper de la fosse et de l'inhumation ; le vicaire aurait souhaité que cette affaire restât limitée à l'enceinte seule du couvent.

‡

Chuquet fut seul avec le prêtre et les fossoyeurs pendant l'enterrement de son maître. Esclarmonde était retournée à sa cellule après la messe. Les nonnes avaient repris le chemin de leurs offices dominicaux.

Chuquet voyait le cercueil de Haquin se couvrir peu à peu de terre noire mêlée de neige. Au-dessus de la fosse, les hommes avaient planté la pierre tumulaire requise par le défunt : sans nom, sans date, juste ce vers :

PARDONNEZ NOS OFFENSES...

L'évêque de Draguan disparaissait enfin... emportant avec lui ses secrets.

Chuquet ne pouvait quitter aussitôt Troyes. Le temps était trop rude. La neige n'avait pas cessé depuis son arrivée.

Le vicaire expliqua son cas à l'abbesse : le meurtre de son maître, son entrevue étrange à Paris, ses doutes sur le passé politique de l'évêque, sa certitude d'avoir été suivi jusqu'ici, la présence d'un espion à l'auberge du Bec, etc. Il insista pour la convaincre de rompre la première règle de son monastère : l'interdit des hommes. Chuquet réclamait le gîte et la sûreté.

La femme se montra étonnamment conciliante.

Chuquet fut installé dans une cellule à l'écart de l'hôtellerie. Il pouvait demeurer au couvent, mais sans droit aucun de croiser la moindre moniale. Son seul contact serait la servante Mélanie, laïque de la ville, qui s'occuperait de ses affaires et de sa chambre.

En échange d'une discrétion exemplaire et d'un respect des règles de la communauté, le moine Chuquet serait toléré jusqu'au printemps.

Le vicaire remercia l'abbesse. Il savait qu'entre les murs de cet ancien fort, il ne risquait rien. On ne pouvait s'en prendre à une confrérie de religieuses sans des appuis exceptionnels.

— Notre communauté des Sœurs de Marthe, lui dit l'abbesse Dana pour le rassurer, dépend uniquement, avec quelques autres congrégations jumelles, de l'autorité du pape. Le clergé du roi de France ainsi que son bras séculier ne peuvent rien contre nous, sinon en encourant de graves manquements envers Rome...

27.

À Heurteloup, depuis plusieurs jours, Henno Gui et ses deux compagnons attendaient eux aussi la fin de ces neiges interminables qui recouvraient le pays pour reprendre leurs recherches. Henno Gui décida de se fondre plus que jamais dans la population. Pour la première fois, il accepta de quitter sa tenue cléricale traditionnelle et demanda à Mabel de lui céder les anciens habits de son mari. Il revêtit cette cotte étrange, ligotée de peaux et de fils, propre aux sauvages. Sa transformation étonna les villageois. Henno Gui demanda à ses deux compagnons de faire comme lui.

La neige avait suspendu toute activité au village d'Heurteloup. Comme tout le royaume, il hibernait...

‡

Aymard, Gilbert et Merci-Dieu furent également rattrapés par le froid et la neige qui accablaient l'Occident. Ils étaient en route pour Gennanno au Mont-Rat, dans les terres de Spolète, en compagnie de Drago de Czanad. Ils emportaient avec eux une grosse cassette fournie d'or qui allait servir pour le « don de la Vierge », des outils indispensables à leur simulation spectaculaire et une jeune comédienne, appelée Maud, engagée secrètement par Profuturus pour interpréter le rôle de l'apparition mariale pendant le simulacre.

La neige tombait violemment quand ils arrivèrent enfin à Gennanno, empêchant tous leurs préliminaires de travail. Aussi s'isolèrent-ils dans la montagne en attendant des jours meilleurs.

‡

À l'évêché de Draguan, dans la maison des chanoines, les frères Méault et Abel suspendirent le peu d'offices qu'ils célébraient encore pour le bourg à la place de l'évêque et du vicaire. Plusieurs maisons s'écroulèrent sous les nouveaux amas de neige.

La femme du sacristain Premierfait poursuivait son deuil, sans plus d'espoir de revoir son mari.

Les deux moines de l'évêché, toujours barricadés dans leur maison canoniale, décidèrent de décacheter le courrier secret qu'ils avaient écrit le lendemain du départ de Henno Gui et de leur destruction des archives de Haquin, pour y ajouter en codicille que ce prêtre insensé parti pour le village maudit, s'il n'avait pas été frappé par les coups des sauvages, avait sans doute péri à cause du froid.

À Draguan, ces deux hommes, comme le reste du monde, attendaient avec impatience le retour du printemps pour reprendre leurs œuvres...

28.

Loin de là, à Valpersa en Italie, dix archers de la caserne de Falvella furent dispersés à bonne distance sur le plateau d'une colline qui dominait au loin la cité de Rome. Ces archers étaient continuellement renouvelés du matin au soir.

Malgré le froid et la neige, l'un d'eux, placé près d'un sous-bois, gardait comme les autres l'œil braqué vers le ciel. Il scrutait les nuages. C'était son quatrième jour d'observation. Une longue flèche à empennage fourni était calée contre son pouce et sa corde rigide. L'amplitude de son arc était exceptionnelle. Le soldat ne bougeait pas. Il attendait comme une bête d'arrêt.

Soudain, vif comme l'éclair, il banda son arc. Tout fut extrêmement rapide. La flèche s'envola à une hauteur vertigineuse et percuta de plein fouet un petit point gris, à peine perceptible dans l'horizon neigeux. La cible tomba à plus de deux cents mètres du chasseur.

Le soldat se mit à courir frénétiquement dans la neige. L'oiseau avait chuté de l'autre côté du sous-bois. L'archer mit de longues minutes à retrouver sa proie.

La flèche l'avait traversée de part en part. L'homme ne s'en soucia pas. Il décrocha seulement un anneau de fer qui enserrait sa patte gauche. Un papier était enroulé dans une peau étanche. Le soldat le parcourut rapidement. Un sourire éclaira sa face glacée.

Sa mission était accomplie. Cet oiseau venait bien de la

Légation française de Rome et devait rejoindre la grande volière de l'archevêché de Paris. Le mot attaché à sa patte était écrit de la main du père Merle, à l'intention de l'archiviste Corentin Tau. Il lui révélait d'étranges soupçons qui pesaient sur la chancellerie du Latran et le cas curieux de Romée de Haquin, évêque de Draguan, ancien membre du mystérieux Convent de Meguiddo…

Troisième Partie

1.

À la mi-mars, Enguerran du Grand-Cellier abordait sa cinquième acquisition terrienne pour le compte de Rome. Depuis son retour d'Italie, il n'avait passé que quelques jours en son château de Morvilliers. Muni des ordres écrits de la chancellerie du Latran et d'une réserve d'or qui paraissait ne pas connaître de limites, il arpentait les grandes régions du royaume pour faire, en son seul nom, l'achat de terres morcelées choisies par ses nouveaux maîtres. Ses démarches étaient diversement accueillies. Il rencontrait des seigneurs endettés, ruinés par le coût des guerres et des usuriers cahorsins, qui grillaient de trouver un acheteur pour leurs biens trop engagés et qui se réjouissaient de voir un grand chevalier s'intéresser à eux et se montrer si peu regimbant à la dépense. Ensuite venaient les propriétaires écrasés par les servitudes de rang. Beaucoup de terres familiales étaient sous la coupe d'un nombre croissant de co-seigneurs. Le régime féodal qui s'était bâti pendant six siècles sur la conquête et les alliances mourait à présent de ces deux mêmes phénomènes. Les conquêtes n'étaient plus autorisées par le roi, et les mariages ou les héritages démantelaient chaque fois un peu plus les grands domaines. Démantelage toujours en titre mais jamais en foncier. Pour acheter la terre de Grammonvard à la famille du même nom, il fallait convaincre à l'unanimité une trentaine de cousins, de neveux ou de gendres tous propriétaires de l'ensemble du lot. Ils avaient chacun un besoin pressant d'argent, mais personne n'arrivait jamais à s'entendre. Dans cet écheveau familial, seul l'or d'Enguerran atténuait les querelles. Quand on l'interrogeait sur ses soudaines motivations, du Grand-Cellier répondait invariablement qu'il faisait un placement sur le long terme. La terre lui paraissait plus sûre que l'épargne, disait-il, et il se montrait convaincu que la gêne du royaume se dissiperait d'ici quelques années et que ses héritiers se féliciteraient de ses investissements. On n'en demandait pas plus, et l'on cédait. Le Chevalier Azur était un héros célèbre et fortuné. Sa famille était toujours considérée par ses pairs. Peu de temps après son entrevue à Rome avec l'assemblée d'Artémidore, des courriers se mirent à circuler dans tout le pays, endossés par le Latran, dénonçant les mauvaises rumeurs qui entouraient le fils Aymard et sa confrérie du Seuil. Après ces lettres, attaquer ouvertement cet ordre relevait du blasphème. En l'espèce, ce blanc-seing ne scandalisa personne. Le seul changement un peu chahuté fut l'absorption soudaine de la confrérie d'Aymard par les dominicains, sur ordre du pape. Beaucoup de seigneurs qui avaient confié leurs chapelles aux frères du Seuil virent d'un mauvais œil cette brusque entrée de l'Église au cœur de leurs terres. Certains refusèrent même de reconduire la patente de leur prêtre attitré. Durant ses divers périples à travers la France, Enguerran put mesurer l'animosité que portait aujourd'hui la noblesse aux ecclésiastes de carrière. Les cadets de famille n'étaient plus mis au séminaire, ni à la disposition des monastères. On se méfiait de la cléricature et des religieux. Leurs mœurs, leur politique, leur fourberie étaient de plus en plus mal admises. Plusieurs fois, Enguerran entendit cette affirmation révoltée : l'Église, ce n'est plus le Christ ; c'est le pape ! Rome, ce n'est plus l'Église ; c'est le Latran !

Il saisit mieux les démarches souterraines d'Artémidore qui se plaignait des résistances des seigneurs français... surtout sur le sujet sensible de l'expansion des domaines.

Enguerran arrivait à la forteresse de Vence, lieu d'hivernage du seigneur de Beaulieu. Armand de Beaulieu était, comme lui, un grand chevalier élevé sur le modèle du croyant armé selon saint Bernard.

La chancellerie romaine avait ordonné à son commis clandestin de s'approprier les terres ariégeoises de Beaulieu. Comme d'habitude, Enguerran comptait sur son mérite et sur l'or de ses commanditaires pour emporter l'affaire.

— J'ai bien reçu ton offre écrite, lui dit Beaulieu.

Les deux hommes étaient seuls dans une salle de pierre chauffée par un feu de troncs. Beaulieu était un peu plus jeune que du Grand-Cellier. Il était enveloppé d'une grande robe grenat manchée de surplis brodés et portait un bonnet de bayadères dorées. À voir sa mise, l'homme ne paraissait assurément pas aux mêmes abois d'argent que les précédents propriétaires rencontrés par Enguerran.

— Je suis très flatté que tu t'intéresses à ce point à mes modestes possessions du Sud, dit-il. Flatté et surpris.

Enguerran répondit par son laïus habituel sur ses choix financiers et son désir d'accroître ses domaines familiaux. Sa réputation empêchait qu'on discutât un seul instant la loyauté de ses démarches.

— Le prix que tu m'offres est bien au-dessus de ce que je pourrais en espérer, dit simplement Beaulieu. Je n'ai pas de besoin pressant de vendre ces terres, mais je ne rechigne jamais devant une bonne affaire.

Enguerran pensait déjà avoir emporté l'enjeu.

— Hélas, reprit le seigneur, tu n'es pas sans savoir que mon patrimoine revient par lignage à ma fille aînée Manon de Beaulieu qui est, depuis peu, promise à un des neveux du roi.

Du Grand-Cellier l'ignorait.

— Mes biens, propres à entrer par là dans la couronne de France, sont en ce moment inspectés en tant que dot royale.

Les notes de la chancellerie avaient omis de prévenir Enguerran de ce projet d'alliance.

— J'ai fait part de ton offre à la sénéchaussée, reprit Beaulieu. Comprends que je ne peux me permettre de te répondre sans son accord ou sans en avoir avisé mon futur gendre...

Le vieux soldat eut un sursaut de mauvaise humeur. Il sentait qu'un pas dangereux venait d'être commis.

— ... J'ai alors appris, continua Beaulieu, que tu avais fait de nombreuses acquisitions du même ordre ces dernières semaines. Tes affaires ne me regardent pas, mais elles ont intrigué quelques grands du Louvre. Ces rumeurs de cour ne sont rien tant qu'elles ne concernent que des gens de notre rang ; mais les comptables du royaume s'intéressent aussi à ton cas. Tu sais comme notre roi est empressé quand il s'agit de ses impôts et de son trésor. L'or que tu sembles dispenser sans compter depuis cet hiver lui a tout l'air de filer sans jamais passer entre ses doigts. Aussi le sénéchal Raimon de Montague doit-il arriver demain, à Vence. Il te demande de l'attendre afin qu'il puisse te questionner sur ces quelques points.

Le coup était rude. L'entrevue avec le représentant du roi s'annonçait périlleuse. Il faudrait s'expliquer, composer, dévier les questions de ce Montague, justifier des payements... En tant que chevalier, Enguerran était de vie et de mort loyal à la couronne du roi ; mais par sa foi et son engagement personnel, il se devait aussi de corps et d'âme à la chancellerie du pape... Deux serments de cet ordre étaient bien faits pour déchirer l'honneur d'un tel homme.

— Me feras-tu le plaisir de demeurer en ma compagnie ce soir au château ? demanda Beaulieu.

Enguerran accepta.

— Ne t'inquiète pas, dès ton entrevue avec le sénéchal, j'accorderai pour ma part, sans problème, la régulation de notre affaire sur ces petites terres qui t'intéressent...

Beaulieu eut tout de même un mouvement du col.

— Si le roi le veut, évidemment...

2.

La douceur revenait progressivement dans la région de Troyes. L'hiver passait. La terre détrempée faisait des pataugeoires, un parfum de sève annonçait le retour de la belle saison.

Un étranger était resté tout l'hiver bloqué comme tout le monde par les monceaux de neige. Il avait eu le temps de nouer des relations dans la ville et d'assurer pleinement sa mission secrète. Denis Lenfant n'avait pas quitté le bourg de Troyes. Ce jeune homme observait le couvent où s'était réfugié Chuquet. Il faisait bien son office clandestin envoyé par Paris, comme le craignait le bon vicaire de Draguan fâché d'avoir un inconnu à ses trousses. Lenfant avait payé des gens de la ville pour surveiller les issues du couvent et les portes du bourg ; il avait accosté tous les petits convois qui se retiraient de l'enceinte des Sœurs de Marthe : c'était toujours des grappes de moniales partant en pèlerinage. Aucune trace de Chuquet. L'homme était toujours cloîtré dans l'ancienne place forte. Lenfant avait, du reste, un œil sur tous ses faits et gestes. Mélanie, la femme du bedeau, qui œuvrait à la charge conventuelle, s'était facilement laissé soudoyer. Pour quelques pièces, elle rapportait avec une régularité parfaite tout ce qui avait trait au seul hôte masculin de l'abbesse Dana. Lenfant apprit que le vicaire vivait en marge de la communauté, sans aucun contact avec les autres sœurs, à l'exception d'une des recluses les plus sévères du couvent avec laquelle il s'entretenait de longues heures. En plus de cela, l'homme écrivait beaucoup. Mélanie, qui assurait l'entretien de la petite cellule du moine, avait souvent aperçu de longs rouleaux de parchemins couverts de la main de Chuquet. Mais la bedesse ne savait pas lire, et ne pouvait pas renseigner Lenfant sur le contenu de ces notes. Qu'importe du reste : il fallait simplement que Chuquet restât à portée de main. Dès la fin des grandes rigueurs, Lenfant put dépêcher plusieurs courriers vers l'évêché de Paris. Il savait que l'arrivée du printemps précipiterait le départ du vicaire et qu'il fallait agir vite. Un retour de courrier lui assura de la venue proche d'un émissaire important, chargé de passe-droits autorisant l'effraction du couvent et le contact avec Chuquet.

Aussi Denis Lenfant attendait-il, pas fâché d'être tombé par hasard sur une affaire qui le payait plus grassement que prévu.

Mélanie terminait chaque jour son travail au couvent à midi. Avant de rentrer chez elle, elle passait invariablement s'entretenir quelques instants avec Lenfant, pour le tenir au courant des dernières nouvelles. Aujourd'hui, 16 mars, pour la première fois, elle ne fut pas au rendez-vous.

L'homme patienta plusieurs heures. Personne. Il finit par rentrer à l'Auberge du Bec, dépité et inquiet.

Ce n'est qu'à la nuit tombée que la jeune femme reparut, les cheveux défaits, la mine rouge, le souffle court. Elle était paniquée.

— J'ai été démasquée, bredouilla-t-elle. Démasquée... On a vu que je surveillais le moine... C'est l'abbesse qui m'a questionnée... elle-même... toute la journée... toute la journée...

— Et Chuquet ? Il est au courant ? Chuquet était là avec vous ?

— Non. C'est pour cela que je me suis fait prendre. Ce matin, j'ai trouvé sa cellule entièrement vide. Il n'y avait plus de linge, plus de feuillets. J'ai couru le couvent dans toutes ses parties. En vain. Aucune trace du moine. Dans l'affolement, je n'ai pas senti qu'on m'épiait. L'abbesse m'est alors tombée dessus comme une furie.

— Eh bien ? Que lui as-tu raconté, petite idiote ?

Mélanie devint écarlate et baissa la tête.

— Tout, dit-elle. J'ai dû tout avouer, monsieur. Sous la contrainte...

Lenfant cogna du poing sur une table.

— Parle ! Qu'as-tu dit ?

— J'ai admis qu'un homme en ville me payait depuis plusieurs semaines pour rapporter ce que faisait le vicaire qui se cachait au couvent. Je n'ai pas pu trahir votre nom, puisque je ne le connais pas. Mais j'ai dit où nous nous rencontrions, quelle allure vous aviez, et quel soin vous preniez à ce que ce Chuquet ne vous échappe pas.

— Bougre de crétine ! Et ensuite ?

— Ensuite, l'abbesse m'a rayée des employées du couvent et, à ma grande surprise, elle m'a chargée d'un message pour vous.

— Un message ?

— Oui, dit la fille. Après, je ne devrai plus jamais vous revoir si je veux préserver mon salut et...

— Oui, oui, interrompit Lenfant. Le message ?

— Elle m'a dit... elle m'a dit de vous témoigner *de sa part* que le père Chuquet avait quitté l'enceinte la nuit dernière en toute sécurité et qu'il cheminait à présent sur un itinéraire secret... Elle a ensuite ajouté que vous parviendrez sans doute à retrouver sa trace, mais que, ce jour-là, il sera trop tard.

— Trop tard ? Trop tard pourquoi ?

— Ça, elle ne me l'a pas dit. Mais elle a répété deux fois cette phrase : le jour où vous l'attraperez, il sera trop tard...

Denis Lenfant était complètement défait. Sa solde était compromise : son otage venait de lui échapper et le recours de Paris était rendu inutile.

Il quitta Troyes le soir même pour se réfugier dans un village voisin. De là, il attendit encore trois jours l'arrivée de l'émissaire parisien. Il s'assura qu'on fasse discrètement, en ville, le relais entre lui et le voyageur.

Quand ce dernier se présenta, sa mise surprit Lenfant. Ce n'était pas le genre d'homme qu'il avait imaginé. Il était petit, assez vieux, le barda encombré de gros dossiers de papiers.

L'envoyé de Paris à Troyes n'était autre que l'archiviste Corentin Tau en personne.

Le récit de Denis Lenfant et son échec troublèrent fortement l'archiviste.

— Mon Dieu, grommela-t-il. Où va-t-on le retrouver à présent ?...

3.

À l'évêché de Draguan, la fin de l'hiver emportait les démons qui avaient hanté les habitants pendant toute la mauvaise saison. Les hommes retrouvaient des activités ordinaires. L'assassinat de l'évêque passa au second plan derrière les efforts du printemps : la remise en état des aires à cultiver, la réfection des toits endommagés, la saillie des bêtes. Le curé Henno Gui, passé subrepticement au début du mois de janvier, commençait même d'être oublié.

Seuls deux hommes n'effaçaient pas de leur mémoire ce personnage étrange et son apparition inattendue. C'étaient les deux moines de Draguan, Méault et Abel. Comme le reste du bourg, ils dégageaient leur enceinte et purifiaient les étages jusque-là privés d'air par les planches clouées aux fenêtres.

Depuis la fonte des neiges, le temps leur paraissait de plus en plus long. Le courrier secret que les deux religieux voulaient expédier depuis le départ de Henno Gui était toujours entre leurs mains. Ils n'en pouvaient plus d'attendre le retour du vicaire Chuquet et surtout des trois seuls chevaux valables de l'évêché.

Seule l'arrivée imprévue d'un habitant de Draguan, ayant hiverné dans une paroisse du Nord, les délivra de ce supplice. La jument du pauvre homme n'eut pas un tiers d'heure pour se restaurer, Méault l'enfourcha aussitôt et la lança à toute bride hors de la ville. Les paysans restèrent médusés devant la détermination du moine.

Il prit la direction de Passier, organe directeur de l'archidiocèse dont dépendait tout le pays de Draguan.

Passier était une cité de huit cents habitants, contrôlée par les dominicains, donc par l'Inquisition. C'est sous ses anciens remparts d'oppidum que s'étaient déroulés les procès les plus retentissants de l'ère des hérésies cathares. Les registres croulaient de condamnations sans réquisitoire et la place centrale de la ville avait été, quelques décennies auparavant, le théâtre d'un bûcher perpétuel où l'on avait jeté de la chair humaine plus souvent que du bois. Passier avait l'œil sur toute une circonscription qui s'étendait d'Albi à Tarbes, en passant par le Muret jusqu'à Sagan. Passier scrutait tout, chaque paroisse, chaque maison, chaque conscience... tout sauf quelques parcelles de terres miteuses, comme celle de Draguan. Jamais les édiles de la cité ne s'occupèrent du diocèse de Haquin, ni de son incurie scandaleuse ni des événements étranges qui y survenaient depuis plus d'un an. La politique dominicaine se désintéressait souverainement de cette terre dont la possession et la gestion ne lui promettaient aucun revenu, ni aucun pouvoir accru. Chaque plainte ou demande était éconduite en silence.

Le nom de l'homme qui dominait tous les tribunaux de Passier n'était pourtant pas étranger aux oreilles des Draguinois. Il s'appelait Jorge Aja. Trente-cinq ans plus tôt, il avait été leur évêque pendant deux courtes années. Il avait alors tout juste vingt ans. Il abandonna cette chaire indigente, sans crier gare, laissant ses ouailles orphelines pendant trois ans, jusqu'à l'arrivée de Romée de Haquin.

L'homme avait aujourd'hui cinquante-cinq ans. Il était plus craint que respecté, plus obéi que servi. Ses yeux noirs avaient le scintillement des Arabes et inquiétaient les fidèles. Aja était très secret, difficile d'accès, entretenant à l'envi une aura de mystère qui servait parfaitement sa soif d'intimidation.

C'est pourtant lui qui reçut, toute affaire cessante, le petit moine Méault de Draguan lorsque ce dernier fut annoncé à l'entrée de l'archidiocèse.

— Que venez-vous faire ici ? lui lança-t-il violemment dès que les deux hommes se retrouvèrent seuls. Êtes-vous fou ? Avez-vous oublié vos commandements ?

— Pardonnez-moi, maître.

Méault était ployé jusqu'à terre.

— Je n'ai pu faire autrement. Depuis plusieurs semaines, nous tâchons de vous avertir, mais l'hiver nous a privés de courrier.

— Parlez, vite.

Le moine se redressa. Il articula d'une traite, concentrant tout le drame de sa paroisse en une seule phrase.

— Notre évêque a fait convoquer un jeune prêtre jusqu'à Draguan pour l'employer à la cure du village des maudits.

À ces mots, l'œil de Jorge Aja s'embrasa d'un coup, comme une braise.

— Que me racontes-tu là ?

— La vérité. Alors que nous croyions que toutes ses démarches en ce sens avaient été rendues vaines par vos soins, l'évêque a continué, en secret, son recrutement. Seul le vicaire Chuquet était semble-t-il au courant de ces tractations. Nous n'avons rien vu venir.

— Où est cet homme ?

— Au village. Il a quitté Draguan il y a plus de dix semaines. Il est parti accompagné du sacristain qui avait déniché l'an dernier ces fantômes de villageois.

— Quelles nouvelles depuis son départ ?

— Aucune. Peut-être n'a-t-il jamais atteint le but de son voyage. Le sacristain qui le conduisait n'a, lui non plus, jamais reparu.

— Comment se nomme le prêtre ?

— Henno Gui. Il vient de Paris. J'ai avec moi les renseignements écrits que gardait l'évêque sur son compte.

Jorge Aja était assis derrière un large bureau à pieds tors. Sur le plateau verni de la table, il y avait le manuscrit d'une lettre décachetée, reçue trois jours plus tôt. Elle émanait directement de la chancellerie d'Artémidore au Latran. Le chancelier s'y plaignait vertement auprès d'Aja que la nouvelle de la mort de l'évêque de Draguan ait atteint l'archevêché de Paris, et des questionnements faits à Rome à sa personne sur le passé romain de Haquin.

Aja sentait le monde se dérober sous ses pieds. Il fallait agir vite. Plus vite que prévu.

— Sortez, dit-il alors à Méault. Donnez-moi les notes sur ce curé et attendez mes instructions dans l'antichambre.

Docilement, le moine offrit le rapport sur Henno Gui et se retira.

Aja parcourut le dossier, puis tira nerveusement un cordon de sonnette. Un jeune secrétaire parut avec une écritoire à main et une règle à chiffrer.

— Notez, dit le prélat.

Longuement, Jorge Aja dicta deux lettres fourmillant de détails et d'instructions. Par ces mots soigneusement choisis, il mettait en mouvement un plan d'action qu'il élaborait depuis le camouflet de la dépêche d'Artémidore.

Les deux courriers devaient partir de toute urgence.

La première lettre était adressée à la chancellerie du Latran.

La seconde était destinée au seigneur Enguerran du Grand-Cellier en son château de Morvilliers ou en tout lieu de son état.

Aja scella ses deux lettres avec sa bague épiscopale : une croix et un masque. Sans recommandation supplémentaire, le secrétaire disparut avec ces manuscrits codés selon les sûretés d'usage.

Méault fut de nouveau conduit devant Jorge Aja.

— Vous allez immédiatement retourner à Draguan.

Le moine courba la tête en signe d'assentiment.

— Mais pas seul.

Aja lui adjoignait trois soldats armés faisant partie de sa garde.

— Ils vont s'installer à l'évêché avec vous et ils auront tous pouvoirs, entendez-vous ?

— Mais…

— Leurs ordres ne regardent que moi. Je vous enverrai bientôt d'autres troupes. Demeurez loyal et votre fortune sera acquise. Allez-vous-en.

Peu de temps après, le moine Méault était sur la route du retour. Trois molosses, bardés de pied en cape pour la guerre, chevauchaient avec lui.

4.

Au point du jour du 16 mars, un inconnu pénétra à cheval dans le petit bourg de Sauxellanges.

Ce village, situé à vingt-trois lieux au sud de la grande cité de Lyon, n'avait pas coutume d'être visité. L'homme qui arrivait mystérieusement avait une mise étrange ; on disputait à savoir s'il s'agissait d'un chevalier désargenté ou d'un vulgaire maraud. Il était barbu, habillé à la diable, une longue épée gainée au ceinturon. Son cheval était de valeur, haut et encore jeune.

L'homme ne s'arrêta ni à l'auberge ni au presbytère. Il poussa sans ralentir jusqu'au cimetière de la ville, près de la petite église. Là, il posa pied à terre et entreprit d'inspecter les tombes, une à une. Ne paraissant pas trouver son compte, il entra brusquement dans l'église, sans se défaire de son sabre.

Là, de la même manière, il se dirigea vers les quelques sépultures qui avaient été admises sous la nef. Ces tombes servaient aux hommes d'Église et aux dignitaires de la région. L'étranger étudia chaque inscription. Son visage s'éclaircit devant un nom gravé dans une paroi. C'était un cénotaphe, sépulture sans cadavre utilisée pour les défunts dont on n'avait jamais retrouvé la dépouille mais dont l'âme avait été remise en bonne forme à l'Église.

L'étranger s'approcha. Il lut sur la roche blanche du mur : père Cosme.

— Puis-je vous aider, mon fils ?

Une voix douce résonna dans les travées de l'église. L'inconnu se retourna et se retrouva en face d'un petit curé en habit blanc.

— Je suis le curé de Sauxellanges, le père François, dit-il. Vous cherchez quelque chose ?

— J'ai des questions à vous poser.

— Si vous voulez m'entretenir ici, mon fils, il faudra tout d'abord que vous abandonniez cette arme.

Le curé pointa du doigt la grande épée qui pendait à la ceinture de l'homme. Rares étaient les seigneurs autorisés à pénétrer dans une église en ceignant leurs fers.

L'étranger hésita un bref instant puis lâcha :

— Alors, nous causerons dehors.

Le ton était ferme. L'homme précéda le prêtre vers la sortie.

— Je vous écoute, mon fils, dit cordialement le curé sur le parvis.

— Je recherche des informations concernant le père Cosme. Je sais qu'il est natif de cette paroisse.

— Cosme ? Oui, en effet... Je ne l'ai pas connu car il est mort bien longtemps avant mon arrivée, mais je sais son histoire. Vous êtes un parent ?

— Non.

— Vous êtes envoyé par un de ses descendants ?

— Non.

— Vous êtes donc intéressé par les rumeurs qui circulent ?

— Peut-être. Contez-les-moi.

— Oh, pour ma part, je ne connais que la biographie que l'on raconte couramment. J'aurai peu de révélations à vous faire. Cosme était un curé de campagne très apprécié qui officiait dans un diocèse plus au sud dont j'ignore le nom. On disait grand bien de son application auprès des fidèles. Hélas, ce brave homme, comme beaucoup à l'époque, a été atteint par la peste des années vingt. Il s'est trouvé très diminué par la maladie, mais a miraculeusement survécu. Il est alors retourné dans sa paroisse jusqu'à ce qu'il soit saisi

301

une seconde fois par le même mal, quelques années plus tard. Il revint de nouveau à Sauxellanges pour se laisser mourir dans son pays, mais une fois de plus, autre miracle, il réchappa de la peste.

À ces mots, le voyageur parut fortement surpris.

— Vous êtes sûr ?

— Tout le nœud de son histoire date de là, reprit le curé. Cosme avait pris sa première guérison pour une faveur de Dieu ; mais la seconde, ce fut bien différent.

— Que voulez-vous dire ?

— Disons que l'esprit du curé s'était altéré, à cause de la maladie. Il interpréta soudain ses deux rétablissements comme autant de signes, d'appels qui le désignaient pour une mission de haute importance... Il s'est alors reconnu comme un être choisi, élu par le Seigneur, proche d'une sorte de saint ou du prophète. Sa métamorphose a été très vive. En quelques jours, il devint un autre homme, bien éloigné du bon et modeste curé qu'il était jusque-là. Voyant que cette conversion était assez mal vue par les siens, il quitta Sauxellanges pour retourner près de ses fidèles, persuadé que c'était dans sa paroisse qu'il devait accomplir sa prétendue mission. Après son départ, la peste s'est aussi déclarée dans notre petite ville...

— Vous affirmez qu'il est retourné dans son diocèse aussitôt après sa seconde guérison ?

— C'est ce qu'on raconte, mon fils.

Le curé reprit :

— Il n'est jamais revenu ici. Plus tard, en souvenir de sa loyauté envers l'Église et du caractère incontestablement prodigieux de ses deux guérisons, mon prédécesseur a cru devoir lui dresser un cénotaphe et le confier à la mansuétude de Notre-Seigneur. L'inscription que vous lisiez tout à l'heure dans l'église est le cartouche béni que Sauxellanges lui a rendu pour son salut.

L'étranger inclina alors la tête pour signifier qu'il en savait maintenant assez. Il plongea sa main dans son manteau et tira trois belles pièces de cuivre qu'il tendit au prêtre.

— Pour vos œuvres, père François.

Sans rien ajouter, l'homme s'en retourna vers sa monture.

— Avec ce bien, mon fils, dit le curé en soupesant ses pièces, dois-je faire réciter des messes pour l'âme de ce pauvre père Cosme ?

L'inconnu ne s'arrêta pas. Il haussa vaguement les épaules et laissa tomber :

— Peut-être... peut-être... qui sait ?...

Le curé de Sauxellanges le regarda partir. Il eût été bien en peine de deviner quel personnage il venait de quitter. Ses manières un peu sauvages, son air solitaire, sa rudesse de présentation, rien ne laissait présager que cet homme, il y a quelques semaines encore, était un moine réservé et soumis.

Car l'inconnu qui apparaissait à cette heure, une arme près du poing et une bourse bien fournie sous le manteau, n'était autre que le vicaire Chuquet, l'ancien second de l'évêque de Draguan.

5.

C'est sur les pentes raides du Mont-Rat à Spolète qu'Aymard du Grand-Cellier et sa troupe passèrent la fin de l'hiver. Ils préparèrent longuement le simulacre d'apparition de la Vierge établi par Profuturus. À leur arrivée près de Gennanno sous des trombes de neige, ils avaient trouvé un berger qui les attendait et qui leur avait arrangé un petit alpage loin des regards indiscrets.

— C'est notre éclaireur, dit Drago de Czanad, le chef de l'expédition.

— Un éclaireur ? s'étonna Gilbert.

— Oui. À chaque opération, nous disposons d'un homme en amont, installé des mois, parfois des années avant notre arrivée. Nous sondons ainsi les habitants, les possibilités envisageables, depuis l'intérieur.

— Vous accomplissez souvent des mesures de cette sorte ?... Je veux dire... des simulacres comme celui-là ?

— Cela peut arriver...

Gilbert de Lorris avait rapidement été convaincu de la nécessité politique de cette mission du Mont-Rat. Gennanno était un poste mitoyen de la frontière impériale, entièrement soumis à l'influence des antipapistes et des hommes de l'empereur. L'intérêt stratégique de cette position ne pouvait échapper au jeune soldat. En revanche, la démarche de conversion des habitants lui paraissait plus douteuse.

— Mais après tout, se disait-il, elle épargne du sang et des combats inutiles. Mieux vaut un simulacre qu'un bain de sang.

Gilbert avait été enchanté de retrouver Aymard du Grand-Cellier. Malgré sa distance constante, il s'était attaché à l'ambiguïté de ce personnage. L'homme avait changé du tout au tout. Il pratiquait, il officiait, sa dévotion était sévère et exemplaire. Il ignorait d'où venait Aymard, il ignorait ce qu'il avait vécu, mais il se félicitait intérieurement d'avoir été sans s'en douter l'instrument de la reconversion de cet homme d'Église.

Aymard avait approuvé instantanément la « simulation du Mont-Rat », mais pour des raisons bien différentes de celles de son jeune compagnon. Il y voyait une œuvre pie, tournée vers le bien de la Croix, et une manière de remercier ceux qui avaient pris la charge de le sauver de son apostasie.

Mais si Aymard avait apparemment changé, Gilbert lui reconnaissait parfois ce regard vague et mystérieux qu'avait le prisonnier de Morvilliers ; cela arrivait quand l'abbé observait la jeune Maud, la petite comédienne amenée avec la troupe pour servir au rôle de la Vierge. Cette fille, se préparant à son étrange mission, renvoyait Aymard à un lointain passé, à ses Frères du Seuil, à son abject mariage avec la Mère du Christ...

Dès le retour des beaux jours, Drago et ses hommes mirent leur plan à exécution. Merci-Dieu – l'homme en noir – et la comédienne restèrent formellement cachés dans l'alpage pendant que les trois autres se présentèrent à la population de Gennanno, se faisant passer pour des sympathisants de la cause antipapiste, fuyant les persécutions des agents de Rome. Ce subterfuge leur permit de prendre le pouls de la ville. Ils comprirent que Gennanno servait de base avancée pour un lourd trafic d'argent, d'armes, d'icônes et de textes hérétiques. Cela confirmait ce que Drago et Rome savaient déjà grâce au rapport de leur éclaireur. Les trois hommes se fondirent dans cette population ennemie, sans jamais perdre de vue leurs objectifs. Le premier d'entre eux était de localiser la proie idéale : l'homme ou la femme qui assisterait à l'apparition miraculeuse. Drago jeta son dévolu sur un éleveur de porc et de brebis. L'homme était un peu simplet, craintif et impressionnable comme un enfant. Il s'appelait Roubert. On s'appliqua à préparer l'événement. Discrètement, Drago fit ingurgiter des herbes de son cru aux premières brebis enceintes de l'année. Les agneaux qu'elles enfantèrent furent tous monstrueux, une patte en moins ou en plus, les os mal bâtis, le duvet inexistant, le port aveugle et le râle souffreteux. Cette portée sacrifiée fut accueillie avec beaucoup de crainte par le village... On n'aimait guère ces mauvais augures qui sentaient la diablerie. Les trois clandestins poursuivirent leur œuvre, sans être inquiétés. Toujours avec des herbes ou des potions à base de plomb, ils tarirent le pis des chèvres et des vaches ; le lait sortit caillé ou odoriférant dès sa coulée dans le seau. Deux bêtes périrent dans des cris affreux. Quelques gouttes aspergées dans la fontaine suffirent pour indisposer le quart de la population. Tous ces effets étaient reçus avec de plus en plus d'angoisse. Cela annonçait quelque péril grave et dangereux...

Pendant ce temps, Merci-Dieu s'activait à préparer le lieu du *miracle*. Il choisit avec Drago un petit plateau sur les hauteurs où il creusa des tranchées pour les feux et les explosifs.

Le « simulacre du Mont-Rat » et son apparition de la Vierge devait dévoiler un trésor caché. L'emplacement de cette cache était le point le plus délicat à choisir. On ne pouvait enterrer le coffre à même le sol : le retournement de la terre paraîtrait trop frais et dénoncerait la machination.

Merci-Dieu trouva la solution. Il dénicha un petit cours d'eau large de onze pieds près d'un bois qui se mourait en altitude. Il choisit sur sa rive un endroit bien distinct où une pierre de taille servirait idéalement de borne de reconnaissance. Un peu en amont, il dévia momentanément la rivière. Dans le lit devenu vide et vaseux, à la hauteur de la pierre, il se mit à creuser et à retenir avec des lattes de bois la terre meuble et détrempée. Ici, il enfonça la cassette lourde de pièces d'or. Celles-ci étaient pures, sans nom, sans date, sans gravure. Il répandit ensuite la vase sur le coffre et rendit le cours d'eau à son flux ordinaire.

Plus tard, il fallut conduire la victime Roubert jusqu'au petit plateau alpin où tout était agencé pour le miracle. Gilbert et Aymard réussirent à lui subtiliser une bête. Ils abattirent une des claies de la clôture afin qu'il apparaisse que la brebis s'était enfuie. L'homme ne retrouva pas son animal.

Le simulacre était prévu pour l'octave suivante. La jeune comédienne Maud essaya ses tenues vaporeuses et répéta son texte pendant que Merci-Dieu plaçait ses mastics fumigatoires.

Le jour dit du miracle, Gilbert annonça à l'éleveur Roubert que sa bête égarée avait été aperçue dans les hauteurs, sur un petit plateau. L'homme n'hésita pas et se rua à sa poursuite avec ses deux frères.

L'animal était bien là. Au fond du petit pré. Il broutait paisiblement. Roubert décida de l'encercler discrètement pour mieux le surprendre. Mais les trois hommes n'accomplirent pas un pas de plus sur le plateau. En face d'eux, une gigantesque phosphorescence s'éleva soudain depuis le sol dans un nuage de fumée. L'impression était formidable. L'éleveur et ses frères restèrent hébétés : au milieu de la brume diffuse, une silhouette fine et aérienne leur apparut dans toute sa superbe. Les hommes tombèrent à genoux. Ils avaient reconnu sa face lumineuse, ses traits divins maintes fois dessinés ou polis qu'on voyait dans toutes les églises. La jeune fille s'approcha, emportant un peu de fumée dans les plis de son linge flottant. Elle leur parla d'une voix douce et feutrée. Les trois frères ne perdirent aucune de ses recommandations : ils devaient engager leurs frères à retrouver le droit chemin et l'affection sacrée que l'on devait à Rome aux successeurs de saint Pierre, l'apôtre du Fils. Le salut de tout Gennanno était à ce prix. La rébellion n'avait que trop duré. L'apparition se plaignit de n'avoir ici pour toute maison qu'une église misérable qu'on laissait à l'abandon. Elle se plaignit de ces agents du Mal qui infestaient l'âme de ces bons villageois pour mieux les aliéner à l'empereur ou au Diable. Elle se plaignit des querelles incessantes qui s'élevaient injustement contre Rome... Les Roubert devaient l'entendre ! Ils devaient convaincre leurs frères. Si elle apparaissait aujourd'hui, c'était pour les sauver. Et comme gage de sa venue, la Vierge animée décida de leur accorder un don... À deux reprises, elle leur expliqua précisément où se trouvait enseveli, depuis la nuit des temps, un précieux trésor qui devrait servir à ses œuvres et au rétablissement de son église...

Les trois hommes étaient figés, de grosses larmes roulaient sur leurs joues. À la fin des instructions de la Vierge, dans une lumière sonore plus puissante encore que la précédente, la Mère du Christ s'évanouit aussi mystérieusement qu'elle était apparue. La fumée s'estompa et le petit plateau de montagne retrouva son calme et sa sérénité.

Au fond du pré, après tant d'explosions, la brebis de Roubert avait bel et bien disparu.

L'éleveur et ses frères se précipitèrent à Gennanno. Ils firent le récit exact de leur apparition. On s'attroupa, on cria, d'abord on refusa d'y croire. Les premiers à se montrer conquis par les paroles de la Vierge furent les trois étrangers, Drago, Aymard et Gilbert. Marie avait parlé, il fallait se rendre à ses commandements. Les antipapistes n'étaient pas du même avis. Qui leur assurait que tout cela était vrai ?

Le village entier gravit le Mont-Rat jusqu'au cours d'eau désigné par la Vierge. Là, premier miracle, une pierre de taille se dressait à l'endroit indiqué par la vision. Certains abaissaient déjà leur garde. Il fallut s'atteler au trésor mystérieusement enfoui sous la rivière. C'est Drago qui, discrètement, proposa de détourner le cours d'eau pour atteindre plus facilement le fond du lit. Une heure plus tard, une dizaine d'hommes pataugeaient dans la vase. Ils trouvèrent le fameux coffre d'or.

L'effet fut immédiat. La population entière se convertit aux préceptes de la Vierge. Cela fut d'une rapidité prodigieuse. Les âmes les plus endurcies, les antipapistes les plus convaincus se mirent tous à demander pardon dans leur petite église et à tourner leurs prières vers Rome. La réussite du simulacre était incontestable.

— Maintenant, nous quittons Gennanno ? demanda Gilbert à Drago de Czanad.

— Bientôt. Il nous faut d'abord effacer les traces de notre opération. Ensuite, des hommes du Latran viendront nous remplacer et occuper la place.

Gilbert était fasciné. Il venait d'assister à la versatilité sans limites de ses semblables. Un peu de fumée et beaucoup d'or, et c'en était fait de tout ce que ces hommes avaient pensé ou cru pendant toute une vie, tout ce pour quoi ils étaient encore prêts à mourir le matin même. Le garçon repensa à Rome, à ces maîtres-cardinaux qui gravissaient les marches de l'escalier du Latran, qui connaissaient si bien l'âme de leurs fidèles et qui, par là, savaient si bien les mystifier... Combien de fois dans l'histoire de l'Église s'étaient-ils autorisés à jouer ainsi de la crédulité des hommes ?

6.

Dans la paroisse de Henno Gui, la fonte des neiges avait considérablement enflé les marais qui entouraient le petit village d'Heurteloup. Cette région retrouvait son aspect morbide et poisseux, entourée d'aunes et de roseaux courts qui lui donnaient un air désespérant.

À deux lieues du village des maudits, en plein cœur de la forêt, un garçon avançait à vive allure entre les arbres. Couvert d'oripeaux flottants, il portait une croix en bois tenue autour du cou par une ficelle. C'était Odilon, le fils de Mabel. Il courait presque, suivant du regard l'ombre des épineux et la course du soleil. Plus le crépuscule gagnait sur la forêt, plus il accélérait le pas. Quand il tombait sur une parcelle de terre inondée, il sautait sans hésiter sur une branche, grimpant ou escaladant les troncs avec un naturel désarmant. Le jeune homme transpirait à grosses gouttes. Il était seul au milieu de l'étendue sauvage.

Une demi-lieue plus tard, il déboucha sur une aire un peu plus clairsemée. Au centre de celle-ci s'élevait un large et profond rocher qui ouvrait, sur sa première face, une faille assez large pour laisser entrer un homme. Odilon était arrivé au but de sa course dans la forêt, il reprit son souffle.

Près de la roche, un autre homme attendait. Il tenait une lance courte dans le poing, figé comme les gardiens du temple de Diane. C'était Tobie.

310

Odilon parcourut les quelques pas qui le séparaient de son aîné.

— Tu es à l'heure, dit celui-ci.

Le garçon leva la tête. Sur le faîte du rocher, il aperçut un loup, le cou dressé, les muscles tendus. Il regardait le jeune homme de son œil vairon. C'était la bête apprivoisée de Mardi-Gras.

— Ils sont là. Ils t'attendent, dit Tobie.

Odilon frissonna. Le villageois lui tendit sa petite lance.

— Je serai derrière toi, dit-il.

— Nous n'aurons pas de torche ? Aucune lumière ? demanda fébrilement le garçon.

— Non. Juste le peu de jour qui entre grâce à la faille. Tout doit être accompli avant la nuit.

Odilon souffla profondément. Il emmancha l'arme de bois et se glissa de tout son long dans la fissure du grand rocher. Tobie s'y engouffra lui aussi en suivant le garçon.

Au-dessus d'eux, le loup avait disparu.

‡

Depuis deux jours, Henno Gui et Mardi-Gras examinaient les alentours du village. Le temps plus clément leur permettait d'atteindre des terres qu'ils n'avaient pu inspecter pendant l'hiver.

Le géant portait avec lui un bac rempli d'un liquide laiteux. Le curé tenait une tige de jonc dans la main. Ils avançaient en regardant chaque arbre avec attention. Pour certains d'entre eux, larges et cagneux, Henno Gui trempait son bâton dans la seille de son compagnon et marquait l'écorce d'une croix blanche. Il fit ainsi régulièrement autour d'Heurteloup, dessinant arbre par arbre un large périmètre, se gardant toujours assez près des marais sacrés.

Ils travaillaient à cette mystérieuse opération lorsqu'un des prêtres du village, essoufflé, arriva à toutes jambes pour les trouver.

— Venez vite, dit-il. Venez, il est arrivé un malheur.

Tobie était inconscient. La moitié du visage entaillée, il avait le flanc droit sanguinolent et une jambe en partie emportée. La tribu était réunie autour du blessé. Odilon était à ses côtés, blême, épuisé. Il avait porté Tobie à bout de bras tout au long du trajet depuis l'étrange « rocher fendu ».

Ces derniers jours, le garçon endurait ses épreuves d'initiation, son « rite de passage » vers l'âge adulte. Tobie était chargé de cet examen. Ce dernier ne variait jamais, et personne n'y échappait. Après avoir relevé de nombreux défis, le disciple arrivait ce jour-là à la dernière étape. Il devait s'engouffrer, presque désarmé, dans la tanière des chiens-loups qui vivaient dans la forêt, et ramener une dépouille. Cet exercice avait coûté la vie à plus d'un jeune garçon. Mais aujourd'hui, le sort avait brouillé l'ordre des choses. Bien qu'Odilon se soit avancé en premier dans la grotte, plusieurs pas en avant de son inspecteur, c'est sur ce dernier que des louves au ventre rond s'étaient brutalement ruées. Le garçon s'était débattu pour arracher Tobie aux crocs et aux griffes de ces fauves. Lui ne fut ni mordu ni bousculé une seule fois.

Henno Gui inspecta ses blessures et le fit porter dans sa hutte. Là, avec Floris et Mardi-Gras, il travailla de longues heures à sauver son principal adversaire depuis son arrivée à Heurteloup. À la tombée de la nuit, le curé avait jugulé le saignement et pansé les plaies. L'homme était inconscient. Il n'y avait qu'à attendre son réveil, ou sa fin.

Henno Gui et Floris prièrent longuement pour la vie de Tobie. Ils ne furent pas les seuls. Au village, dans une autre hutte, deux autres personnes répétaient elles aussi inlassablement des Ave Maria et des psaumes pour leur aîné. C'étaient Mabel et Odilon.

Dans la promiscuité rigoureuse de l'hiver, à l'insu de tous, Henno Gui avait réussi à convertir ces deux âmes à Jésus.

7.

À la forteresse de Beaulieu, le lendemain de son arrivée, Enguerran du Grand-Cellier fut escorté devant le sénéchal Raimon de Montague, délégué plénipotentiaire du roi de France, représentant de la couronne et du Conseil. L'entrevue était sise dans la grande salle d'audience où le seigneur de Beaulieu siégeait d'ordinaire parmi ses sujets afin de juger des affaires courantes du domaine. Enguerran se présenta seul. L'homme qui l'attendait n'avait pas défait son armure de voyage. Il se tenait raide dans ses bottes, la mine sérieuse et pénétrée. Enguerran comprit que le sénéchal n'était pas là pour le gourmander au nom des comptables du Louvre, mais qu'un entretien plus grave l'attendait.

— Durant les six semaines passées, dit le sénéchal Montague, vous vous êtes rendu possesseur des terres de Eliman, de Chareuse, de Pontarléan, de Cortème et de Plessis-sur-Haine, le tout pour une somme avoisinant les deux cent mille écus.

Le chevalier fut surpris par la rapidité et la précision avec lesquelles les hommes du roi et de la Cour avaient été avertis de ses transactions.

— C'est exact, dit-il.

Enguerran dévoila une nouvelle fois les raisons convenues de ces investissements.

— Mais d'où vous vient cette fortune ? lâcha brusquement le sénéchal.

— La Cour sait bien les profits que je tire de mon commerce de destriers... Cette gestion m'a permis d'accumuler des sommes importantes. Je les utilise aujourd'hui à mon escient.

— Personne, messire, ne met en doute votre probité de chevalier. Cependant, une évaluation de vos biens, selon les règles du Nouveau Trésor, a été mandée par les comptables royaux. N'ayant rien à cacher, votre nom ne saurait s'opposer à une telle démarche publique. Par là même, vous avez ordre aujourd'hui de suspendre tous vos engagements ; l'or que vous transportez en cette forteresse sera mis sous séquestre au palais ; vos acquisitions précédentes ne sont pas résiliées mais mises à la question d'une commission rogatoire.

— J'ai d'autres investissements que je souhaite établir avant l'été, protesta Enguerran.

— Nous ne vous interdisons pas de poursuivre vos démarches, dit ce dernier. Toutefois, ces offres ne pourront se conclure que sur la seule valeur de votre nom. Aucune somme d'argent ne doit plus transiter de votre trésor. Dès la fin de l'enquête, vous pourrez régulariser sans défaut votre parole.

Enguerran ne pouvait se récrier. C'eût été trop suspect. Il fit mine d'accueillir ces nouvelles dispositions avec sagesse et confiance.

— Je suis aux ordres de mon roi, dit-il simplement en s'inclinant.

Le seigneur de Beaulieu, voulant montrer toute sa confiance dans la personne d'Enguerran, accepta sur l'heure de lui vendre ses terres sur l'honneur. Au même moment, les gardes du sénéchal saisissaient les deux caisses d'or apportées par le Chevalier Azur. Elles contenaient, à elles seules, plus de quatre-vingt mille écus, frappés au profil du roi.

Enguerran, plus contrarié que jamais, reprit la route de son château de Morvilliers. Ces incidents, dus à une mauvaise organisation de Rome, pouvaient lui coûter cher.

Une enquête minutieuse mettrait à haut risque son alliance secrète.

À Morvilliers, il retrouva sa femme Hilzonde. C'était la seule personne à qui il s'était ouvert de son pacte avec Artémidore. Cette femme droite et honnête avait mal reçu cette confidence. Déposer sa croix de Tunis devant des politiques romains relevait pour elle de la trahison. L'honneur de son nom et de son fils avait beau être en jeu, Hilzonde masquait mal son dépit de femme de croisé.

Quand elle apprit les déboires de la forteresse de Beaulieu, elle ressentit plus durement encore l'infidélité de son mari à la couronne de France. Elle tendit à Enguerran un courrier arrivé deux jours plus tôt. Le sceau de cire était poinçonné d'une croix et d'un masque. Hilzonde l'avait déjà décacheté, comme pour chaque dépêche de Jorge Aja reçue en l'absence d'Enguerran. Le vieux chevalier se saisit de sa règle à chiffre et traduisit les codes de l'homme qui lui servait de relais avec Rome.

Les nouveaux ordres d'Aja étaient clairs et formels. Du Grand-Cellier devait ajourner toutes les instructions précédemment entendues. Sa mission restait la même, mais la liste des terres à acquérir changeait. Cinq nouveaux domaines étaient à présent concernés. Ils étaient tous placés entre la frontière française d'Avignon et le nord du comté de Toulouse.

Hilzonde avait déjà déchiffré le message. Elle tira sur une table une grande carte représentant tout le sud du royaume. Ces cartes détaillées étaient très rares à l'époque. Enguerran devait cet exemplaire à Oreyac de Toulouse, du temps où ils coordonnaient la jonction des corps militaires d'Aquitaine et de la flotte génoise pour la huitième croisade.

— Regarde bien, dit Hilzonde en montrant de l'index les terres désignées par Aja. Ces cinq domaines, apparemment anodins, jouxtent tous des terres dont nous savons que les seigneurs ou les propriétaires sont à la solde de l'Église. Mis bout à bout, ils forment une sorte de canal qui remonte jusqu'à Limoges.

— Eh bien ? demanda Enguerran.

— Eh bien, répondit Hilzonde, si l'on souhaitait s'ouvrir une route sans danger vers le cœur du royaume, on ne s'y prendrait pas mieux.

En effet, en longeant le doigt d'Hilzonde, c'était plus de cent cinquante lieues qui se suivaient de domaine en domaine.

— Tes nouveaux maîtres pourraient laisser pénétrer des garnisons entières dans le pays sans que le roi ne s'en aperçoive... Qu'en dis-tu, toi, le fidèle de Louis ?

Enguerran ne quittait pas des yeux la carte d'Oreyac. Sa femme voyait juste. Il reprit la lettre de Jorge Aja et lut attentivement le nom des cinq domaines dont il devait à présent s'occuper : Bastidon, terre des Debras, domaine de Meyer-l'Âne, Pichegris, et enfin, Calixte, qui conduisait au petit évêché de Draguan...

8.

À Rome, dans son bureau du Latran, le chancelier Artémidore reçut une lettre cachetée du même sceau que celle d'Enguerran du Grand-Cellier. Un courrier épuisé avait apporté ce pli de Jorge Aja selon le protocole secret du palais.

L'évêque de Passier révélait la présence à Draguan d'un jeune prêtre désigné par Romée de Haquin avant sa mort. La lettre était accompagnée d'un descriptif du personnage et de son ordre de mission. Artémidore lut plusieurs fois le rapport ecclésiastique de Henno Gui. Jorge Aja insistait pour que le chancelier fasse manœuvrer une partie de la garnison de Falvella. Cette force armée devrait attendre le résultat des nouvelles démarches d'Enguerran du Grand-Cellier puis entrer de front en France jusqu'à la terre de Draguan et étouffer définitivement cette affaire qui devenait de plus en plus menaçante.

— Les demandes d'Aja sont mûrement réfléchies, dit Fauvel de Bazan.

Artémidore hocha la tête. Le diacre reprit :

— Nous sommes à présent à la merci de cet Enguerran du Grand-Cellier. Sans lui, nous ne pourrons agir avec l'ampleur nécessaire. Une entrée en France est dangereuse… Il faut soutenir Enguerran et attendre patiemment qu'il ait négocié les domaines indispensables à cette campagne…

Le chancelier se releva.

— Pas nécessairement, dit-il. Nous pouvons utiliser son fils, Aymard. Il doit rentrer du simulacre du Mont-Rat. Nous n'aurons qu'à le mettre à la tête de nos troupes pour qu'il les conduise lui-même jusqu'à Draguan.

— Quel intérêt y trouvera-t-on ?

— L'intérêt du nom, dit le chancelier. C'est important en France. Nous allons devancer les démarches d'Enguerran. La troupe d'Aymard va s'engager sur les domaines que nous convoitons. Si elle est arrêtée, il pourra arguer que ces terres doivent revenir sous peu à sa famille, dont le titre est reconnu et respecté, ou simuler un malentendu. Si nous sommes prompts, dans peu de temps, nos troupes arriveront au diocèse de Draguan et anéantiront ce qui y subsiste... Par là même, la purification d'Aymard nous aura servi plus tôt que prévu...

9.

Durant la seconde partie de l'hiver, le jeune Floris de Meung s'était rendu clandestinement à plusieurs reprises dans les galeries souterraines du village afin de recopier les dizaines de feuillets réunis dans la grotte et qui servaient de Livre sacré aux prêtres du village. Henno Gui était de plus en plus confus quant au passé de sa paroisse. L'étude soigneuse de ces fac-similés aggrava encore ce trouble. Malgré la sagacité de son esprit et la précision de ses annotations, il n'arrivait pas à dénouer l'écheveau d'indices qu'il regroupait. Tout était soit contradictoire, soit disproportionné.

La langue étrange qu'utilisaient les villageois venait bien en ligne directe de ces manuscrits en latin d'écolier. Les thèmes porteurs de la mystique des villageois se retrouvaient dans ces carnets : l'incendie initial, la sainteté des marais... Certaines pages que Henno Gui avait d'abord prises pour des psaumes étaient en fait des invocations religieuses « à la manière de ». Dans ces vers mal construits se lisaient des récits de monstres diaboliques venus punir les mauvais fidèles et la prophétie d'une nouvelle humanité issue de ce conflit. Une femme prenait la place du pape sur le trône de saint Pierre, une pluie de météores incendiait le Saint Sépulcre à Jérusalem, Babylone était reconstruite, des famines ravageaient les peuples du monde, etc.

Mais quel était l'homme qui avait tracé ces lignes, et quel but poursuivait-il, c'est ce que Henno Gui ignorait toujours.

Après la guérison de Tobie, que d'aucuns jugèrent miraculeuse, le curé et Mardi-Gras retournèrent près des marais, là où ils avaient marqué certains arbres d'une croix blanche. Henno Gui ne pouvait interroger directement les villageois. Tout leur passé était gâté par des légendes et des peurs contre lesquelles il ne pouvait rien. Il décida donc de vérifier, *in vivo*, certaines de leurs croyances les plus tenaces.

Il commença par l'Incendie. Ce fameux Mur de Flammes qui était à l'origine du peuple...

Avec Mardi-Gras, le curé prit une hache et se mit à cogner l'écorce des arbres qu'il avait marqués selon leur âge. Il les avait choisis près des marais pour suivre l'idée mystique que leurs « eaux sacrées » auraient jadis refoulé la poussée des flammes infernales. Ils taillèrent profondément, en biseau, afin d'extraire une longue tranche transversale qui remontait jusqu'à la pulpe. Là-dessus, Henno Gui observa les cernes du bois clair. Ils étaient tous concentriques et réguliers. En partant de l'écorce, il en compta sept, sans aucun accident, avant de tomber sur un gros cerne grisé, beaucoup plus large que les autres. Après celui-ci, les marques reprenaient leur teinte et leur alignement habituels jusqu'au cœur. Henno Gui retrouva ce cerne grisé dans presque toutes les tranches des arbres à croix blanche. Cette noirceur était un indice irréfutable : c'était la marque d'un feu. La preuve de l'Incendie. La réalité derrière la légende. Le nombre de sept cernes en partant depuis l'écorce était une constante. Sept cernes !... Le curé calcula que cela remontait approximativement à trente-cinq ans.

Une trentaine d'années ?

Henno Gui se présenta dans la hutte de Mabel et d'Odilon.

— Vous m'avez dit que votre mari avait atteint un certain âge lorsque la mort l'a emporté.

— C'est exact.

— Aussi, si mes calculs sont corrects, cela implique qu'il aurait connu ici les événements fondateurs de votre monde... mieux que quiconque. Je dirai même que ce fameux « déluge de feu » dont vos légendes sont encombrées n'a pas eu lieu dans des temps antédiluviens comme vous aimez à l'entendre, mais du vivant de votre homme ! ou si peu avant lui que rien n'aurait pu lui être complètement caché.

— Ça... Il faut demander aux prêtres... dit Mabel embarrassée. Moi, je ne sais rien... si peu...

Pour seule réponse, elle entraîna le curé hors du village. Elle le conduisit pensive à travers le cimetière aux planches striées où avait été enterrée Sasha et ils arrivèrent un peu plus loin sur une autre parcelle clairsemée au milieu de la forêt. Cet arpent faisait quatre-vingts perches de côté, en pente douce, remontant au fond sur un tertre qui se dressait d'aplomb. La terre était noircie d'herbes grasses. Henno Gui avait déjà inspecté cette clairière à plusieurs reprises sans jamais lui trouver rien d'intéressant.

— La seule chose que je sais, c'est que cela a eu lieu ici... enfin, c'est ce qu'affirmait mon mari. Moi, je n'étais pas née... Peu d'entre nous aujourd'hui savent vraiment ce qui s'est passé. Nos ancêtres ont décidé d'oublier cette histoire et de faire commencer notre peuple au Grand Incendie.

Mabel inspecta la clairière sans bouger.

— C'est ici que le village était réuni en entier... dit-elle. C'est de là qu'ils ont vu le soleil disparaître en plein jour... le tonnerre a grondé... les flammes ont embrasé les arbres... les quatre démons sont sortis de la forêt.

— Les démons ?

— Ils portaient des cuirasses diaboliques sur des chevaux immenses. Ils connaissaient l'âme de chacun des villageois présents et pouvaient en conter à voix haute les péchés respectifs. Puis l'apparition a eu lieu, dans les premiers rayons du nouveau soleil...

— Quel genre d'apparition ?

Mabel se tourna vers le petit tertre qui surplombait la clairière.

— C'est de là-haut qu'elle s'est montrée... tous les ancêtres l'ont vue...

Mais à l'instant où la femme pointait le tertre de l'index, une silhouette se dessina tout à coup au même endroit, comme par enchantement, dans le plus grand silence. La vision était si soudaine et si imprévue que Mabel se laissa tomber à genoux. Pétrifiée.

Le curé observait la forme, fébrilement. Elle s'immobilisa sur le haut du talus, face à eux, dessinant une lueur rouge.

Henno Gui était trop loin pour en analyser la nature : ange, homme ou démon ? Il s'avança, fixant la figure évanescente. Il discerna bientôt ses traits. C'était un homme. Âgé. Très âgé. Henno Gui gravit le petit versant pour l'atteindre. Soudain, de l'autre côté de la butte, il aperçut une quinzaine d'autres personnes, groupées en silence à côté de deux charrettes. Henno Gui se retourna vers l'apparition. Il était à quelques coudées du vieillard. L'homme portait un habit rouge. Il avait les yeux révulsés, embués de larmes... il vacillait. Dans un effort désespéré pour écarter ses bras en forme de croix, il perdit pied et s'écroula devant Henno Gui.

10.

Le moine Chuquet pénétrait à cheval dans Rome. Il avait toujours la défroque qu'il arborait à Sauxellanges. Avant de quitter le couvent de Troyes, il avait travesti sa mise, son allure, et même sa façon de parler. Il avait brûlé sa coule, laissé pousser sa barbe et caché l'orbe mal rasé de sa tonsure sous un large chef de campagne. Il était méconnaissable et c'était là son compte. Pendant les longues semaines qu'il avait passées enfermé au couvent des Sœurs de Marthe, le moine de Draguan avait beaucoup appris. Et surtout la méfiance. Dans les ténèbres de sa cellule, Esclarmonde, la sœur de Romée de Haquin, s'était contre toute attente ouverte à l'étranger. Chuquet découvrit alors l'ampleur des secrets qui entouraient le passé de son ancien maître. Seule l'abbesse Dana avait entendu avant lui, sous le sceau de la confession, les confidences inquiétantes que gardait cette pauvre recluse pour nourrir ses prières.

Grâce à Esclarmonde, Chuquet prit connaissance de l'autre partie de la correspondance de son frère avec Alcher de Mozat, ainsi que des aveux que Haquin fit à sa sœur lors de son dernier passage à Troyes. Esclarmonde avait suffisamment prié et demandé conseil à ses saints pour se permettre de briser, en cette occasion seulement, le commandement de silence qu'accompagne la parole confessée. Elle avait tout livré à Chuquet.

Dans l'instant, le passé de Haquin, sa jeunesse à Rome,

son isolement à Draguan, son abattement devant la découverte des cadavres de Domines et, plus tard, du village maudit, son assassinat enfin, tout prit un sens et une importance insoupçonnés. Chuquet se souvint des questions pressantes de l'archiviste de Paris et des péripéties du dossier de Draguan, du meurtre du pauvre garde qui le conduisait hors de Paris (qui n'avait sans doute été commis que pour récupérer le reste des lettres d'Alcher de Mozat). Il n'oublia pas non plus cet étrange Denis Lenfant qu'il savait toujours tapi dans Troyes et dont les renseignements de l'abbesse confirmaient qu'il l'attendait et qu'il faisait surveiller le couvent par plusieurs habitants grassement payés.

Dans sa cellule aux Sœurs de Marthe, Chuquet avait décidé d'établir par écrit toutes les confidences d'Esclarmonde. Il en fit deux exemplaires : le premier fut confié à l'abbesse supérieure et caché en lieu sûr ; le second, Chuquet choisit de l'emporter avec lui. Il avait souhaité partir dès les beaux jours pour remonter la piste des responsables de la machination qui avait coûté la vie à son maître et les démasquer publiquement. Dana l'aida. Ils organisèrent une fuite nocturne. L'abbesse lui céda de nouveaux habits, un cheval et une forte somme d'argent. Ensemble, ils façonnèrent une nouvelle identité et de faux papiers. Chuquet devint le sieur Anselme de Troyes, apparenté à une moniale de la maison religieuse Sainte-Scolastique à Rome. Il se défit de toutes ses manières de religieux, ceignit un ceinturon, une épée, et prit la route. Il avait avec lui une recommandation de la supérieure Dana pour son homologue de Sainte-Scolastique, sœur Nicole. C'est dans ce nouveau couvent que Chuquet devait trouver refuge dès son arrivée à Rome.

Il avait mis trois semaines pour parcourir les lieues qui séparaient Troyes de la Cité éternelle. Il se présenta sous son faux nom à l'abbesse romaine désignée par Dana, dans la petite maison de prière où vivaient une dizaine de religieuses. Le pli de la supérieure de Troyes étonna Nicole. Il lui ordonnait d'accorder le gîte et le couvert à cet homme de passage. L'abbesse se récria : c'était un cloître de femmes ! Mais la lettre était formelle et, Sainte-Scolastique faisant partie de la même congrégation que les Sœurs de Marthe, Nicole dut accorder cette dérogation sans précédent.

— Que venez-vous faire à Rome, sieur de Troyes ? demanda-t-elle.

Le vicaire tira un billet de sa poche.

— C'est la première fois que j'entre dans cette ville. Peut-être pourriez-vous m'aider à retrouver la trace de ces quelques personnes…

Il y avait quatre noms inscrits sur la feuille : Arthème de Malaparte, Arthuis de Beaune, Domenico Profuturus et Aures de Brayac. Nicole les lut attentivement.

— Pour les trois premiers noms, dit la religieuse, j'ignore complètement qui ils sont ; en revanche, le quatrième est bien connu, mais plus sous ce patronyme. Son rang et son titre lui ont conféré un nouveau nom. Aures de Brayac s'appelle aujourd'hui monseigneur Artémidore et il est grand chancelier du pape. C'est sans doute la personne la plus puissante de Rome, vous aurez toutes les peines du monde à arranger un entretien. C'est peut-être même une tâche impossible, croyez-moi.

— Alors, je laisse ce nom là où il se trouve, dit Chuquet, c'est-à-dire à la fin de ma liste. Si je parle aux trois premiers, je suis certain que cet Artémidore viendra lui-même jusqu'à moi.

11.

Henno Gui aida l'homme tombé dans ses bras à retrouver ses esprits. Toute la troupe qui attendait de l'autre côté du tertre s'était concentrée autour du patriarche et du curé. Ils étaient une quinzaine, habillés à la diable, les traits tirés par la fatigue.

C'était une troupe de comédiens ambulants.

Cette arrivée soudaine, pleine de couleurs et d'animaux de foire, éberlua le prêtre qui n'avait pas aperçu une âme neuve depuis son arrivée au village. Leurs visages pleins de vie tranchaient fortement avec le cadre et l'humeur maussade du pays.

— Je suis le curé Henno Gui, dit-il à ces inconnus qui le dévisageaient. Êtes-vous égarés ?

— Non, mon père, répondit l'un d'eux. Il semble même que nous soyons arrivés à la fin de notre équipée.

Le saltimbanque expliqua au curé que la troupe sillonnait depuis l'automne une vaste région s'étendant d'Albi à Sartegnes. Ils avaient passé tout l'hiver sur les routes, parcourant dans la neige chaque petit village, chaque pays de marais. Ils obéissaient ainsi aux dernières volontés de leur patriarche qui réclamait qu'on le transportât sur un petit terrain perdu gravé dans sa mémoire, là où, dans sa jeunesse, il avait joué une mystérieuse représentation de comédie. Le souvenir de cet acte ne l'avait jamais quitté, mais le lieu exact du théâtre était plutôt vague et confus. Il entraîna sa troupe dans une longue quête à travers le pays.

— Est-ce ici ? demanda Henno Gui soudain intrigué. Est-ce l'endroit que cherchait votre père ?

Le groupe laissait entendre que le patriarche semblait y croire.

— Mais pourquoi tenait-il à revenir ? demanda encore le curé.

Il trouva devant lui une quinzaine de visages embarrassés, désignant du regard le vieil homme et insinuant que ce dernier n'avait jamais voulu révéler le fond des choses...

Quelques minutes plus tard, le patriarche, un peu remis, souhaita se relever. On l'aida péniblement. L'homme avait toujours l'œil large et humide. Il observait les environs de la clairière depuis le sommet du tertre.

— Nous y sommes... c'est bien ici, reprit-il. C'est ici que nous avons joué... Je me tenais à cet endroit, là où je suis en ce moment, en haut de la butte... il y avait devant moi mes deux flambeaux et mes deux oliviers... et puis les chevaux, et les arbres tout autour...

— Es-tu sûr, père ? demanda la plus jeune comédienne de la troupe.

— J'en suis certain... répondit le vieil homme.

Henno Gui avait du mal à concevoir le sens de cette aventure. Pourquoi diable une troupe d'acteurs se serait-elle jamais arrêtée à Heurteloup ?

— Mais que faisiez-vous ici ? demanda-t-il. Que jouiez-vous ?

— Mon rôle ? dit le comédien. Le plus beau.

En vieil homme de théâtre qui n'avait pas oublié ses effets de jeu, il marqua une pause.

— C'est moi qui jouais Jésus...

12.

Le lendemain de son arrivée à Rome, Chuquet se dirigea jusqu'à une butte au bord du Tibre qu'on appelait le Vatican. L'Église y avait une chapelle et quelques bâtiments qu'elle s'apprêtait à agrandir pour alléger le palais du Latran. C'est là qu'avait été transférée la Bibliothèque administrative des États de Saint-Pierre qui recensait tous les actes et toutes les nominations décidés par Rome. Seuls des ecclésiastiques du Latran ou des laïcs accrédités pouvaient y pénétrer et compulser ses registres. Chuquet était ce matin pourvu d'un passe-droit fourni par sœur Nicole. Les Scolastiques, comme les Sœurs de Marthe, relevaient directement de l'autorité du pape, elles avaient par là quelques avantages strictement édictés.

Les libraires assermentés et vigilants laissèrent entrer ce visiteur en dépit de sa défroque de chevalier.

Parmi les étagères sentant fort le bois neuf, le visiteur récupéra huit gros volumes et les disposa sur des lutrins. Il écuma leurs index alphabétiques. Il avait sa petite liste avec ses quatre noms : Malaparte, Beaune, Profuturus et Aures de Breyac.

La première trouvaille de Chuquet aboutit à Arthuis de Beaune. C'était le nom le plus référencé. Arthuis était un moine savant. On lui devait des commentaires sur Aldobrandin de Sienne et des découvertes naturelles sur le monde animal dont le fameux « cercle de feu du scorpion » qui fit tant parler de lui quarante ans plus tôt. Le docte moine était toujours vivant. Il dirigeait à titre honorifique une école attachée au collège capitulaire du Latran. Chuquet nota précisément le nom de cet établissement et poursuivit ses recherches.

Arthème Malaparte était cité dans un chapitre touchant à la commission exceptionnelle de 1231 instituée par Grégoire IX sur Aristote, celle-là même que citait Haquin dans une de ses lettres à Alcher de Mozat de la même époque. Le court panégyrique sur Malaparte fit sourire Chuquet. On vantait les qualités savantes et théologiques de ce laïc élevé à titre exceptionnel à la dignité d'évêque en 1235. Sa carrière épiscopale ne compta absolument aucune affectation depuis le jour de son ordination jusqu'à sa mort, en 1266. Pourtant, le panégyriste avait noté sans commentaire ni surprise que le pape en 1264 lui offrit une mitre de cardinal et le collier suprême de l'ordre de Saint-Pierre. Grâces étonnantes pour quelqu'un qui n'avait, officiellement, rien fait d'exceptionnel. Malaparte n'avait pour tout crédit que la création d'un hospice pour enfants implanté près de Saint-Ange à Rome et que sa fille Lucia dirigeait depuis sa disparition.

Chuquet nota le nom et le lieu de l'hospice.

Domenico Profuturus était un abbé dominicain, proche de l'école de pensée des chartriens. Il était indexé dans un registre de nominations monastiques. Sa dernière affectation le situait à Sainte-Lucie, près d'Ostie.

Quant à Aures de Brayac, ainsi que l'avait dit sœur Nicole, il dirigeait depuis 1274 la chancellerie du Latran sous le nom d'Artémidore. Sa haute position politique empêchait pour l'heure que toute information sur son compte soit rendue publique.

Après quelques lignes de notes, le visiteur remit ses volumes en place et quitta la bibliothèque.

13.

Dans la réponse étonnante du vieux comédien sur Jésus, il n'y avait aucune arrogance ni fierté... plutôt de l'amertume. Henno Gui cachait mal son effarement. Le vieil homme reprit :

— C'est moi qui jouais le Christ. C'est un emploi qu'on m'avait déjà donné avant ce jour étrange, dit l'acteur. J'avais la fortune d'avoir, à l'époque, les traits du visage naturellement proches de ceux qu'on attribuait au Fils sur les toiles ou sur les crucifix d'église. Cette ressemblance m'a valu de débuter ma carrière dans les grands Mystères qu'on jouait pour Pâques à Bâle ou à Ravenne...

Henno Gui convint qu'en effet, malgré ces fines rides et cette peau blafarde, la face allongée et les pommettes creusées de cet homme avaient une familiarité étonnante avec cette représentation sacrée que les icônes et les évangéliaires répandaient à travers le monde.

Le vieillard respira profondément. Il ferma ses paupières.

— La scène était extraordinaire, croyez-moi, reprit-il. Unique. Autour de la clairière, là, il y avait les grands feux...

— Les feux ? dit Henno Gui toujours plus intrigué. Quels feux ?

L'homme rouvrit les yeux et montra sept arbres.

— Ils avaient choisi des arbres immenses et puissants. Sur chacun d'eux, ils enflammèrent majestueusement sept

330

grandes branches. Sept chacun. C'était magnifique... magnifique...

— Sept arbres ? Sept branches ?... répéta le curé. Comme les chandeliers de l'Apocalypse ?

Le vieil homme sourit. Il regarda pour la première fois le prêtre au fond des yeux.

— Mais, mon père, c'était *L'Apocalypse de saint Jean* que nous interprétions ici...

De mémoire d'homme, jamais révélation n'avait autant stupéfié Henno Gui. Il resta sans voix.

14.

Une heure après sa sortie de la bibliothèque du Vatican, Chuquet se présentait sous son nom d'emprunt à l'hospice de la mère Anne, dispensaire pour orphelins adossé à la forteresse Saint-Ange. Il demanda une entrevue à la mère supérieure, Lucia de Malaparte. On le fit patienter longuement avant de l'introduire devant une femme au visage doux et loyal, plus jeune qu'il ne l'imaginait.

— Que puis-je pour vous ? demanda-t-elle.

— Je viens vous entretenir de votre père. Mon ancien maître a travaillé pour lui.

— Vraiment ? Comment se nommait-il ?

— Romée de Haquin. Il a secondé messire Malaparte pendant la commission papale de 1231 sur Aristote.

— Ce nom ne me dit rien.

— Je sais pourtant que mon maître est resté plusieurs années au service de votre père, même après cette assemblée.

— Je connais bien la vie de mon père. Je ne me rappelle pas avoir entendu parler de votre maître.

Chuquet ne sembla faire aucun cas de l'oubli ou de l'ignorance de la femme.

— Votre père est resté à Rome après l'échec de la commission ?

— Oui. Il a fondé cet hospice avec ma mère.

— Quelle autre activité exerçait-il dans le même temps ?

— Aucune, monsieur. On lui a proposé des postes importants en Europe, mais il les a tous refusés. Mon père était de corps et d'âme avec ce projet d'orphelinat.

— Et vous ne connaissez aucune autre raison expliquant son choix de rester à Rome ?

— Je vous l'ai dit, l'hospice de la mère Anne.

— Hmm...

Chuquet ne se montrait pas convaincu.

— Votre père ne s'est jamais récrié devant la décision abrupte et sévère du pape de dissoudre la commission.

— Non.

— Je crois même qu'il reçut ce désaveu avec dignité et se montra publiquement toujours loyal vis-à-vis de la position du chef de l'Église.

— Je sais tout cela, monsieur, dit la femme.

— Bien sûr. Mais ce que vous semblez ignorer, madame, c'est qu'au matin même de la décision du pape, la commission reprenait son travail, mais de manière clandestine. Tous ceux qui avaient foi dans les préceptes d'Aristote se sont regroupés autour de votre père et ont approfondi cette philosophie, bafouant les interdits de l'Église. Bientôt, cette assemblée s'est transformée en une puissante société secrète. On y étudiait l'homme et la nature selon des lois nouvelles, c'est-à-dire sans plus tenir compte des atermoiements ou des frilosités du dogme romain.

— Je ne crois pas un mot de ce que vous avancez, dit Lucia.

— C'est votre droit, madame. Mais sachez tout de même que votre père est resté à la tête de cette congrégation occulte jusqu'à sa mort en 1266, et que j'ai de fortes raisons de croire que celle-ci existe toujours aujourd'hui, peut-être plus puissante que jamais, et toujours foncièrement ignorée par le pape.

— Et vous pouvez le prouver ?

— Les preuves que je possède ne vous concernent pas.

— Alors pourquoi m'en parler ? Que cherchez-vous en me disant tout cela ?

— Vous êtes une dame respectée et connue dans les

cercles romains. Je ne vous demande rien d'autre que de vous intéresser à ce que je viens de vous dire et de ne pas hésiter à poser des questions aux gens puissants qui vous entourent. Je suis certain qu'à force d'en parler ouvertement, vous en saurez bientôt plus que moi...

— Si j'en parle, monsieur, je citerai votre nom.

— Faites, madame. Je m'appelle Anselme de Troyes, mais le nom qui doit compter, c'est celui de mon ancien maître, ne l'oubliez pas : il s'appelait Romée de Haquin...

15.

Sur la petite butte devant la clairière, le comédien continuait son récit. Toute la troupe se rapprocha. Elle aussi entendait pour la première fois les révélations du patriarche.

— L'Apocalypse... une scène comme on n'en avait jamais vu...

Il raconta d'une voix faible comment il avait été engagé il y a bien longtemps avec sa petite compagnie de l'époque pour jouer intégralement cette longue scène tirée du dernier livre des Évangiles. Ses employeurs semblaient œuvrer à cette Apocalypse depuis des années, dans le plus grand secret. Les moyens mis en œuvre étaient considérables. Chaque strophe de l'apôtre Jean était prise en compte et retranscrite visuellement grâce à des décors mécaniques, des costumes fabuleux, des animaux, des artifices visuels et sonores... L'œuvre était épouvantable, plus vraie que nature.

— Mais pourquoi ? lâcha soudain Henno Gui. Cette scène est un horrible blasphème, pourquoi avoir accepté de l'interpréter ?

— On nous a expliqué que c'était une expérience de la plus haute importance religieuse, dit le comédien. Pour ma part, je ne suis arrivé avec ma troupe qu'au dernier moment, je n'ai donc pas vu les préparatifs, ni le cheminement de l'affaire. Les cardinaux qui orchestraient ce Mystère nous ont peu éclairés sur leurs motivations.

— Des cardinaux ? s'exclama le curé effaré.

— Oui. Ils étaient plusieurs et avaient des docteurs en théologie avec eux.

Il y eut un silence. Personne n'osa l'interrompre.

Henno Gui était blême.

Le vieil homme regardait toujours la clairière, fixement. Dans son œil blanchi défilaient une multitude de souvenirs qui lui faisaient battre la poitrine.

— Oh oui... c'était bien là...

Il montra la petite étendue où la pauvre Mabel était toujours à genoux.

— Je me souviens... il y avait tout le village de réuni sur le pré... c'est dans cette petite foule que se sont abattus nos quatre cavaliers de l'Apocalypse, avec leurs chevaux et leurs armures gainés de fantastique... et puis il y avait le petit curé... oui, je me rappelle maintenant... le curé du village...

— Un curé ? demanda Henno Gui. Il y avait un curé avec les villageois ?...

— Oui... drôle de personnage en vérité...

À ces mots, le comédien porta une main à son flanc gauche comme s'il venait de recevoir un coup. Son visage se contracta. Il s'affaiblit de nouveau. La jeune comédienne le prit dans ses bras pour le redescendre jusqu'à sa litière de voyage.

— Nous devons le porter jusqu'au village, dit-elle. Notre père a besoin de repos.

— N'y songez pas, répondit Henno Gui. Suivez-moi, je sais où vous pourrez vous installer pour le moment...

Avec Mabel, à peine remise de ses émotions, le curé conduisit la troupe entière jusqu'à la crevasse qui servait de refuge aux villageois. La neige avait disparu mais le cratère était toujours aussi indécelable : des herbes et des mousses escamotaient les reliefs aussi bien que la blancheur de l'hiver.

L'entrée sous ces abris réveilla chez le vieil homme de nouveaux souvenirs.

— Ici non plus, rien n'a changé... non, dit-il. C'est bien ici que nous nous préparions...

— Ici ? dit Henno Gui. Qui y avait-il avec vous, des militaires, des soldats ?

— Non, fit le comédien. Des moines. Beaucoup de moines... Et des chiens... oui... je me souviens des chiens...

Mais le curé ne put rien tirer de plus de cet homme. Il était trop faible et n'articulait plus. Toute la troupe remercia Henno Gui et s'apprêta dans le refuge, posant les malles et faisant tirer un grand feu. Le prêtre leur intima l'ordre de ne jamais quitter cette place.

Après cela, il redescendit vers Heurteloup avec Mabel. La villageoise fut elle aussi enjointe au plus grand secret. Rien de tout cela ne devait être révélé, à quiconque.

Sur le chemin du retour, Henno Gui pensa à la forteresse d'énigmes qui venait de s'ébrécher pour la première fois devant lui. Il revit le croquis étrange trouvé dans le coffre vermoulu, les armes de Tobie, les souterrains qu'on creusa sans doute pour prévenir un nouvel Apocalypse, le choc du Grand Incendie, la religion des marais, le sentiment de nouveau monde et d'humanité épargnée qui isolait Heurteloup du reste de la terre depuis si longtemps... enfin ce traumatisme sans égal, ces âmes lésées à jamais d'avoir assisté à la Fin de l'Histoire... une Apocalypse de théâtre !...

Beaucoup de choses s'éclairaient d'un jour neuf mais inquiétant. Des cardinaux de Rome étaient attachés à la tragédie de ce petit village oublié de tous... oublié volontairement sans doute... Dans cet ordre nouveau, que dire de la fin de l'évêque Haquin ? Son assassinat l'impliquait-il dans cette affaire ou ne servait-il qu'à mieux dissimuler un ancien et terrible secret que le vieil homme était en train de découvrir ?... Et si la redécouverte du village avait coûté la vie à l'évêque de Draguan : qui, aujourd'hui, dans ce pays, ne risquait pas la sienne ?

16.

Aymard du Grand-Cellier, Gilbert de Lorris et Merci-Dieu n'atteignirent jamais Rome lors de leur retour de Gennanno. Sur la route, ils croisèrent une estafette envoyée par la chancellerie du Latran qui leur donna de nouvelles instructions. C'était sans réplique. Le trio abandonna Drago de Czanad et la jeune comédienne Maud pour remonter, à bride abattue, vers le nord.

Près de Porcia, petit bourg cisalpin jouxtant les frontières du royaume franc et des terres d'Avignon, une garnison de deux cents soldats les attendait. Toute la caserne de Falvella avait été transportée avec armes et montures. On construisit rapidement un fort de bois, à l'abri des regards indiscrets. Gilbert fut ravi de retrouver ses anciens condisciples. Dès leur arrivée, les trois nouveaux venus furent harnachés pour la guerre. Aymard endossa une armure par-dessus sa soutane blanche. Les manches et les plis de sa robe dépassaient des jours de la cuirasse. Il refusa fermement que l'on couvre sa tonsure avec un casque de combat.

Le commandant de la force leur expliqua qu'ils étaient en manœuvre vers une petite paroisse française où une poche d'hérétiques persistait contre Rome, qu'il fallait abattre au plus vite avant que ses agents n'essaiment dans les environs. Le soldat mit quelques accents de croisade pour mieux convaincre les deux hommes.

Sur les deux cents militaires que contenait la garnison de Falvella, trente-trois furent triés sur le volet pour le convoi final.

Trois jours après l'arrivée d'Aymard et de ses compagnons à Porcia, au petit matin, alignés par trois, les soldats franchirent illégalement la frontière française et commencèrent leur marche vers le diocèse de Draguan.

Le chemin que devait emprunter cette petite troupe ne suivait pas les routes conventionnelles... La clandestinité de l'expédition n'échappa bientôt plus à personne.

Le commandant plaça Aymard du Grand-Cellier à la tête du convoi.

17.

Le jour suivant son entretien avec Lucia Malaparte, Chuquet quitta Rome en direction de la ville d'Ostie, près de la mer.

En fin d'après-midi, il arriva devant le portail du monastère Sainte-Lucie, non loin du village du même nom. Le portail était béant. L'enceinte était abandonnée. Elle n'avait pourtant rien d'une ruine. L'architecture était encore saine. Les mauvaises herbes avaient envahi le cloître, les cellules et les salles communes, mais le passage des moines se ressentait encore. Le départ avait été parfaitement organisé. Rien ne laissait à penser qu'une attaque ou un pillage fût à l'origine du délaissement de Sainte-Lucie. Chuquet chercha des inscriptions dans l'église ou sur les tympans : elles avaient toutes été effacées. Même le cimetière avait été déménagé...

Chuquet reprit la route du village. Il croisa un vieux paysan en chemin et l'interrogea sur le passé des moines.

— Depuis combien de temps sont-ils partis ?

— Cela fait bien huit ans, messire, dit l'homme.

— Connaissiez-vous le père abbé Profuturus ?

Le paysan secoua la tête.

— Nous ne connaissions personne. Ces moines étaient trop secrets pour cela. C'était bien la première fois que je voyais des religieux comme ceux-là... incapables de faire ni le bien ni le mal autour d'eux...

— Qu'entendez-vous par là ?

— Dame ! Quand un monastère s'installe dans une région, c'est comme avec un château ou une forteresse royale : tout le monde en profite. On engage les artisans du coin, on achète nos récoltes, on fait travailler les paysans, on crée de nouveaux champs ou de nouveaux élevages. Là, rien. Il n'y a eu aucun contact entre ces moines et nous. Ils vivaient entre eux. On ne les voyait pas. Personne n'a jamais franchi la porte de ce monastère. Pas même le curé de Sainte-Lucie !

— Vous ignorez pourquoi ils sont partis ?

Le paysan haussa les épaules.

— J'ignore pourquoi ils sont venus ! Ils ont rénové le monastère en quelques mois et hop ! deux ans plus tard, ils avaient filé. Depuis, l'endroit est vide et aucune communauté n'est annoncée. Un beau gâchis.

Chuquet ne le questionna pas davantage ; il passa la nuit à Sainte-Lucie et rentra le jour suivant à Rome s'intéresser à l'école fondée par Arthuis de Beaune.

Il se renseigna habilement sur les différents docteurs et professeurs de cette institution. Arthuis n'était pas à l'école. Chuquet demanda à être présenté à Pharamond le Jeune, disciple émérite du maître et directeur en second. Pour hâter cette rencontre, Anselme de Troyes se présenta comme un bienfaiteur argenté. Il montra quelques écus dorés et fut introduit aussitôt dans le bureau de Pharamond.

Chuquet s'avoua d'abord impressionné par la réputation du maître des lieux.

— Elle est universelle, opina le directeur. Arthuis de Beaune restera dans l'histoire des hommes comme un éminent savant qui s'est toujours mis au service du Christ. C'est l'honneur de tout notre collège.

— Son expérience du scorpion et du cercle de feu est admirable.

— La première qui a mis le doute sur l'esprit animal. Le suicide du scorpion. Étrange acte si l'on considère que seul l'être humain est doté par Dieu d'une conscience propre et d'une volonté sur sa propre vie.

— Votre maître a-t-il un jour appliqué ce même genre d'expérience à l'homme ?

Pharamond fit mine de ne pas comprendre.

— À l'homme ?

— Oui. Ces pratiques de laboratoire... savez-vous s'il a été tenté un jour de les appliquer à des humains ? L'homme face à la mort, l'homme face à ses angoisses naturelles, l'homme face aux vérités des Évangiles... Le résultat étonnant de cet épisode du scorpion a dû naturellement lui inspirer une foule de thèmes plus vastes, non ?

— Mais cela serait sacrilège de jouer ainsi avec la conscience humaine ! protesta Pharamond. Arthuis de Beaune est un croyant et un fidèle irréprochable. Lorsque ses conclusions scientifiques sont contraires à la morale ou à la foi, il les renie toujours publiquement.

— Hmm... Quel âge a votre maître aujourd'hui ?

— Il va bientôt fêter ses quatre-vingts ans.

— Admirable. Où peut-on le trouver ?

— Notre maître travaille encore beaucoup. Il n'est présent à l'école qu'un mois par an, en juin.

— Et le reste de l'année ?

— Je l'ignore. Nous pensons qu'il voyage à travers le monde ou qu'il a une villa dans les terres où il poursuit en paix ses travaux.

— Et quels sont-ils, ces travaux ?

— Oh ! lui seul le sait, dit le directeur en souriant. Mais il les fournira au collège dès l'été prochain, comme chaque année.

— Bien.

Chuquet se leva.

— Alors, j'attendrai juin prochain pour décider de ma contribution financière à votre institution, dit-il. Merci pour ces quelques éclaircissements.

Le directeur en second laissa partir, un peu dépité, ce bienfaiteur à la donation imprévue, et subitement ajournée.

Chuquet resta plusieurs jours à recouper les dernières informations récoltées depuis son arrivée à Rome.

Une nuit, il écrivit de sa meilleure plume une lettre signée cette fois de son nom de baptême.

Au point du jour, il sortit avec ce feuillet sous enveloppe.

Il se présenta à la Légation française, petite bâtisse abritant les représentants diplomatiques du roi et du clergé de France. Cette ambassade était tenue depuis peu par un certain père Merle, dominicain rond et chauve. Cet homme, grâce à son poste, était avisé en permanence des liens entre Paris et Rome. Chuquet lui demanda audience.

— Que puis-je faire pour vous, mon fils ? demanda le religieux.

— Je sais que partent d'ici les courriers les plus prompts et les plus sûrs pour la France.

— C'est possible.

— J'ai une lettre à conduire jusqu'à l'archevêché de Paris.

Le père Merle releva ses sourcils.

— Est-ce un pli administratif ?

— Non, mon père. Il est nominatif. Je souhaite qu'il arrive en mains propres au maître archiviste Corentin Tau de l'archevêché.

Chuquet posa son enveloppe sur le bureau de Merle.

— C'est chose faisable, dit le religieux. Mais vous savez la règle : toute lettre doit être décachetée et inspectée avant d'endosser le sceau de notre légation.

Chuquet haussa les épaules.

— Faites ce que vous avez à faire, lâcha-t-il.

Là-dessus, sans accorder un regard ou un mot supplémentaire au dominicain, il salua et quitta la pièce. Merle fut stupéfait par autant de morgue ; il trancha la lettre et commença de la lire. Dès les premières lignes, son visage se figea : une liste de révélations édifiantes était adressée à Corentin Tau. Leur auteur déclarait qu'il allait les dévoiler sous peu au...

Merle tourna la page et visa le nom du signataire. Il se rua aussitôt vers la porte et sortit dans la rue.

Il regarda de part en part...

L'homme à la lettre avait disparu derrière les passants.

18.

Le jeune Floris de Meung avait quitté Heurteloup depuis plusieurs jours.

Après les révélations du vieux comédien, Henno Gui décida de le renvoyer à Draguan afin qu'il entre en contact avec le vicaire Chuquet. Le garçon avait ordre de le convaincre de retourner avec lui au village.

Floris en profita pour emporter le ballot où il avait conservé les affaires personnelles de Premierfait, pour les rendre à sa femme.

Henno Gui lui donna les notes astronomiques qu'il avait prises à l'aller et qui devaient le conduire sans erreur jusqu'au bourg.

Floris retraversa les trois forêts et les trois vals qui séparaient Heurteloup de Draguan. Il entra dans la ville après cinq jours de marche.

Par deux fois, il interrogea des Draguinois. On l'avertit d'abord que le vicaire Chuquet n'avait jamais reparu à l'évêché. Personne n'avait de nouvelles, et il devait être remplacé d'ici peu. Ensuite, on lui indiqua la maison de la femme du sacristain.

En arrivant devant la hutte à toit plat qui avait déjà accueilli Henno Gui, Floris eut la surprise de voir que l'épouse de Premierfait avait parfaitement surmonté la disparition mystérieuse de son mari : la bigote s'était déjà remariée au nouveau sacristain ! La bonne femme pestait en ce moment contre son nouveau mari au seuil de leur maison. Floris n'osa pas se manifester tout de suite. Il fit quelques pas de côté pour attendre la fin de l'esclandre.

C'est là, dans une petite rue de traverse, qu'il tomba sur deux êtres étranges qui le regardèrent arriver droit dans les yeux. Le garçon fut presque effrayé de leur soudaine apparition. C'étaient deux petites filles. Elles étaient côte à côte, immobiles, semblant guetter naturellement l'arrivée de Floris.

— Bonjour, dit le garçon.

— Bonjour, dit l'aînée des deux filles. Nous t'attendions.

Les filles se présentèrent. Elles s'appelaient Guillemine et Chrétiennotte.

Floris esquissa un sourire.

— Comment pouviez-vous m'attendre ? demanda-t-il. Qui aurait pu vous prévenir ?

À son tour, Guillemine sourit.

— Les mêmes êtres bleutés que tu rencontres toi aussi dans la forêt, mais dont tu n'entends pas les paroles...

Floris se figea. Les apparitions ? Les fées étranges qu'il croisait depuis son entrée dans ce pays ? C'est d'elles dont parlait tout à coup cette petite fille ?

— Ce n'est pas parce qu'elles ne remuent pas leurs lèvres qu'elles sont silencieuses, reprit Guillemine. Leurs voix résonnent pour ceux qui savent les écouter, c'est tout.

Dans un réflexe incontrôlé, Floris tendit le bras et effleura le front de la fillette, comme pour s'assurer qu'elle était bien réelle.

— Mais... qui sont-elles ? demanda-t-il troublé. Vous le savez ?

Les deux gamines haussèrent les épaules. La jeune Chrétiennotte le regardait sans prononcer un mot. C'est l'aînée qui répondait.

— Plus personne ne sait ce qu'elles sont. Elles appartiennent à ces bois depuis toujours... les hommes les ont remplacées par des dieux qu'on voit dans la pierre et qui parlent dans du papier... Peu d'entre nous ont encore la grâce de pouvoir rencontrer ces fées d'antan... Elles se présentent seulement pour aider ceux qu'elles ont choisis.

— Aider ? répéta Floris.

Guillemine montra son amie.

— Chrétiennotte seule les voit et les entend. Depuis qu'elle a perdu la parole. Toi, elles voulaient t'avertir... mais que n'écoutais-tu au lieu de toujours croire à un rêve !

Floris repensa au *Livre des Songes*.

— M'avertir ? dit le garçon. Mais m'avertir de quoi ?

— Ça, c'est à toi de voir, dit soudain Chrétiennotte Paquin qui parlait pour la première fois. Ouvre bien les yeux. Ouvre bien les yeux.

Les deux filles partirent d'un rire léger et abandonnèrent le jeune disciple.

Floris resta pensif et immobile dans la ruelle pendant de longues minutes. Le « Recueil » de Daniel n'avait pas menti. Quelque chose se préparait... un grand danger... Le garçon n'en doutait plus, ce dernier frapperait le village, ou Henno Gui... peut-être même pendant son absence...

Floris repartit d'un pas vif, soucieux. Il lâcha son sac au pied de la porte de la veuve et, sans s'arrêter, s'élança en dehors de la ville.

Il repassa tête baissée au croisement de Domines et de Befayt, devant la niche de la petite Vierge en pierre. Comme prévu, avec la douceur du temps, la statue s'était démembrée et gisait de nouveau au sol...

Si Floris avait alors regardé autour de lui, il aurait aperçu, à sa gauche sur la route de Befayt, une grosse masse sombre qui approchait.

Les soldats de Jorge Aja et ceux conduits par Aymard du Grand-Cellier venaient faire leur jonction à Draguan.

Mais le disciple, tout à ses songes de malheur, emprunta un autre chemin. Sans rien avoir vu.

19.

Henno Gui essayait de reconstruire mentalement l'ensemble des éléments qui composaient le simulacre d'Apocalypse et ses conséquences.

L'isolement du village d'Heurteloup avait débuté naturellement faute d'enlisement marécageux de la région et de deux pestes qui l'avaient coupé du monde ; il s'était poursuivi par la suite pour cause de crime et de machination de clercs.

Toute cette histoire aurait pu disparaître à jamais si un chevalier et ses deux enfants ne s'étaient égarés dans ces terres limoneuses l'an dernier et si le peuple d'ici, par une mystique reconstruite de toutes pièces, ne les avait pas pris pour des démons et n'avait pas jeté leurs cadavres dans un cours d'eau...

Du vieux comédien resté avec sa troupe dans la crevasse, le prêtre essaya de tirer de nouvelles révélations. Mais rien n'y fit. L'homme se laissait mourir, souffrant d'une plaie imaginaire au flanc, perdu dans ses pensées.

La seule personne du village à qui Henno Gui osa s'ouvrir de ses découvertes fut Seth. Il était assez ouvert pour supporter un récit aussi étrange et aussi éloigné de ses convictions historiques et religieuses.

Le prêtre lui expliqua comment leurs pères avaient été dupés, de quelle manière on leur avait fait croire que le monde était arrivé à sa dernière heure. Est-ce que ces hommes avaient découvert la mystification ? Avaient-ils pris pour véridique la comédie lugubre qu'on leur jouait ? Henno Gui l'ignorait. Mais il affirmait qu'une population ayant subi un traumatisme aussi violent, ayant assisté à une telle reconstitution, ne pouvait demeurer la même... Beaucoup de leur foi d'aujourd'hui, de leur vision du monde, des paroles que leur avaient laissées leurs aïeux, de leurs rites étranges découlaient en droite ligne de cet événement terrible.

Seth l'écouta développer à tâtons, à mots choisis, tout cet imbroglio de révélations et d'hypothèses. Il admit certaines concordances. La vraie religion de leurs pères reposait en effet sur l'idée que le monde s'était soudain arrêté et qu'au cœur de cette fin terrible et universelle, ils avaient été les seuls à avoir survécu, comme choisis par leurs dieux.

Seth était prêt à croire au récit du curé, mais il affirma qu'il était impossible de transmettre cette connaissance aux autres membres du village. Ces révélations étaient trop aiguës, trop directes pour ne pas être rejetées avec violence.

— Mais ne comprenez-vous pas tout ce que cette histoire implique ? lâcha soudain Henno Gui.

Seth haussa vaguement les épaules.

— Qu'a-t-elle à nous apporter ? dit-il. Cette nouvelle ferait autant de ravages dans nos consciences que cette fausse Apocalypse en a fait sur nos ancêtres, si tel a été le cas. Est-ce cela que nous voulons ?... Personne n'est prêt à entendre ces vérités... laissons-les de côté pour l'instant... Après tout, mon ami, nous ne dérangeons personne...

À cela, Henno Gui ne répondit pas, mais il n'en était pas convaincu.

20.

Aux portes de Draguan, sur une aire clairsemée, les troupes conduites par Aymard du Grand-Cellier rejoignirent celles que Jorge Aja avait emportées de Passier. Ensemble, ces forces armées représentaient une cinquantaine d'hommes.

L'évêque Aja accueillit Aymard et Gilbert de Lorris dès leur descente de cheval. Il leur expliqua le but de l'expédition contre le village, dépeignant les rescapés d'Heurteloup comme des hérétiques dangereux. Il inventa avec force détails des insultes présumées contre la croix, l'assassinat de trois innocents, et leur imputa la mort de Haquin. Ce discours fit son effet sur les deux hommes ; la volonté d'obéir d'Aymard était aussi intacte qu'au sortir des mains de Drona et Gilbert était encore en âge d'être impressionné par une bonne harangue de guerre.

Aja tenait un vieux parchemin dans ses gants. C'était une carte parfaite d'Heurteloup, avec ses entours et ses lieux de repli. Elle semblait avoir beaucoup servi...

21.

À Rome, le moine Chuquet travaillait dans sa cellule, toujours incognito, au couvent de sœur Nicole. Il complétait son manuscrit dont l'exemplaire original était resté à Troyes entre les mains de l'abbesse Dana.

Ce matin d'avril, sa plume crissait sur une feuille mal grattée. On frappa discrètement à la porte. Le moine laissa entrer d'un mot, sans se détourner de son écritoire. Un jeune oblat d'un monastère voisin avait été mis à sa disposition pendant son séjour aux Scolastiques. Aucune religieuse ne pouvant avoir de contact avec le « sieur de Troyes », sœur Nicole s'était tournée vers une congrégation masculine pour réclamer un aide.

La petite porte en bois s'ouvrit avec son craquement habituel. Chuquet était toujours concentré sur son travail. Mais il releva la tête : il ne reconnaissait pas le bruit des sabots de l'oblat, ni le cliquetis de la bassine qu'il tenait chaque matin à bout de bras. Brusquement, une voix puissante s'éleva à quelques pas dans le dos d'« Anselme de Troyes ».

— Ce que vous faites est très dangereux, frère Chuquet.

Le vicaire de Draguan se retourna d'un bond. Il se retrouva face à quatre personnes. Quatre hommes. Les trois premiers étaient vêtus de bures marron serrées au-dessus de l'aine par une grosse ceinture de corde : c'étaient des franciscains. Les trois mêmes qu'avait croisés Enguerran du Grand-Cellier et qui avaient conduit le père Merle devant

Bazan à la chancellerie. Ces trois esprits inflexibles étaient les conseillers les plus influents du pontife. Le peuple, qui ne manquait jamais rien des figures du pouvoir, les avait baptisés la « Trinité de Martin ». Ils s'appelaient Fogell, Choble et Bydu.

Un peu à l'écart, encore blotti sous le chambranle de la porte, Chuquet reconnut Corentin Tau, l'archiviste de Paris. Il se mit sur ses gardes.

— Ne craignez rien, dit Fogell, nous sommes là pour vous aider.

Chuquet referma son manuscrit et le dissimula derrière lui.

— Nous œuvrons pour le compte du pape Martin, et du pape seulement, insista le franciscain. Nous ne sommes en rien affiliés avec ceux qui vous intéressent et qui intéressaient déjà votre maître Haquin avant vous.

Chuquet visa Corentin Tau d'un œil sombre. Celui-ci s'avança timidement.

— J'ai appris ce qui vous était arrivé à Paris après notre rencontre, mon ami. Je ne suis qu'un simple maître archiviste, j'ignorais que mes clercs en écriture surveillaient mes faits et gestes. Notre conversation sur Draguan est la raison de tous vos malheurs. Ils ont retrouvé votre trace et celle de mon garde. Un brigand, heureusement travesti en moine, a péri à votre place à l'auberge du Faucon-Blanc... mais je vous ai cru séquestré par ses assassins. Aussi ai-je lancé un avis aux sergents de la ville en donnant votre signalement. C'est un médiocre indicateur, Denis Lenfant, qui a retrouvé votre trace, par hasard. Ce garçon ignorait complètement qui vous étiez et ne savait rien du complot qui se tramait contre vous. Il n'a pu me communiquer votre arrivée à Troyes que tard dans l'hiver. J'ai tout de suite accouru, mais vous aviez déjà fui.

— Nous vous suivons depuis plusieurs jours, continua Fogell. Nous savons que vous vous êtes rendu à Sainte-Lucie à la recherche du monastère de Profuturus. Malheureusement, les registres de la bibliothèque vaticane ne sont pas encore fiables : c'est de l'autre côté des États, sur la côte

Adriatique, que vous auriez aujourd'hui trouvé votre homme et son repaire secret. Nous savons aussi que vous avez rencontré Lucia Malaparte. Vos conclusions l'ont terriblement ébranlée, il nous a fallu beaucoup de patience pour arriver à la calmer sans trop trahir la vérité. Mais vous aviez raison. La commission de 1231 est bien à l'origine des drames qui ont frappé votre petit diocèse et son père a bien dirigé cette société secrète jusqu'à sa mort.

— Notre travaillons sur cette histoire depuis l'avènement de Martin IV, dit Choble. Au dernier conclave, avant son élection, notre maître était en ballottage avec le cardinal Ricci, soutenu par une coalition qui se voulait farouchement anonyme. Le pape élu a simplement souhaité connaître le nom de ses adversaires secrets pour en tenir compte dans sa politique. C'est pour cette tâche qu'il nous a appelés à son service au Latran et c'est là qu'a débuté notre enquête. Longtemps infructueuse, nous l'avouons humblement. Mais vos découvertes et celles de maître Corentin Tau nous ont été dernièrement d'un grand secours. Votre lettre a été une fabuleuse amorce.

— Ma lettre ? demanda Chuquet. Quelle lettre ?

L'archiviste sourit.

— Celle que je vous ai soustraite dans mon petit bureau, dit-il. La lettre de Haquin mystérieusement signée de Rome...

Fogell reprit :

— De Haquin nous avons pu remonter jusqu'à Malaparte et de Malaparte jusqu'à aujourd'hui. Nous vous devons beaucoup, frère Chuquet.

Le franciscain Bydu sortit de sous sa coule un gros dossier roulé dans un nœud de chanvre. Chuquet reconnut le manuscrit qu'il avait confié à l'abbesse du couvent des Sœurs de Marthe, à Troyes, celui où il avait compilé toutes les confidences d'Esclarmonde sur son frère.

— Comme vous voyez, nous ne sommes pas des imposteurs : la mère Dana est au service exclusif du pape. Elle n'aurait légué ces précieux feuillets qu'à des hommes de confiance.

— Qu'allez-vous en faire ? demanda Chuquet.

— Il est écrit de votre main. Nous avons besoin que vous le signiez pour pouvoir l'enregistrer et nous en servir.

— Pourquoi moi ? Vous pouvez utiliser n'importe lequel de vos lieutenants pour apposer une simple signature.

— Oui, mais cela ne suffirait pas. Ce texte sera présenté exclusivement à notre père l'Apostole. Martin exigera d'en connaître l'auteur car il n'est pas homme à accroire la seule chose écrite. Pour le convaincre que vos révélations sont vraies, vous devrez vous présenter à lui et répondre à ces questions sous le sceau de la confession. Comme vous le dites, nous avons des hommes capables de signer à votre place pour défendre notre cause, mais nous n'avons personne pour aller mentir sous l'œil de Dieu à l'évêque suprême de Rome.

— Si je fais cela, atteindrai-je ceux qui ont abattu mon maître ?

— Assurément.

— Cela peut-il se retourner contre moi ?

Les trois franciscains se regardèrent, un peu embarrassés.

— C'est possible, répondit Fogell. Je serai franc : aucun de nous n'est à l'abri tant que tout cela ne sera pas jugé. S'il arrivait que notre réquisitoire ne suffise pas ou que nos adversaires aient eu vent de nos atouts avant que nous agissions, nous pourrions tous encourir de graves dangers.

— Quand puis-je voir le pape ?

— Immédiatement.

22.

Le vieil Enguerran du Grand-Cellier achevait sa route de pénitent. Malgré les avis de sa femme, il s'était décidé à s'en tenir au serment fait à la chancellerie du Latran et à Artémidore. Il emporta la missive de Jorge Aja et se rendit consciencieusement sur les cinq nouvelles terres qu'il devait acheter en secret pour l'Église romaine. À chaque entrevue, les paroles prophétiques de sa femme lui revenaient comme une antienne : « Tu trahis ton roi ! » Mais Enguerran pensait à sa croix de Tunis laissée aux mains de Rome. Il ne pouvait plus reculer.

Mission accomplie, il rentra fourbu à Morvilliers. Ces derniers mois l'avaient éprouvé autant que ses deux désastreuses croisades aux côtés de Louis. L'âge aggravant, c'était un homme au bord de la mort qui arrivait chez lui. Mort physique autant que morale. Enguerran avait dû gager son nom et son mérite à des prix insensés pour convaincre les seigneurs de lui céder leurs terres ou de laisser passer cette mystérieuse cohorte qui venait d'Italie. Cette épreuve était révolue. Il savait qu'une autre l'attendait déjà : les enquêtes du roi de France. L'avenir s'annonçait mal pour le Chevalier Azur. Il ne pourrait jamais justifier tous ses actes d'acquéreur. Enguerran du Grand-Cellier, accablé, n'avait même plus la force de maudire son fils qui l'avait entraîné si loin…

Hilzonde accueillit son mari à son retour au château avec une boîte cartonnée entre les mains. Enguerran reconnut les sceaux de la chancellerie de Rome. C'est las et contrit qu'il accepta de prendre connaissance de ce nouveau message d'Artémidore.

Mais l'œil du vieil homme pétilla soudain. Hilzonde souriait elle aussi. Au fond du petit coffre, Enguerran retrouva les joyaux de sa croix de Tunis et son écusson de baptême ! Une lettre écrite de la main du chancelier Artémidore accompagnait ce renvoi.

Il le félicitait et le remerciait pour son apport inestimable à la cause du pape et à celle de la communauté universelle des chrétiens. Il le déliait de son pacte avec l'assemblée de Rome. Le chancelier l'assurait de son soutien indéfectible. Il était au courant des suspicions et des enquêtes lancées par le Louvre sur ses comptes. Avec un petit document, une formidable astuce administrative, Artémidore dénouait tous les problèmes à venir du vieil homme. Sa lettre manuscrite était accompagnée d'une convention officielle passée entre les États de Saint-Pierre et Enguerran III du Grand-Cellier. L'armée du pape achetait par ce texte l'ensemble de sa production de destriers et ce, pour les quinze prochaines années. Du Grand-Cellier devenait le fournisseur exclusif des écuries du pape. Ce contrat, habilement antidaté, engageait des sommes suffisantes pour justifier les dépenses somptueuses du Chevalier Azur et assurer le recouvrement des impôts royaux que lui réclamerait Paris. Ce geste de grand seigneur rachetait entièrement l'honneur d'Enguerran.

Celui-ci lut la convention et sourit en voyant au bas du texte sa propre signature déjà apposée et couverte de son sceau familial. Ce faux était d'une exactitude et d'une finition époustouflantes...

Le vieil homme eut une pensée pour Artémidore. Derrière le masque froid du chancelier, derrière cette distance et cette dureté toutes politiques, il reconnut Aures de Brayac, l'ami de jeunesse, les années passées à Malte et ces deux incidents où il lui avait sauvé la vie.

Aujourd'hui, Artémidore rendait à son vieux compagnon une fin de vie paisible. Le Chevalier Azur pouvait attendre la mort avec cette dignité d'un croisé de Tunis qui ne l'avait jamais quitté.

Il regarda sa femme d'un air déjà moins las. Il avait l'intuition étrange et réconfortante d'avoir été épargné, seul au milieu de tous.

— C'est fini maintenant, dit-il, en prenant Hilzonde dans ses bras.

23.

À Rome, les trois franciscains conduisirent le vicaire Chuquet au palais du Latran.

Pour l'entretien avec le Saint-Père, le moine avait repris sa mise de religieux et emporté son gros manuscrit. Il fut conduit dans la chapelle privée du pape et attendit seul l'entrée de Martin IV.

C'était un homme d'une quarantaine d'années. Il avait l'air doux et bienveillant des moines contemplatifs. Le souverain pontife était aujourd'hui dans son plus modeste appareil : sous sa longue robe grège, il ne portait aucun des attributs précieux de sa fonction sinon une belle croix pectorale. Pour entendre la confession de Chuquet, il s'était apprêté comme un simple curé.

La chapelle ne comportait pas d'isoloir, le vicaire dut s'agenouiller aux pieds du pape et entamer sa confession auriculaire dans la lumière vive des dizaines de cierges qui éclairaient l'oratoire.

Après les introductions d'usage, le souverain dirigea l'audition sacrée vers les connaissances de Chuquet. Le vicaire de Draguan se mit à raconter l'histoire de son maître. Le pape écouta, les yeux fermés.

Romée, fils de Pont de Haquin, grand sénéchal de Louis VIII, fut élevé avec ses frères par sa mère à Troyes, loin de l'activité corrompue de la cour parisienne. Cette mère très pieuse ne poussa aucun de ses fils à embrasser la carrière des armes : ils devinrent tous prêtres et moines. Romée était le plus jeune et le plus assidu aux études. Dès qu'il fut ordonné diacre, le garçon poursuivit sa formation dans les meilleures abbayes d'Europe. Mais sa soif d'apprendre était boulimique, ses lectures et ses notes d'étudiant compilèrent des commentaires chrétiens, des textes bogomiles, des études chartriennes, des chartes monastiques irlandaises... Cette culture eût pu lui être fatale devant un tribunal d'Inquisition. Mais il rencontra en 1230 en Espagne un certain Arthème Malaparte, autre esprit fort, plus âgé, plus au fait des choses du monde, qui s'enticha de cet étonnant fouineur de bibliothèque. Il lui ouvrit les yeux sur la hiérarchie des connaissances : celles qui étaient admises de longue date, celles qui étaient nouvelles, et dont il fallait se méfier, et enfin celles qui étaient en avance sur leur temps et dont il ne fallait surtout rien dire. Malaparte devint le maître à penser du jeune Haquin. Il l'emmena avec lui à Rome où il était appelé par le pape pour la commission sur Aristote. Après l'échec retentissant de celle-ci, les deux hommes restèrent à Rome et poursuivirent secrètement l'esprit de cette assemblée aristotélicienne. Des expériences en tout genre naquirent dans leurs officines sous la direction de Malaparte et le soutien de Romée de Haquin. Les connaissances disparates de ce dernier servirent un nombre important d'enquêtes. C'est lui qui dénicha un texte du XIᵉ siècle où des clercs répondaient aux critiques qui s'étaient élevées contre la véracité des Évangiles juste après les dates fatidiques de l'an mille et de l'an 1033. La fin du monde avait été annoncée par l'apôtre Jean pour le millième anniversaire de l'Incarnation du Fils : mais, à part quelques famines et quelques conflits politiques, rien ne survint à l'heure dite. Beaucoup de théologiens furent « déçus », inquiets même. Il fallait rendre une nouvelle crédibilité à ces mille ans symboliques des Écritures, ou, mieux, percer définitivement le secret du calendrier crépusculaire de Jean. C'est ce qui fut fait à l'époque. Des docteurs éminents démontrèrent que les Mille Ans d'attente à compter avant le retour de Jésus et la descente de la Jérusalem céleste sur terre ne débutaient ni à la naissance ni à la Passion du Christ, mais au début du « règne du Fils », c'est-à-dire à la fondation officielle de l'Église de Rome. Cette fondation avait une date : l'an 325, âge de la fameuse « donation » de l'empereur Constantin. Ce dernier avait décidé à la fin de sa vie de céder aux évêques chrétiens la ville de Rome, le pouvoir de gérer eux-mêmes leurs biens temporels et de lever des impôts, hors de l'autorité impériale. De ce jour historique datait la naissance de l'Église.

Les clercs du XIᵉ siècle justifiaient ainsi l'absence de cataclysme à l'an mille et reculaient à 1325 l'échéance du Grand Jugement. Les hommes de la commission étudièrent avec beaucoup de sérieux ces conclusions abondamment argumentées... La probabilité d'une fin du monde au siècle suivant ne pouvait pas être négligée. Enhardis par l'esprit d'Aristote, ils décidèrent de se préparer à une telle éventualité. L'étude des Écritures saintes et de leurs commentateurs ne suffisait plus : il fallait aller plus loin.

— Comme ils avaient encerclé un scorpion de feu pour l'étudier et le voir mourir, expliqua Chuquet, ils choisirent de trouver un petit village, le plus isolé du monde, et de lui faire subir en secret, à la lettre près, une reconstitution parfaite de l'Apocalypse de saint Jean.

Les réactions des sujets serviraient à mieux déchiffrer l'instinct des masses chrétiennes et, éventuellement, à comprendre ce qu'il fallait changer dans leur éducation pour les mieux préparer. Cette idée du simulacre de l'Apocalypse donna son nom à la confrérie secrète qui succéda à la commission : elle s'appela désormais le Convent de Meguiddo, du nom de cette petite ville de la Bible qui devait subir toutes les colères de Dieu au jour de la Fin.

— C'est Haquin qui eut la charge de dénicher le site du grand simulacre, continua Chuquet. Il parcourut tout le Sud de la France. Cette région pullulait de factions hérétiques et de terres rendues difficiles d'accès par la guerre et les pestes. Après deux ans d'étude minutieuse, Haquin sélectionna cinq endroits susceptibles d'accueillir une simulation d'une telle ampleur. Il envoya ses résultats à Rome, mais, lors de son voyage de retour, il croisa une de ces innombrables confréries ambulantes qui traversaient à l'époque l'Occident, dénonçant les dérives temporelles et spirituelles du clergé. Leurs discours sur la prétention et l'aveuglement des savants le marquèrent profondément. Il les prit à son compte et sentit soudain toute l'horreur de ce qu'il était en train de tramer. Il comprit que jouer le simulacre était aussi se substituer à la volonté de Dieu, c'était surtout enfreindre un de ses plus virulents interdits : ne pas Le tenter.

Les yeux toujours clos, le pape approuva d'un hochement de tête.

— Haquin décida alors d'abandonner le Convent. Il avertit Malaparte tout en l'assurant qu'il respecterait les serments de silence qu'il avait faits à l'assemblée et qu'il ne le trahirait jamais.

— Qu'a-t-il fait à partir de là ?

— Pendant dix ans, il s'est appliqué à déjouer les tentatives du simulacre. Il revint dans les rangs publics de l'Église, avec son titre d'évêque acquis à Rome. Il demanda à être affecté successivement dans les cinq sites qu'il avait lui-même choisis. À chaque fois, Haquin obligeait les hommes de Malaparte à abandonner leurs préparatifs, sans jamais faire de scandale. En s'installant dans le cinquième et dernier diocèse, Draguan, Romée de Haquin pensait avoir atteint son but. Le simulacre n'avait pas eu lieu. Si le Convent persistait dans son envie d'expérimenter l'Apocalypse à l'échelle humaine, il devrait l'accomplir ailleurs, dans un autre village et sur des fidèles qui n'engageraient plus la conscience de Haquin. Il vécut ainsi trente ans dans son évêché, conforté dans cette idée… jusqu'à ce que trois corps soient repêchés dans un cours d'eau et que son sacristain découvrît l'existence insoupçonnée d'un treizième village au fin fond de son diocèse. Du temps même de ses recherches pour Malaparte, Haquin avait sélectionné le diocèse de Draguan sans avoir connaissance de ce petit hameau totalement oublié et isolé depuis de nombreuses années. Ce village sorti du néant le frappa soudain en plein cœur... Il comprit que sa vigilance avait échoué...

— Vous dites que le simulacre a eu lieu dans ce village ? demanda soudain le pape en rouvrant les yeux.

— Monseigneur Haquin devait le penser, dit Chuquet.

— Mais pouvons-nous le prouver ? Aujourd'hui, le pouvons-nous ? insista-t-il.

— Je l'ignore. Un jeune prêtre est parti cet hiver à la rencontre de ces villageois. Lui seul peut répondre.

— Bien. Continuez.

— Avec la découverte de ce village, Haquin se sentit soudain délié du serment fait à son maître mort depuis longtemps. Il décida d'en appeler à ses supérieurs et d'aider à la découverte de la vérité. L'absence de réponse l'inquiéta. Il dut intriguer et agir discrètement pour dénicher et appeler un prêtre à sa façon, propre à supporter la tâche qui l'attendait. Romée de Haquin espérait ce garçon avec une impatience croissante. Mais il arriva trop tard. Un séide du Convent le précéda de quelques heures et abattit sauvagement l'évêque Haquin devenu trop encombrant...

Le pape resta longtemps silencieux. L'histoire de Romée de Haquin liait soudain tous les indices et les soupçons disparates que nourrissaient ses trois fidèles franciscains depuis plusieurs années. Il avait fallu un simple vicaire de campagne parti sur les routes d'hiver pour enterrer le corps de son maître pour que cette vérité éclate.

Martin IV bénit le moine, comme après une confession courante. Son visage était toujours aussi délié et cordial. Chuquet était stupéfait de tant de distance et de maîtrise. Il repensa à Henno Gui et à leur entrevue à Draguan.

— Vous avez bien fait, mon fils, dit le pape. Par la grâce de la confession, soyez assuré que Notre-Seigneur a entendu chacune de vos paroles et qu'il vous aime pour cela.

Au lieu de l'accolade pastorale et du signe ordinaire de croix, Martin IV défit soudain le beau crucifix qui pendait autour de son cou et l'offrit au petit vicaire. Chuquet était ému aux larmes.

— Merci, lui dit simplement le pape.

Un instant plus tard, Chuquet était seul au milieu de la chapelle pontificale. Il avait accompli la mission de sa vie.

24.

Le chancelier Artémidore attendait immobile sur sa terrasse du Latran. Depuis cette cour carrelée de marbre et entourée de balustrades à profils antiques, l'homme avait une vue imprenable sur Rome. Il regardait d'une mine glaciale la vie grouillante et anonyme qui s'étalait à ses pieds. Le jour était beau. À l'horizon seulement se dessinait la découpure d'un ciel d'orage. Le soleil était aveuglant. D'un bref coup d'œil, le chancelier fixa sa lumière en face. Il conserva dans le regard l'empreinte de ce cercle incendié pendant plusieurs secondes, le balayant lentement sur les toits de Rome.

Derrière lui, la porte à carreaux de son bureau s'ouvrit. Fauvel de Bazan apparut avec une note écrite dans les mains. Le secrétaire avait une mine défaite, il tremblait de tout son corps. Il s'approcha de son maître.

— Le pape est au courant, Excellence. Il vous fait demander d'urgence, dit-il la gorge nouée.

— Oui.

Artémidore ne se retourna pas.

— Ainsi, c'en est fini ? murmura le diacre.

— Oui, Bazan. C'est fini.

Les cloches de la cathédrale du Latran sonnèrent midi.

Le chancelier fronça les sourcils.

— Cela va être une longue journée.

Il ne bougea pas. Il gardait dans l'œil cet éclat inversé du soleil qui brillait noir.

25.

En sortant de l'oratoire du pape, le moine Chuquet s'apprêtait à reprendre la route de son petit diocèse, indécis sur ce que l'avenir lui destinait mais persuadé d'avoir tenu son rôle tel que le sort le lui avait attribué.

Avant de rentrer au couvent des Scolastiques, le moine s'arrêta sur le pont Grégoire, au-dessus du Tibre, en face du majestueux château Saint-Ange. C'est de cet endroit que, selon la légende, le premier des papes réformateurs, Grégoire le Grand, avait eu la vision d'un sublime soldat chrétien dressé à la pointe du château avec un glaive rouge, l'incitant à châtier l'Église corrompue du VIe siècle pour lui rendre sa virginité des premiers jours. Cette apparition était à l'origine de la plus importante purification des rangs chrétiens d'Occident. De nouvelles règles, de nouveaux hommes avaient rendu l'Église à son sens initial. Chuquet goûta quelques instants ce rapprochement lointain et symbolique entre ces deux âges. Avait-il, lui aussi, à sa mesure, œuvré pour nettoyer l'Église de quelques-uns de ses sujets les plus odieux ?

À cet instant, le vicaire de Draguan, qui fixait l'arête supérieure de Saint-Ange, crut voir à son tour, dans un éclair de lumière, la silhouette et le glaive rouge du soldat de Grégoire.

Mais cette vision était tout autre que celle du pape du VIe siècle...

Deux hommes venaient de se jeter sur lui et de lui planter deux longues dagues dans le ventre. Chuquet n'eut pas le temps de se débattre. Ses assaillants le soulevèrent à bout de bras et le jetèrent par-dessus la rampe du pont Grégoire. Chuquet tomba dans les eaux sombres du Tibre avec l'immobilité des corps morts.

✚

L'archiviste de Paris, Corentin Tau, habitait à la Légation française pour son séjour à Rome. Alors qu'il se reposait dans sa cellule, deux moines se ruèrent sur lui et l'étouffèrent dans ses draps.

Au même moment, dans une cabine à suer du même bâtiment, le père Merle était sauvagement égorgé et abandonné sur le marbre embué de vapeur.

✚

Les trois franciscains de Martin assistaient à la messe de midi. L'officiant était l'évêque Courtanes, un homme de confiance du pape. Son homélie porta sur le pardon et la recherche perpétuelle de la vérité, quête sacrée qui serait toujours récompensée dans l'au-delà. Au moment de l'action de grâce, l'homme de Dieu tendit aux trois franciscains les galettes azymes de la transsubstantiation, « le corps du Christ » : c'étaient trois hosties empoisonnées. L'effet fut foudroyant. À une heure, Fogell, Choble et Bydu disparaissaient dans des convulsions terribles.

✚

Martin IV se recueillait dans sa chapelle privée, avant sa confrontation avec Artémidore. Ces moments de méditation qu'il offrait à Dieu ne duraient généralement que quelques instants.

Mais aujourd'hui, le pape s'attarda.

Les longs cierges blancs qui éclairaient l'oratoire avaient été remplacés par des bougies à cire maligne : la petite fumée grise l'étrangla en pleine prière.

Ses gens le retrouvèrent sur les dalles, les membres déjà froids.

Aussitôt prévenu, le grand chancelier Artémidore convoqua un conclave extraordinaire pour élire un nouveau souverain pontife.

26.

Aux portes d'Heurteloup, la garnison de Jorge Aja se déployait, à l'insu de tous.

Près de l'église enfin reconstruite, Henno Gui tentait de rassurer son jeune disciple. Rentré de Draguan depuis deux jours, Floris ne cessait de prédire un cataclysme et de supplier son maître de quitter le village.

Le curé ne voulait s'y résoudre.

Au même moment, des cris résonnèrent au loin dans la forêt.

Henno Gui sursauta. Ils venaient des refuges de la crevasse. Des comédiens.

Soudain, une pluie de flèches incendiées s'abattit sur le village. Les pointes se mouchèrent dans la boue et frappèrent les toits de bois qui s'enflammèrent aussitôt.

Un terrible grondement se mit à rouler comme un orage de terre.

Une horde de soldats à cheval pénétrait à grand fracas dans Heurteloup.

✝

Dans la crevasse, la lutte était sans merci. La force armée de Jorge Aja, soutenue par celle d'Aymard du Grand-Cellier, s'était scindée en quatre groupes. Un seul suffit pour massacrer les comédiens. Les soldats se ruèrent dans le cratère avec leurs montures.

Gilbert de Lorris participait à l'assaut. Le garçon, juché sur son destrier, ressentit toutefois une sorte de vertige. Cette tête qu'il venait de trancher, il était sûr de la connaître. Le jeune soldat retint soudain son bras. Il regarda autour de lui. Il reconnut les malles, les animaux, les tenues éclatantes de couleurs : c'était la troupe de comédiens de l'auberge du Roman ! Le garçon voulut crier. Ces hommes n'étaient pas les hérétiques maudits dont on lui avait parlé. C'était une erreur. Une erreur. Il chercha à se faire entendre, mais, seul cavalier immobile au milieu du tumulte, il finit désarçonné sous les embardées des autres soldats.

Gilbert tomba entre les sabots claquant et les hommes qui fuyaient. Un peu sonné, il releva la tête et vit au fond d'un refuge plus profond deux visages qui lui étaient familiers : le vieux comédien et cette jeune fille, dont la vénusté et la douceur l'avaient tant frappé lors de son passage dans la grange de maître Roman.

Pour éviter d'être écrasé, Gilbert roula jusqu'à eux. La fille se cachait derrière la litière du vieillard. Ce dernier avait un sourire étrange, un peu déplacé dans le tumulte d'une bataille : il était mort.

Le jeune soldat retira son heaume noir. La comédienne le reconnut. À quelques pas d'eux, les coups redoublèrent. Gilbert vit ses congénères enflammer les affaires et les corps de la troupe. Le cadavre du jeune Oiseleur, le petit garçon qu'il avait rencontré près du cercueil de l'évêque, était ballotté entre les sabots comme un vulgaire paquet de chiffons. Sans plus hésiter, Gilbert dégaina son épée et s'ouvrit un passage en détruisant les branchages du refuge. Il empoigna le bras de la jeune fille et l'emporta contre son gré hors de la crevasse.

‡

Les quarante cavaliers qui envahirent Heurteloup fracassè-
rent les portes et défoncèrent les aires avec une rare
violence. Au centre du village, Henno Gui aperçut un moine
qui tenait dans les mains un immense brandon enflammé.
C'est à cette flamme principale que les autres soldats
venaient allumer leurs branches ou leurs fétus pour les jeter
sur les huttes d'Heurteloup. C'était Aymard du Grand-
Cellier. Il avait une mine furieuse, enhardie par la violence
qui l'entourait.

Les villageois étaient massacrés les uns après les autres. La
résistance était vaine.

Le village était en flammes. Les huttes s'effondraient les
unes après les autres. Les plus grosses s'enfoncèrent d'un
coup dans la terre, avec un jaillissement extraordinaire
d'étincelles. Les fondations des souterrains cédaient sous les
ruines et les décombres qui envahissaient les tunnels. On
entendait des cris de femmes et d'enfants. Odilon fut le
premier à se jeter dans l'arène, pensant défendre sa mère. Il
fut frappé d'une lance en plein cœur.

Il n'était plus temps de se lamenter ou d'essayer d'enrayer
le cours des choses, Henno Gui se rua lui aussi dans la
mêlée. Des flèches, des décharges de pierres volaient
au-dessus des têtes.

De tous, Mardi-Gras était le plus intraitable. Il crochait
avec furie, sectionnant d'un coup de machette le jarret des
chevaux et plantant sa lame sans faillir dans les articulations
des armures tombées au sol. À lui tout seul il repoussait trois
assaillants d'un coup. Quand il reçut une flèche au bas de
l'épaule gauche, c'est à peine si elle ralentit ses assauts. Il
ne l'arracha même pas. Il avançait au cœur des combats.
C'est là qu'il se retrouva opposé à un adversaire d'une
qualité singulière. Le géant eut d'abord un mouvement de
recul. Il crut se retrouver en face d'une sorte de double
apparu dans la poussière de la lutte. Mardi-Gras était en face
de Merci-Dieu. Même taille, même allure sombre et mystérieuse, même puissance native. Un espace naturel se dessina
autour des deux personnages. Les combats se poursuivirent

alentour, mais leur affrontement se détacha au milieu du tumulte…

Les deux hommes s'élancèrent. Le choc fut incroyable. Ils lâchèrent bientôt leurs armes pour en venir aux mains. Torse contre torse, roulant dans la poussière, il devint peu à peu impossible de distinguer l'un de l'autre. Aucun d'eux ne paraissait pouvoir prendre l'avantage. C'est la petite flèche reçue par Mardi-Gras qui lui fut fatale. Merci-Dieu l'aperçut, l'empoigna et l'enfonça d'un coup, loin dans le thorax de son adversaire. Cette perfidie arracha un cri de douleur au géant. Son bras gauche devint raide, le souffle lui manqua. Il défaillait. Sa vue se troubla.

Et c'est un genou posé au sol que le compagnon de Henno Gui, le géant, reçut le coup de guisarme de Merci-Dieu qui le décapita.

Le vainqueur n'eut pas le temps de savourer sa victoire. Il encaissa aussitôt un coup de masse lourde comme un tronc. Agricole venait de lui tomber dessus. Merci-Dieu s'abattit à quelques pieds de la dépouille de Mardi-Gras.

‡

Floris de Meung, éberlué comme son maître par la soudaineté de l'attaque, essaya d'échapper au carnage. Il était pourchassé par deux cavaliers armés de lance. Le jeune disciple courait vers la partie la plus étroite de la forêt. Ses deux poursuivants abandonnèrent leurs montures pour le traquer à pied. Floris s'écorchait les mollets en bondissant au-dessus des flaques boueuses ou en culbutant des racines ouvertes. Deux fois, il perçut le sifflement d'un pique acéré venant s'enfoncer dans un tronc à quelques centimètres de son crâne. Les deux hommes se rapprochaient. Le disciple était seul, désarmé, ayant abandonné son tranchant au village dans le ventre d'un soldat. Le bruit des bottes battait de plus en plus dans son dos. Floris entrevit alors une vague lueur bleue, comme un mirage, puis plus rien. Le silence. Derrière lui, plus de course, plus de presse au talon.

Le garçon courut encore avant de se retourner. Les deux soldats étaient arrêtés, immobiles, figés de stupeur au milieu des bois. Floris sourit. Entre lui et les deux hommes s'était interposée la mystérieuse dryade de filles aux silhouettes aériennes que le garçon connaissait bien. Cette apparition était aussi irréelle que les précédentes. Les soldats voyaient eux aussi ces fées qui leur barraient la route de leurs corps fins et translucides. Floris regarda autour de lui. La fée majeure, celle qui s'était approchée de lui, ne faisait pas partie du petit groupe qui retenait ces hommes. Le garçon la chercha. Elle apparut bientôt, à quelques brassées, en haut d'un petit monticule. Floris reconnut tout de suite ces longs cheveux, ce visage nacré et ces lèvres roses toujours fermées. Instantanément, cette vision tranquillisa le garçon ; la panique disparut, son souffle redevint presque régulier. Il voulut s'approcher, mais cette image bienfaitrice écarta les bras, parée pour disparaître dans un halo de lumière. Son image se mit à se troubler comme une eau qu'on perturbe. À sa place apparut une autre silhouette, même taille, même couleur de cheveux… seuls les vêtements déparaient et semblaient moins féeriques. Elle gravit le petit tertre et prit la place de l'illusion. La fille portait un bliaud bigarré de tissus de rapiéçage. Elle regardait de toute part, plus vive, plus réelle que l'image précédente. La fée bleue disparut. Floris s'approcha, absorbé par cette matérialisation prodigieuse de son rêve. Elle le considérait d'un air effrayé, prête à rebrousser chemin. Quand Floris voulut la retenir d'un mot, il entendit de nouveau le sifflement d'une lance qui déchirait l'air. L'arme passa au-dessus de la tête du garçon et vint percuter de plein fouet la jeune fille en haut du tertre. Elle ne s'évanouit pas comme l'aurait fait une vision fantastique, son ventre se mit à saigner, elle s'écroula morte sur le sol. Deux voix se lièrent dans un même cri. Floris se précipita en haut de l'éminence. Il arriva près de la fille en même temps qu'un autre garçon. C'était Gilbert de Lorris. Ils avaient crié ensemble. Floris se retourna : la dryade de fées avait disparu. Les soldats de Jorge Aja se précipitaient de nouveau. D'un même élan, Gilbert et Floris se ruèrent sur eux. Lorris portait son glaive, Meung saisit la lance qui avait frappé la jeune comédienne qui ressemblait tant à sa vision. Les deux garçons massacrèrent les cavaliers du Latran qui s'abattirent bientôt, effarés par le revirement soudain du jeune Gilbert.

‡

Henno Gui faisait pleuvoir les coups de son bâton de pèlerin. Il s'ouvrait un passage à travers la troupe des soldats. Plusieurs fois, il renversa des cavaliers et les assomma en brisant leur casque. Sa mise de curé le protégeait. En dépit des ordres, les soldats rechignèrent à battre un religieux. Ils esquivèrent ou contrèrent ses coups mais sans lui rendre la pareille ni chercher à le blesser. Henno Gui put ainsi cheminer jusqu'à l'étrange moine-soldat qui servait de porte-flamme aux autres combattants. Aymard du Grand-Cellier était toujours juché sur son cheval. Il n'avait pas la tête cachée sous un heaume. Il considéra le prêtre qui s'approchait, avec un profond mépris. Henno Gui ne s'embarrassa pas d'une parole, il roua simplement le cheval et les jambes d'Aymard pour le faire tomber à la renverse.

Du Grand-Cellier se releva, jeta son brandon et dénuda l'épée qu'il portait à la ceinture.

Les deux hommes d'Église s'affrontèrent avec une violence inouïe. Le bourdon en bois de Henno Gui tenait bon contre la lame d'Aymard. Des escarbilles volaient au-dessus des combattants comme des étincelles. Bien que du Grand-Cellier soit plus frais, le curé montrait une ardeur indémontable. Il frappait de toute son âme, comme si cet inconnu tonsuré incarnait à lui seul tous les maux de l'Église, toutes ces horribles conspirations qui s'étaient jouées du village d'Heurteloup et de ses hommes. Aymard se défendait. Il avait l'avantage de l'arme.

Le fidèle bâton du curé continuait de s'élimer par éclats sur le tranchant de l'épée. Soudain, la partie supérieure du bourdon vola en morceaux. Il ne resta plus dans la main de Henno Gui qu'un court moignon de bois. Aymard n'eut pas le temps de s'apercevoir que ce moignon était à présent aussi pointu et acéré qu'une dague. Il crut son adversaire désarmé. Mais, d'un bond vif, Henno Gui lui planta sa crosse en plein gosier.

Aymard s'effondra par terre, en s'étranglant dans son sang.

Henno Gui fut peu après maîtrisé par cinq gaillards armés devant Jorge Aja. Le curé d'Heurteloup rendit un regard de haine à cet évêque drapé comme un cardinal, avec ses gants de soie blanche qui juraient au milieu des combats et du village en flammes.

‡

Toutes les dépouilles des villageois et des comédiens furent réunies dans un énorme bûcher. Henno Gui assista à l'autodafé. Il vit tous les personnages de son histoire disparaître dans les flammes : Odilon, Seth, Cornélius, Tobie, Mabel, Mardi-Gras, Agricole, les villageois... À ceux-là s'ajoutèrent les cadavres des soldats d'Aja qui avaient péri dans l'assaut. Tous ces corps disparaissaient dans une épaisse fumée noire. Celle-ci tournoyait au-dessus du bûcher, mais Henno Gui n'y vit aucun visage de Dieu, aucun signe que Seth eût pu interpréter dans ses ordalies...

À la fin, quand tout fut consumé, ce fut son tour.

On l'attacha sur un grand piquet de bois qu'on planta comme une lance au milieu de la flambée. Les liens qui retenaient le prisonnier se décomposèrent rapidement sous l'emprise des flammes. D'ordinaire, les corps s'effondraient juste après dans les braises. Pas aujourd'hui. Dans la fumée noire et les étincelles, Henno Gui resta étrangement debout...

Si cette histoire n'était demeurée à ce point ignorée du monde, toute l'assistance présente autour du bûcher aurait pu témoigner de bonne foi de ce qui allait suivre : les bras du supplicié retombèrent devant lui, libérés de leurs liens. Peu après, ils se haussèrent lentement. La carcasse dressée de Henno Gui les écarta dans un signe de croix puis joignit ses mains comme à l'heure de la prière. Tout cela se fit dans le feu, les vapeurs immondes et la fumée. Lorsque les deux paumes de Henno Gui se touchèrent enfin, il y eut un temps d'arrêt, interminable... Tout le monde le regardait en retenant son souffle.

Puis, comme un homme qui se résigne et se couche finalement devant le destin, le curé s'affaissa et disparut.

‡

Les alentours du village furent méthodiquement et patiemment incendiés. Une immense lame de feu fut montée par les soldats et balaya tout ce qui restait de ces fameux « maudits », ces villageois oubliés par l'Église. D'aucuns pourraient conclure que ce légendaire Grand Incendie, qui peuplait tant l'imaginaire de ces hommes à la foi unique, n'était pas un souvenir, mais plutôt une prémonition.

Ce feu emporta tout.

L'Apocalypse du Convent de Meguiddo était jouée.

Épilogue

Annexe

... instruite par le rapporteur synodale Sidoine Méliesse
et attachée à l'inquisition menée par Bérulle de Noy
sur les heurts du diocèse de Draguan,
fait à Tarles, en Sabarthès, ce 6 janvier 1296.

Moi, Sidoine Méliesse, rapporteur pour la Cour et le synode de Passier, au compte exclusif de la procédure conduite par monseigneur de Noy, ouverte en son évêché de Tarles le 7 septembre 1290 et close en ce même territoire et par cette même autorité le 12 décembre 1294, assure comme droit et véridique le compte rendu d'enquête qui conclut ce jour le dossier Meguiddo conservé dans son intégralité aux registres inquisitoriaux de Foix.

Les auditions de l'évêque Bérulle de Noy concernant l'affaire de Draguan durèrent un peu plus de quatre ans. Elles furent toutes instruites à huis clos ; seuls l'évêque, le vicaire Quentin et le rapporteur Méliesse savaient ce que cachait cette sinistre affaire depuis 1233.

Pour la population, tout se résumait aux quatre mêmes points impénétrables : dans un même diocèse, trois cadavres étaient repêchés dans un cours d'eau appelé le Montayou, un évêque était assassiné un an plus tard, un vicaire disparaissait sans laisser de trace, enfin un village désert était retrouvé au nord du pays par des enquêteurs de la Cour quatre années après le meurtre du religieux. Sur la place principale de ce petit hameau, un monticule de terre couvert d'herbes se révéla être le résidu cendré d'un immense bûcher où les experts de Tarles dénombrèrent les restes osseux calcinés de plus d'une trentaine d'hommes, de femmes et d'enfants. Aucune identité avérée ne s'est jamais attachée à ces disparus, tout comme à ceux du Montayou. Quant à Romée de Haquin, l'évêque de Draguan, rien n'a pu filtrer sur lui ou sur son passé sinon les mémoires confuses et sélectives de ses anciens paroissiens.

Le mystère du « diocèse maudit » se limitait lugubrement à ces quelques faits inintelligibles. Les gens de la rue farcissaient cette histoire de diableries, ils n'en concevaient ni les tenants ni les aboutissants. Tant de secrets réunis dans un même lieu et dans une même période de temps devaient appeler naturellement une seule et même cause. Pour les uns, c'était le Diable, pour quelques autres, une conspiration fantastique. Mais d'où venait-elle, qui la conduisait et que recelait-elle ? C'est ce que seuls les hommes du tribunal de Tarles savaient.

L'évêque avait fait mander les quelques personnages qu'il avait laborieusement pu rapprocher des faits de son procès : Enguerran du Grand-Cellier, un vieillard sourd et aveugle qui se mourait dans son château de Morvilliers ; Denis Lenfant, un escroc qui racontait une poursuite étrange aux trousses d'un moine de province ; Jorge Aja, un archevêque glacial et trop secret, et puis Floris de Meung et Gilbert de Lorris, ces deux mystérieux jeunes hommes dont il était parfois difficile de suivre la trace... Tous ces êtres se montraient, d'une manière ou d'une autre, fuyants, insaisissables, et quand Noy arriva enfin à les surprendre et à les interroger, il lui fallut toute son adresse d'inquisiteur pour leur « faire jaillir les agnelles ».

Mais à ce jeu de patience, Bérulle de Noy emporta la partie. Tout l'édifice du Convent dirigé par Artémidore était aujourd'hui au bord de l'éboulement. La procédure était close ; Méliesse préparait le bac de cire qui allait servir à sceller les dix-neuf épais manuscrits que comportait l'instruction. Le père inquisiteur regardait ces dossiers avec satisfaction. Il avait mené seul un combat de titan.

— Un seul point me dérange, dit pourtant Sidoine Méliesse à son maître avant de cacheter les textes. Le témoignage oculaire de Jorge Aja sur le premier simulacre n'est pas complet. Il reste des inconnues sur le personnage de Cosme.

— Lesquelles ?

— Est-il oui ou non retourné à Heurteloup ?

— Les détails du simulacre n'avaient pas à être enregistrés dans cette procédure. Mais je peux te répondre au regard des autres entretiens que j'ai eus hors de l'instruction. Le père Cosme était bien tel que nous l'a décrit le curé François de Sauxellanges. Un esprit un peu dérangé qui, après ses deux guérisons, s'est confusément senti appelé vers une mission divine qu'il n'arrivait pas à identifier. Il est retourné à son village et a prêché plus que jamais les Évangiles à ses fidèles. Lorsque les hommes de Meguiddo ont commencé à préparer le simulacre, ils ont voulu se servir de ce personnage étrange. Ils lui ont fait parvenir des missives fictives où il lui était conté que les prémices de l'Apocalypse ravageaient le monde. Une femme était devenue pape, le Saint Sépulcre brûlait, les famines et les vices recouvraient la terre... C'était une bonne manière de le préparer et de préparer ses villageois. C'est d'ailleurs de là que vient cette langue étrange que parlaient ces sauvages à l'arrivée de Henno Gui. Le père Cosme ne connaissait pas le latin. Devant ces missives qui lui venaient « du ciel », il apprit seul les rudiments grammaticaux afin de pouvoir traduire ces signes et les montrer à ses fidèles. Ce mélange hasardeux de latin, de français et d'occitan lui a survécu.

— Et il n'a rien vu venir ? La préparation d'une telle simulation a pu se faire à l'insu de tous ?

— Les hommes de Meguiddo ont asséché un petit étang, à bonne distance du village. Ensuite, ils ont amené des chiens avec eux. Beaucoup de chiens. Ils les ont travestis avec des costumes de cuir pour leur donner un aspect monstrueux et ils les ont attachés tout autour de leur crevasse de travail. À chaque fois qu'un villageois s'aventurait, il était refoulé par ces bêtes qu'il prenait pour des diables.

— Et le jour du simulacre, qu'a fait le père Cosme ?

— Les missives avaient fait leur effet. L'homme était prêt. Il était certain que sa « mission » aurait lieu à l'heure du Jugement. La simulation fut orchestrée un jour d'éclipse solaire. Les théologiens avaient pensé à tout. Du moins le croyaient-ils.

— Que s'est-il passé ?

— À l'apparition des quatre cavaliers de l'Apocalypse, Cosme et les villageois se sont révoltés.

— Révoltés ?

— Oui. Les hommes de Meguiddo avaient tout prévu dans le moindre détail... tout, sauf de se trouver confrontés à des *chrétiens irréprochables*. Lorsque les cavaliers ont commencé à fustiger leurs péchés et à annoncer les jugements, ils commirent une erreur redoutable. Cosme avait préparé ses hommes. Ils étaient purs... il n'y avait de toute la chrétienté cœurs plus immaculés...

— Alors ?

— Alors, au lieu de voir l'imposture organisée par des clercs, Cosme a cru découvrir l'imposture du Christ lui-même ! Il a jeté sa croix et, à l'apparition de Jésus, l'a frappé d'une lance en plein cœur, manquant de tuer le pauvre comédien. Le simulacre tourna court. Pour se venger et pour qu'une telle expérience ratée ne s'ébruite jamais, les hommes de Meguiddo décidèrent de tout brûler et de tout faire disparaître. Là encore, ils échouèrent en partie. Lorsque les incendies entourèrent Heurteloup, les villageois virent venir à eux les chiens qu'on avait abandonnés et qui fuyaient devant les flammes. Grâce à leur flair et à leur instinct, les bêtes se jetèrent à l'eau pour se réfugier sur un petit îlot entouré de marais. Les hommes et les femmes les imitèrent. Mais peu réchappèrent à la noyade...

— Et Cosme ?

— Il survécut. Pour lui désormais, sa « mission » était plus claire que jamais. Il renia l'Église et le Christ… persuadé d'être, avec ses hommes, le seul élu de l'après-« Apocalypse biblique ». Il créa une nouvelle religion pour un nouveau monde…

Il y eut un long silence. Méliesse regardait sa pile de manuscrits.

— Tout cela est capital, dit-il enfin. Pourquoi ne pas l'avoir inscrit dans nos rapports ?

Un bref sourire passa sur la face de Bérulle de Noy.

— Au jour du retour de Jésus, des chrétiens, au lieu de s'agenouiller, le renient et le frappent d'une lance ?…

Il fit un lent mouvement latéral de dénégation.

— Non, non… même dans un rapport d'Inquisition, on ne veut pas qu'une histoire pareille puisse être racontée…

Composition : Facompo, Lisieux

Achevé d'imprimer sur rotative numérique par Book It !
dans les ateliers de l'Imprimerie Nouvelle Firmin Didot
Le Mesnil-sur-l'Estrée

Dépôt légal : Août 2002
N° d'impression : 1.280.4496